Stoner

JOHN
WILLIAMS

Stoner

ROMAN

Traduit de l'anglais (États-Unis)
par Anna Gavalda

Titre original :
STONER

© John Williams, 1965

Pour la traduction française :
© le dilettante, 2011

Note de la traductrice

C'est en lisant une interview de Colum McCann parue dans le quotidien anglais *The Guardian* il y a quelques années que j'ai découvert *Stoner* de John Williams. McCann affirmait que ce roman était un grand oublié de la littérature américaine, ajoutait qu'il en avait déjà acheté plus d'une cinquantaine d'exemplaires pour l'offrir à ses amis et que c'était un texte qui touchait autant les écrivains que les simples lecteurs. Cette précision m'avait mis la puce à l'oreille et je m'étais empressée de le lire. De le lire, de l'aimer et d'avoir envie de le partager à mon tour. Hélas, il n'avait jamais été publié en français.

La suite est simple : j'ai demandé à mon éditeur d'en acquérir les droits, ai vaguement cherché un traducteur patenté et ai fini par m'avouer ce que je savais déjà, à savoir que William Stoner, c'était moi, et que c'était à moi de m'y coller. Pour le meilleur – pour ce « vertige de l'orpailleur » évoqué au chapitre IX – et pour le pire : des heures et des heures passées arc-boutée sur un bout de phrase que je comprenais, que je « voyais mentalement », mais qu'il m'était impossible de traduire… Pourquoi tant d'enthousiasme et tant de peines ? Je ne sais pas. Voilà un roman qui n'a rien de spectaculaire.

Le récit d'une vie âpre, austère, une vie passée sous silence et tout entière consacrée à la littérature, bref rien de très exaltant, j'en conviens et n'en espère aucun miracle. Mais je suis heureuse d'être allée au bout de ce projet. D'une part parce qu'il m'a beaucoup appris sur « le métier », toutes ces histoires de légitimité, de liberté, de respect dû à une voix plutôt qu'à un personnage m'ont passionnée, d'autre part parce que c'est un roman qui ne s'adresse pas aux gens qui aiment lire, mais aux êtres humains qui ont besoin de lire.

ANNA GAVALDA

I

William Stoner est entré à l'université du Missouri en 1910. Il avait dix-neuf ans. Huit ans plus tard, alors que la Première Guerre mondiale faisait rage, il obtient son doctorat et accepte un poste d'assistant dans cette même université où il continuera d'enseigner jusqu'à sa mort en 1956. Il ne s'est jamais hissé plus haut que le rang de maître de conférences et parmi ses élèves, rares sont ceux qui auront gardé un souvenir précis de lui après la fin de leurs études.

À sa mort, ses collègues firent don d'un manuscrit du Moyen Âge à la bibliothèque. On peut encore le trouver dans la réserve de livres rares précédé de ces mots : *Offert par ses collègues à la bibliothèque de l'université du Missouri en mémoire de William Stoner, département de littérature anglaise.*

Un étudiant qui tomberait par hasard sur son nom aujourd'hui pourrait, à la rigueur, se demander qui était cet homme, mais il n'est guère probable que sa curiosité le mène beaucoup plus loin. Ses collègues ne lui portaient aucune estime particulière de son vivant et le citent rarement à présent. Aux oreilles des plus âgés son nom sonne comme un mémento – Souviens-toi que tu mourras – et pour les plus jeunes, ce n'est rien. Rien d'autre qu'un son, n'évoquant ni figure du passé, ni exemple, ni modèle auquel ils auraient pu se référer.

*
* *

Il était né en 1891 dans une petite ferme au cœur du Missouri près de Booneville, village situé à une soixantaine de kilomètres de Columbia où siégeait justement ladite université. Bien que ses parents fussent encore jeunes au moment de sa naissance – son père avait vingt-cinq ans, sa mère à peine vingt – Stoner, même quand il était enfant, les trouvait vieux. Il est vrai qu'à trente ans son père en paraissait vingt de plus. Brisé par le travail, il observait sans le moindre espoir l'ingrate parcelle de terre qui permettait à sa famille de survivre jusqu'à l'année suivante ; quant à sa mère, elle acceptait son existence avec résignation. Tout cela n'était, et ne serait jamais rien d'autre, qu'un long moment à endurer… Ses yeux étaient pâles, voilés et les minuscules rides qui les enchâssaient semblaient d'autant plus profondes qu'elle plaquait toujours ses cheveux en arrière et les épinglait sur sa nuque en un petit chignon gris bien sévère.

D'aussi loin qu'il se souvienne, William Stoner avait des besognes à accomplir. À six ans, il trayait des vaches décharnées, portait leur pâtée aux cochons dans une cabane plantée au diable et ramassait les petits œufs d'une couvée misérable. Même quand il se mit à fréquenter la petite école de campagne qui se trouvait à une bonne douzaine de kilomètres de la ferme, sa journée débutait bien avant l'aube et s'achevait après la nuit tombée, remplie qu'elle était en travaux et obligations de toutes sortes. À dix-sept ans déjà, il se tenait voûté.

C'était une famille solitaire dont il était l'unique enfant et qui tenait par la seule tyrannie du labeur. Chaque soir, ils s'installaient tous trois dans la cuisine autour de la lampe à pétrole et leurs regards s'abîmaient dans la contemplation de cette petite flamme. Bien souvent on n'entendait rien d'autre pendant cette heure de veillée entre le souper et le sommeil que la plainte d'une chaise grinçant sous le poids d'un corps épuisé ou les gémissements d'une maison hors d'âge.

La maison n'était qu'un carré rudimentaire dont les poutres usées, fatiguées, jamais peintes, faussaient les portes et fragilisaient le linteau du porche. Avec les années, l'ensemble avait pris la couleur de la terre sèche, soit une espèce de gris brun veiné de blanc. Il y avait, d'un côté, un salon tout en longueur et pauvrement meublé : quelques chaises, quelques tables en bois grossièrement taillé ainsi qu'une cuisine où la famille passait ensemble son peu de temps libre et, de l'autre, deux chambres avec, chacune, son petit lit à armature de fer émaillé blanc, sa lampe, sa chaise, sa table, sa cuvette et son broc. Le sol était couvert de grosses lattes de parquet brut mal équarries qui grinçaient, elles aussi, sous le poids des ans et où s'incrustait chaque jour une fine poussière que sa mère balayait inlassablement chaque matin.

À l'école, il s'acquitta de ses leçons comme autant de nouvelles corvées, à cela près qu'elles étaient moins fatigantes que celles de la ferme et, quand il quitta le lycée, au printemps 1910, il était prêt à reprendre le collier et à passer plus de temps dans les champs. Il lui semblait qu'avec les années, son père était devenu plus lent et beaucoup moins vaillant qu'autrefois.

Mais un soir, dans la cuisine, alors qu'ils avaient passé tout le jour ensemble à sarcler du maïs, ce dernier attendit que leur couvert fût débarrassé et lui dit :

— Y a l'conseiller rural qu'est venu l'aut'semaine...

Le fils fixait la toile cirée à carreaux rouges et blancs. Il leva les yeux.

— Y dit qu'y z'ont une nouvelle école à l'université de Columbia... Faculté d'agriculture qu'y z'appellent ça... Y dit qu'tu d'vrais y aller... Qu'ça prend quatre ans...

— Quatre ans, répéta William, et... et il faut payer ?

— Faudrait qu'tu travailles pour ce qui est d'ta chambre et d'la pension. Ta m'man elle a un cousin germain qu'habite par là-bas et qui pourrait t'prendre... Mais sûr que y aurait aussi les livres et pis d'autres choses en plus... Je pourrais t'envoyer deux ou trois dollars chaque mois.

William posa ses mains bien à plat sur la toile cirée qui brillait faiblement sous l'éclat de la lampe. Il n'était jamais allé plus loin que Booneville, à vingt-quatre kilomètres de là. Il déglutit pour tenter d'affermir sa voix :

— Et... et la ferme ? Tu penses que tu pourrais t'en sortir tout seul ?

— Ta mère et moi, on peut. J'planterai du blé que dans les dix hectares du haut. Ça s'ra toujours ça de moins en efforts...

Il regarda sa mère.

— M'man ?

Elle répondit d'une voix blanche :

— Tu fais comme ton père dit.

— Vous voulez vraiment que j'y aille ? reprit-il encore dans l'espoir d'être contredit. Vraiment ?

Son père se cala sur sa chaise. Il observa ses gros doigts calleux et fissurés où la terre s'était si profondément incrustée que plus rien ne pourrait jamais l'en déloger. Il les croisa et joignit ses mains devant lui comme s'il s'apprêtait à prier.

— J'ai pour ainsi dire jamais eu d'instruction... continua-t-il, toujours en regardant ses poings. J'ai commencé à travailler dans une ferme juste à la fin d'la primaire... Faut dire que je n'ai jamais trop bien accroché avec leur école quand j'étais gamin... Mais maintenant... J'sais pas... On dirait que la terre devient plus sèche et plus dure à travailler chaque année... Et pis qu'elle est moins bonne que d'mon temps... L'conseiller rural, y dit qu'y z'ont des idées nouvelles et des manières de s'y prendre autrement qu'y vous apprennent à l'université. Peut-être qu'il a rai-son... Souvent quand je suis dans les champs, eh ben j'y pense...

Il considéra de nouveau ses pognes en grima-çant puis secoua la tête :

— T'iras à leur université c't'automne. Ta m'man et moi, on s'en tir'ra.

Et ce fut là le plus long discours qu'il lui tînt jamais. Le fils se rendit à Columbia au début du mois de septembre et s'inscrivit en première année de faculté, section agriculture.

*
* *

Il arriva à Columbia vêtu d'un costume en grosse toile noire choisi dans le catalogue de Sears & Roebuck et payé avec l'argent que sa mère avait économisé sur la vente des œufs, un pardessus usé qui avait appartenu à son père, le pantalon en serge bleue qu'il avait mis une fois par mois pour se rendre au temple méthodiste, deux chemises blanches, deux tenues de travail de rechange et vingt-cinq dollars en liquide empruntés à un voisin contre la prochaine récolte de blé. Ce matin-là, il partit à pied de Booneville où ses parents l'avaient déposé à l'aube avec la mule attelée à la bétaillère.

Il faisait chaud et la route était poussiéreuse. Il avait marché près d'une heure déjà quand le conducteur d'un chariot de marchandises qui passait à sa hauteur lui proposa de monter. Il accepta et se hissa à ses côtés. Ses bas de pantalon avaient viré à l'ocre et son visage, déjà buriné, s'était couvert d'une sorte de croûte de poussière et de sueur mêlées. Il passa le reste du trajet à s'épousseter maladroitement et à passer ses mains dans ses cheveux rêches pour essayer d'en aplatir les épis.

Ils arrivèrent à Columbia en fin d'après-midi. Aux abords de la ville, le conducteur lui désigna un groupe de bâtiments à l'ombre de grands ormes.

— C'est votre université. C'est là que vous irez à l'école...

Après l'avoir salué, Stoner demeura interdit un long moment. Il n'avait jamais rien vu d'aussi imposant. Les bâtiments avaient été édifiés en pente douce au bout d'une immense étendue de gazon seulement interrompue, çà et là, par des allées en pierre et des massifs de fleurs. Bien sûr, il était ému et impressionné, mais il éprouva aussi un sentiment de paix, de sécurité, tel qu'il n'en avait encore jamais connu. Bien qu'il fût tard, il marcha un long moment à la lisière du campus et se contenta de l'admirer de loin comme s'il n'avait pas eu le droit de s'y aventurer.

La nuit était presque tombée quand il demanda à un passant la direction d'Ashland Gravel – chemin qui devait le mener à la ferme de Jim Foote, le cousin germain de sa mère pour lequel il était censé travailler – et la nuit était déjà tombée quand il rejoignit leur grande bâtisse blanche à deux étages. Il ne connaissait pas ces gens et se sentait un peu gêné d'arriver si tard.

Ils l'accueillirent d'un hochement de tête tout en le détaillant de haut en bas. Après un long moment pendant lequel Stoner s'était tenu bien mal à l'aise dans l'embrasure de la porte, Jim Foote le guida vers un petit salon triste et sombre surchargé de meubles et de tout un tas de bibelots.

Il resta debout.

— Déjà dîné ? l'interrogea Foote.

— Non, monsieur.

Madame Foote lui fit un signe de l'index et s'éloigna en trottinant. Stoner la suivit à travers plusieurs pièces jusqu'à la cuisine où elle l'invita à s'asseoir. Elle posa devant lui une cruche de lait et plusieurs morceaux de pain au maïs. Il but le lait, mais, trop ému, ne put rien avaler.

Foote entra et se tint debout à côté de sa femme. C'était un homme petit, d'un mètre soixante-cinq environ, au visage mince et au nez pointu. Son épouse le dépassait d'une tête et était plutôt forte. Ses lèvres étaient pincées et une paire de lorgnons lui cachait les yeux. Tous deux ne le regardaient plus, ils le jaugeaient.

— Soigner les bêtes, nourrir les cochons le matin, lâcha Foote brusquement.

Stoner lui jeta un regard vide.

— Pardon ?

— C'est c'que t'auras à faire l'matin avant qu't'ailles à tes cours… Et pis l'soir tu remets ça, tu vas aux œufs et tu trais les vaches. Quand t'auras le temps, tu coupes du bois pour le poêle et l'week-end tu m'donnes la main pour tout ce que j'ai à faire…

— Oui, monsieur.

Ainsi en échange de neuf mois de pension, il nourrit et abreuva le bétail, porta leur pâtée aux cochons, ramassa des œufs, assura la traite et coupa du bois. Sans compter qu'il travaillait aussi dans les champs, assurait les labours, passait la herse, déterrait des souches (or la terre gelait dur en hiver) et battait le beurre de madame Foote pendant que cette dernière le surveillait de près en approuvant d'un sévère mouvement de tête les va-et-vient du battoir dans sa crème.

On l'avait relégué dans l'ancien débarras du haut et son mobilier se limitait à un lit en fer défoncé recouvert d'un mince matelas de plumes, d'une table cassée, d'une lampe à pétrole, d'une chaise bancale et d'une grosse caisse en bois qui lui servait de bureau. L'hiver, son unique source de chaleur était les reliquats de celle qui suintait des lattes du parquet. Il devait s'emmitoufler dans les couvertures déchirées et les édredons miteux auxquels il avait eu droit et était obligé de souffler sur ses mains quand il tournait les pages de ses livres pour ne pas risquer de les déchirer.

Il s'acquitta de son travail à l'université comme il s'acquittait de celui de la ferme – minutieusement, scrupuleusement, sans y prendre le moindre plaisir, mais sans angoisse non plus. À la fin de sa première année, la moyenne de ses notes était à peine inférieure à B. Il était content que ce ne fût pas moins et n'avait pas aspiré à des résultats plus glorieux. Il avait conscience d'avoir engrangé quelque savoir, mais la seule chose qu'il retint vraiment, c'était qu'il pouvait continuer ainsi et se maintenir au même niveau l'année suivante.

Pendant l'été il retourna chez son père et aida aux moissons. Un jour que ce dernier lui demandait si ses études lui plaisaient, il répondit que ça allait. L'autre hocha la tête et n'en parla jamais plus.

C'est seulement en deuxième année que William Stoner comprit pourquoi il était venu à l'université.

Il y retourna donc et devint une silhouette familière du campus. Été comme hiver, il était vêtu de son unique costume noir, d'une chemise blanche et d'une fine cravate. Ses bras dépassaient de ses manches trop courtes et son pantalon tirebouchonnait. On aurait dit l'uniforme d'un autre, porté il y a bien longtemps.

Plus il travaillait, plus ses employeurs se laissaient vivre. Il veillait tard dans sa soupente et travaillait dur. Inscrit en licence d'agro, il devait suivre deux enseignements principaux pendant le premier trimestre : une formation sur la chimie des sols et un autre cours – purement formel, celui-là – censé survoler l'ensemble de la littérature anglaise et qui était obligatoire pour tous les étudiants.

Au bout de quelques semaines, il eut du mal avec les cours de science. Tant de travail à fournir et tellement de choses à apprendre par cœur... Pourtant, son cours de chimie des sols l'intéressait. Jamais il n'aurait imaginé que ces mottes de terre brunâtre contre lesquelles il s'était tellement échiné pussent être autre chose que ce dont elles avaient l'air et il commençait à réaliser que tout ce qu'il était en train d'apprendre à leur sujet pourrait s'avérer très utile quand il rentrerait chez son père... Les cours d'Introduction à la littérature, en revanche, le plongeaient dans un état de confusion inouï qui lui était extrêmement pénible.

Le professeur était un homme d'une cinquantaine d'années qui s'appelait Archer Sloane. Il venait à ses cours en arborant un petit air dédaigneux comme s'il percevait entre son savoir et ce qu'il pouvait en divulguer ici un gouffre tel qu'il n'était *même pas* envisageable de faire le moindre effort pour tenter de le combler. La plupart de ses élèves le craignaient et ne l'aimaient pas. Attitude à laquelle il répondait par une sorte d'ironie mordante. Il n'était pas particulièrement grand et son visage long et déjà fort ridé était toujours rasé de près. Et puis il avait cette manie de manifester son impatience en passant ses doigts dans sa tignasse grisonnante... Quand il s'exprimait, ses lèvres bougeaient à peine et sa voix était désespérément terne, mais ses longues mains ondulaient avec grâce et ardeur comme si elles cherchaient à donner aux mots, la force, le poids et toute la rondeur que son morne débit compromettait.

Loin de l'amphithéâtre, quand il s'échinait à la ferme ou s'abîmait les yeux sous une lumière faiblarde en étudiant dans sa mansarde aveugle, Stoner se surprenait souvent à penser à lui. Il avait peine à se remémorer le visage de ses autres professeurs ou à se souvenir de quoi que ce soit de particulier ayant attrait à leur enseignement, mais la personnalité d'Archer Sloane, sa voix cassante, la désinvolture teintée de mépris avec laquelle il commentait tel passage de *Beowulf* ou tel couplet de Chaucer, ne cessaient de le hanter.

Il réalisa qu'à la différence des autres matières, il était totalement incapable de s'en sortir en littérature. Bien qu'il se souvînt des auteurs au programme, de leur œuvre, de leurs dates et de l'influence qu'ils avaient exercée, il faillit échouer à son premier examen et ne fit guère mieux au second. Il lut et relut les textes imposés avec tant d'insistance que ses résultats dans les autres disciplines commencèrent à en pâtir. Les mots qu'il lisait ne lui parlaient pas et il ne voyait pas trop à quoi tout cela pourrait bien lui servir...

En classe, il se raccrochait aux paroles prononcées par Sloane comme s'il cherchait derrière leur simple apparence, un indice, une clef vers ce monde qui lui résistait. Assis sur une chaise bien trop exiguë pour lui, il se tenait arc-bouté au-dessus de son pupitre en s'y cramponnant si fort que ses mains, pourtant brunies et épaissies par les travaux des champs, laissaient voir la pâleur de leurs articulations. Il se concentrait en fronçant les sourcils et en se mordillant la lèvre inférieure. Hélas, plus les élèves se donnaient du mal, plus le mépris de leur professeur devenait évident... Or, un jour, ce mépris se mua en colère et cette exaspération le prit lui, William Stoner, pour objet.

Ils venaient de lire deux pièces de Shakespeare et terminaient la semaine par l'étude de ses sonnets. Les élèves étaient tous déroutés, énervés, voire un peu effrayés par la tension qui montait des travées et par cette silhouette ramassée qui les observait depuis son estrade. Sloane venait de leur lire à voix haute le sonnet 73. Son regard sombre planait sur la salle et ses lèvres pincées esquissaient un sourire de mauvais augure.

— Que signifie ce sonnet ? demanda-t-il tout à trac.

Puis il se tut et ses yeux fouillèrent l'assemblée avec une sorte de désespoir jouissif.

— Monsieur Wilbur ?

Aucune réponse.

— Monsieur Schmidt ?

Quelqu'un toussa.

Sloane dirigea alors son regard noir vers Stoner.

— Monsieur Stoner, que signifie ce poème ?

Ce dernier déglutit et essaya d'ouvrir la bouche.

— C'est un sonnet, monsieur Stoner ! reprit-il sèchement, une composition poétique de quatorze vers assemblés selon une forme précise que vous aurez retenue, je n'en doute point. Il est rédigé en anglais, langue que vous parlez, si je ne m'abuse, depuis quelques années déjà, et son auteur s'appelle William Shakespeare. Un poète mort, je vous l'accorde, mais qui a, cependant, la faiblesse de compter un peu aux yeux de quelques-uns...

Il continua de le dévisager un moment puis son regard se voila et se mit à fixer un point au fond de la classe qui n'existait pas.

Sans plus se soucier de son recueil il redit le poème et sa voix se fit plus douce, plus profonde, comme s'il était devenu, l'espace d'un instant, l'incarnation même de ces mots, de leur rythme et de leur sonorité :

> That time of year thou mayst in me behold
> When yellow leaves, or none, or few, do hang
> Upon those boughs which shake against the
>   cold,
> Bare ruin'd choirs, where late the sweet birds
>   sang.
> In me thou see'st the twilight of such day
> As after sunset fadeth in the west ;
> Which by and by black night doth take away,
> Death's second self, that seals up all in rest.
> In me thou see'st the glowing of such fire

That on the ashes of his youth doth lie,
As the death-bed whereon it must expire,
Consumed with that which it was nourisht by.
This thou perceivest, which makes thy love
* more strong,*
To love that well which thou must leave ere
* long.*[1]

Un raclement de gorge troubla le silence. Sloane répéta ces vers, mais d'une voix plate, éteinte, la sienne :

— Et ce que tu contemples renforcera ton amour afin d'aimer mieux encore ce que bientôt tu vas perdre...

Sloane s'adressa de nouveau à Stoner et lui demanda, d'une voix cassante :

— Monsieur Stoner, monsieur Shakespeare s'adresse à vous à travers trois siècles. L'entendez-vous ?

William Stoner réalisa qu'il avait cessé de respirer. Il expira lentement et sentit, à mesure que ses poumons se vidaient, le frôlement de ses vêtements sur sa peau. Il quitta Sloane des yeux et se mit à

---

1. *Contemple en moi ce moment de l'année,*
Quand les feuilles d'automne – peut-être aucune, ou alors si peu,
Se balancent à des rameaux qui tremblent dans le froid,
Ce chœur nu et désolé où de mignons oiseaux chantaient autre-fois.
Vois en moi le crépuscule d'une telle journée,
Comme lorsque le soleil s'évanouit à l'ouest ;
Peu à peu emporté au loin par la nuit noire
Cet autre visage de la mort qui scelle le repos de tous.
Vois en moi le flamboiement d'une telle ferveur,
Qui danse sur les cendres de sa jeunesse,
Avant de s'éteindre sur ce même lit,
Justement consumé par l'ardeur de ce qui l'avait nourri.
Et ce que tu contemples renforcera ton amour,
Afin d'aimer mieux encore ce que bientôt tu vas perdre.

regarder tout autour de lui. Depuis les fenêtres, des rais de lumière descendaient en biais sur les visages de ses camarades et cette clarté semblait émaner d'eux pour s'en aller contrer les ténèbres. Un étudiant clignait des yeux... Une ombre légère s'était posée sur la joue d'un autre dont le duvet était encore tout emmiellé de soleil... Il prit conscience que ses mains, toujours cramponnées à son bureau, étaient en train de relâcher leur étau. Il les tourna, les observa, s'émerveilla de les découvrir si hâlées et admira la façon parfaite qu'avaient les ongles de s'ajuster au bout de ses doigts pourtant si grossiers. Enfin, il réalisa qu'il pouvait sentir, sans jamais le voir, son sang irriguer ses milliers de veines et infimes vaisseaux avant de s'élancer – course incertaine, délicate – du bout de ses phalanges à l'ensemble de son corps.

Sloane reprit la parole :

— Que vous dit-il, monsieur Stoner ? Que signifie ce sonnet ?

À contrecœur, Stoner leva les yeux vers celui qui l'interrogeait. Il esquissa un geste.

— Il veut dire que... Son regard se perdit de nouveau. Il signifie que...

Il ne put terminer sa phrase.

Sloane le regarda d'une façon étrange puis hocha brusquement la tête et annonça que le cours était terminé. Les ignorant tous, il tourna les talons et quitta les lieux.

L'autre n'était plus là. Il ne voyait plus ses camarades ni ne les entendit se lever dans un murmure de protestation puis quitter la salle de classe en traînant les pieds. Après leur départ, il resta immobile pendant de longues minutes. Le regard fixe, perdu dans la contemplation d'une latte de parquet au vernis usé et patinée par les incessantes allées et venues de générations d'étudiants qu'il ne verrait jamais, qu'il ne connaîtrait pas et dont il ne saurait jamais rien... Il fit glisser ses propres pieds sur le sol, attentif aux raclements secs et à la rugosité du bois sous ses semelles de cuir. Ensuite il se leva à son tour et sortit lentement.

C'était la fin de l'automne. Un petit froid piquant s'engouffrait sous ses vêtements. Il regarda les arbres et admira leurs branches noueuses qui dessinaient de grandes arabesques sur un fond de ciel pâle. Des jeunes gens qui traversaient le campus à grandes enjambées pour rejoindre leurs cours le frôlèrent en passant. Il entendait le murmure de leurs voix et le claquement de leurs talons sur les dalles de pierre. Il observait leurs visages, rougis par le froid, inclinés sous les assauts d'une brise légère. Il les regardait avec curiosité, comme s'il ne les avait jamais remarqués auparavant et se sentit à la fois très proche et très différent d'eux.

Ce sentiment ne le quitta pas. Il s'y réchauffa tandis qu'il se hâtait vers le cours suivant et s'y cramponna tandis qu'il écoutait l'exposé de son professeur en chimie des sols et qu'il prenait en note ce ronronnement monocorde – toutes ces choses étranges qui devaient être consignées dans des cahiers puis apprises bêtement selon une routine qui, encore maintenant, lui semblait aberrante...

Au cours du deuxième trimestre, William Stoner abandonna les cours de sciences et mit fin à son cursus d'agronomie. Il s'inscrivit à un cycle d'introduction à la philosophie, à un cours d'histoire ancienne et à deux autres de littérature anglaise.

L'été suivant, il retourna chez ses parents, travailla à la ferme, aida aux récoltes et ne fit jamais la moindre allusion à ses études.

*
* *

Beaucoup plus vieux, il se souviendrait de ces deux premières années comme d'un temps suspendu et vécu par un autre que lui. Une époque qui n'avait pas suivi le cours tranquille auquel il avait été habitué depuis, mais une série d'ajustements et de faux départs. Un patchwork de différentes périodes liées les unes aux autres et qui n'avaient jamais rien eu en commun. Il avait l'impression d'être hors du temps et sa vie, alors, n'était qu'une succession de petites saynètes plus ou moins réussies dont il était demeuré simple spectateur.

Chose tout à fait nouvelle, il devint conscient de son image. Il lui arrivait de se regarder dans un miroir, de scruter ce long visage coiffé d'une crinière châtaine, de toucher ses pommettes saillantes, d'aviser ces longs poignets qui n'en finissaient pas de dépasser des manches de son manteau et il se demandait s'il paraissait aussi pathétiquement ridicule aux yeux des autres qu'il l'était aux siens...

Il n'avait aucun projet d'avenir et personne à qui il aurait pu confier son désarroi. Il continuait de trimer chez les Foote en échange du gîte et du couvert, seulement il n'était plus aussi corvéable. Il se tenait à la disposition de Jim et Serena trois heures par jour et une demi-journée pendant le week-end ; le reste de sa vie lui appartenait.

Il passait un peu de ce temps libre dans son galetas tout en haut de la maison de ses cousins, mais le plus souvent, quand ses cours étaient terminés et qu'il était débarrassé des corvées de la ferme, il retournait sur le campus. Il lui arrivait, le soir, de déambuler le long des coursives parmi des couples qui s'y promenaient en conversant à voix basse. Il n'en connaissait aucun, il ne leur adressait jamais la parole et pourtant, il aimait leur compagnie.

Parfois ses pas le menaient dans la cour d'honneur. Il se postait là, en son centre, et admirait les cinq gigantesques colonnes qui se dressaient devant Jesse Hall. Elles semblaient sortir de terre pour s'élancer dans la nuit. Ces colonnes, avait-il appris, étaient les vestiges de l'ancien bâtiment principal qu'un incendie avait détruit bien des années auparavant. Gris argent sous la lune, pures et dépouillées, elles lui paraissaient être le symbole de la vie qu'il s'était choisie comme un temple est l'incarnation du dieu qu'il honore.

Il se promenait dans les rayonnages de la grande bibliothèque de l'université parmi des milliers de livres et inhalait cette odeur de renfermé, de cuir, de toile et de papier jaunissant comme le plus exotique des encens.

Parfois il s'arrêtait, sortait un ouvrage des rayons et le tenait un moment dans ses grandes mains tout émues de manipuler un objet si peu familier. La reliure, le dos, les planches si dociles... Puis il le feuilletait et attrapait un paragraphe ici ou là... Ses doigts malhabiles tournaient les pages avec le plus grand soin, terrifiés qu'ils étaient à l'idée d'abîmer ou de déchirer ce qu'ils avaient eu tant de mal à découvrir.

Il n'avait aucun ami et pour la première fois de sa vie, il réalisa à quel point il était seul. Quelquefois, au beau milieu de la nuit, il levait les yeux de son livre et son regard se perdait dans les recoins de sa petite mansarde, là où la lueur vacillante de la lampe n'avait plus prise sur les ombres. Et s'il demeurait ainsi, concentré, immobile, l'obscurité semblait s'animer, se matérialiser et transcender en formes irréelles ce qu'il venait à l'instant de déchiffrer. Alors il avait de nouveau cette impression d'atemporalité et de dédoublement, exactement comme le jour où Archer Sloane s'était adressé à lui en plein cours.

Le passé surgissait des ténèbres où il se tenait embusqué, des êtres revenaient à la vie devant lui, tout ce qui avait vécu se mêlait au présent et les morts côtoyaient les vivants. Ainsi, l'espace d'un instant, il avait l'impression d'être emporté, compacté, dans une sorte de réalité impossible dont il ne pouvait ni ne voulait s'échapper.

Tristan et la douce Iseult marchaient devant lui, Paolo et Francesca, les amants maudits de *La Divine Comédie*, tourbillonnaient dans les feux de l'enfer et les visages déformés par la terreur d'Hélène et du beau Pâris surgissaient de l'ombre. Il se tenait auprès d'eux avec une intimité qu'il aurait été bien incapable de partager avec ses condisciples. Tous ces jeunes gens qui vaquaient avec désinvolture d'une classe à l'autre, qui logeaient sur place, au sein de cette magnifique université, à Columbia, dans le Missouri et qui s'en allaient pleins d'insouciance dans le grand air du Middle West.

En l'espace d'un an, il avait appris suffisamment de grec et de latin pour pouvoir lire des textes simples. Il n'était pas rare que ses yeux rouges le brûlassent à force de tension nerveuse et de manque de sommeil. Il lui arrivait parfois de penser à celui qu'il était encore quelques années auparavant et la vision de ce personnage curieux, brun et inerte comme la terre dont il était issu, le stupéfiait toujours. Puis il songeait à ses parents et ils lui apparaissaient aussi incongrus que l'enfant qu'ils avaient mis au monde. Il éprouvait pour eux une sorte de pitié un peu douteuse. D'amour lointain.

Vers le milieu de sa quatrième année, Archer Sloane l'aborda à la fin d'un cours et l'invita à passer le voir dans son bureau pour bavarder un peu.

C'était l'hiver et un brouillard humide, stagnant, si caractéristique du Middle West, flottait sur le campus. En cette fin de matinée, les fines branches des cornouillers étaient encore pailletées de givre et la vigne nue qui courait le long des grandes colonnes de Jesse Hall s'était couverte de minuscules cristaux nacrés : une guirlande scintillante sur le gris de ces vieilles pierres... Bien qu'il fît terriblement froid, son manteau était si minable et élimé que Stoner avait renoncé à le porter pour se rendre chez son professeur. Il frissonnait en se hâtant le long des allées et en grimpant quatre à quatre les larges escaliers de pierre qui menaient au bâtiment principal.

Soudain, il eut très chaud. De part et d'autre du grand hall, la grisaille du dehors s'engouffrait par les fenêtres et les portes vitrées de sorte que le jaune du carrelage contrastait vivement avec la tristesse ambiante. Les boiseries et les grandes colonnes en chêne impeccablement cirées étaient d'une noirceur intense. Des bruits de pas traînants crissaient sur le sol et le murmure des voix se perdait dans l'immensité du lieu. De vagues silhouettes se déplaçaient lentement et se mêlaient entre elles avant de se séparer de nouveau et la forte odeur d'encaustique ajoutée à celle de l'humidité qui s'échappait de tous leurs vêtements de laine rendait l'atmosphère un peu oppressante. Stoner gravit les marches – si douces – du grand escalier en marbre jusqu'au bureau de Sloane qui était situé au premier étage. Il frappa à une porte close, entendit une voix et entra.

C'était une pièce longue et étroite qu'éclairait une unique fenêtre à son extrémité. Des étagères montaient jusqu'au plafond et croulaient sous le poids des livres. Sous la fenêtre, il y avait un bureau et, assis devant, de profil et à contre-jour, Archer Sloane.

— Monsieur Stoner, l'accueillit-il sèchement en se levant à peine.

Il lui indiqua un fauteuil en cuir juste devant lui. Stoner s'exécuta.

— J'ai examiné vos résultats...

Il fit une pause, attrapa le dossier qui se trouvait sur son bureau et le considéra avec un petit sourire en pointe.

— J'espère que vous ne me tiendrez pas rigueur de cette... curiosité.

Stoner humecta ses lèvres et s'agita sur son fauteuil. Il essaya de cacher ses grandes mains en les broyant l'une contre l'autre.

— Non, monsieur, répondit-il d'une voix rauque.

Sloane acquiesça.

— Parfait. Je note que vous avez commencé vos études comme étudiant en agriculture et qu'à un certain moment, au cours de votre deuxième année, vous avez bifurqué vers la littérature. Est-ce bien exact ?

— Oui, monsieur.

Archer Sloane se recala au fond de son fauteuil et observa le carré de lumière qui s'échappait de la petite lucarne. Il joignit ses mains en cercle devant son visage, ongles contre ongles, puis se tourna vers le jeune homme qui se tenait en face de lui, raide comme un piquet.

— La raison officielle de cet entretien est de vous informer que vous devez clarifier votre statut en précisant votre intention d'abandonner votre formation initiale et en confirmant celle que vous avez finalement choisie. Vous prendrez bien soin de vous plier à ces contraintes administratives, n'est-ce pas ?

— Oui, monsieur.

— Cependant, et vous l'aurez peut-être deviné, ce n'est pas exactement pour cette raison que je vous ai demandé de venir me voir ce matin… Cela vous ennuierait-il si je vous interrogeais quelque peu à propos de vos… projets d'avenir ?

— Non, monsieur, fit Stoner le regard toujours braqué sur ses grosses paluches.

Sloane effleura le dossier qu'il avait laissé retomber sur son bureau.

— Il me semble que vous étiez un peu plus âgé que les autres étudiants quand vous êtes arrivé ici… Vous aviez déjà près de vingt ans si je ne m'abuse…

— C'est exact, monsieur.

— Et qu'à cette époque, vos projets étaient de suivre le cycle proposé par le département d'agriculture ?

— Oui, monsieur.

Sloane s'adossa de nouveau à son fauteuil et son regard se perdit dans les hauteurs du plafond.

— Et à présent ? Quels sont vos projets ? demanda-t-il tout à trac.

Son étudiant demeura interdit. C'était un sujet auquel il n'avait jamais réfléchi et auquel il n'avait jamais eu envie de réfléchir. Enfin, il se força à répondre :

— Je ne sais pas. Je n'y ai jamais vraiment songé.

— Attendez-vous avec impatience le jour où vous quitterez ces murs rassurants pour aller vous aventurer dans ce que certains appellent « le monde » ?

Tout mal à l'aise qu'il fût, Stoner ne put s'empêcher de sourire.

— Non, monsieur...

Sloane indiqua de nouveau l'épais dossier :

— J'ai appris dans ces pages que vous veniez d'une petite communauté rurale, j'imagine donc que vos parents sont fermiers ?

— Oui.

— Et... Et vous avez l'intention de retourner à la ferme quand vous aurez obtenu votre diplôme ?

— Non !

Il fut surpris par le ton de sa voix. La décision qu'il venait de prendre – et de façon si péremptoire – le laissa tout abasourdi.

Sloane opina.

— J'imaginais en effet qu'un étudiant en lettres aussi sérieux pouvait décemment admettre que l'ensemble de ses connaissances n'étaient pas des plus pertinentes quant aux... exigences des sols cultivables...

— Je n'y retournerai pas, reprit Stoner comme si Sloane n'avait pas parlé, même si je ne sais pas au juste ce que je ferai...

Il s'adressait à ses mains :

— Je n'arrive pas à réaliser que tout cela sera fini bientôt et que je devrai quitter l'université à la fin de l'année...

— Bien sûr, ajouta Sloane avec nonchalance, il n'est pas *absolument* nécessaire que vous partiez... J'imagine que vous n'avez pas de ressources personnelles...

Stoner secoua la tête.

— Vous avez, comme étudiant de premier cycle, un excellent dossier. Exception faite de votre…, il haussa les sourcils et lui sourit,… cours d'Introduction à la littérature de deuxième année, vous avez obtenu des notes excellentes à tous vos examens d'anglais et rien, nulle part, n'est inférieur à B. Si vous aviez l'occasion de poursuivre vos études encore un an ou deux après votre diplôme, vous pourriez, j'en suis convaincu, obtenir haut la main votre maîtrise de lettres. Après quoi vous pourriez probablement enseigner et travailler à votre doctorat… Si tout cela, bien entendu, vous intéressait le moins du monde…

Stoner eut un mouvement de recul.

— Que voulez-vous dire ?

Et il entendit dans sa propre voix quelque chose comme de la peur.

Sloane se pencha en avant et s'approcha très près. Stoner remarqua que les lignes de son visage s'étaient adoucies et que sa voix, d'habitude si dure et si moqueuse, était devenue chaleureuse, presque amicale.

— Allons… Vous l'ignorez, monsieur Stoner ? Ne comprenez-vous donc toujours pas qui vous êtes ? Mais vous serez professeur !

D'un coup, Sloane lui sembla très loin et les murs de son bureau s'évanouirent. Il avait l'impression d'être suspendu dans les airs et entendit sa voix qui demandait :

— Vous êtes sûr ?

— Certain, répondit doucement Sloane.

— Comment pouvez-vous le savoir ? Comment pouvez-vous en être si sûr ?

— C'est l'amour, monsieur Stoner ! rétorqua Sloane sur un ton joyeux. Vous êtes amoureux ! C'est aussi simple que cela !

Oui. C'était aussi simple que cela et il se rendit compte qu'il était en train d'adresser à son professeur un petit signe d'approbation en ânonnant une banalité.

Ensuite il est sorti de ce bureau.

Ses lèvres le picotaient et ses doigts étaient gourds. Il avançait en somnambule alors même qu'il n'avait jamais été aussi sensible au monde qui l'entourait. En frôlant les grandes boiseries du couloir il avait l'impression de sentir leur tiédeur et de connaître l'âge du bois dans lequel elles avaient été taillées et, en descendant lentement les escaliers, il admira ce marbre si froid et tout crayonné de veines qui semblait glisser sous ses pieds. Puis il perçut de vraies voix, claires et distinctes, qui s'extirpaient du murmure feutré des étudiants. Leurs visages à tous lui parurent soudain intimes, étranges et familiers.

Il quitta Jesse Hall dans l'air frais du matin. Il n'avait plus du tout l'impression que la grisaille oppressait le campus, elle lui laissait, au contraire, tout le loisir d'embrasser du regard ce qui l'entourait et avait même découvert ce ciel immense vers lequel il se tournait et où il cherchait la promesse d'un quelque chose qu'il aurait été bien en peine de définir.

*
* *

Dans la première semaine de juin de 1914, William Stoner, comme soixante autres garçons et quelques jeunes filles, obtint son diplôme de licence de lettres de l'université du Missouri.

Pour pouvoir assister à la cérémonie, ses parents étaient partis la veille dans une carriole

32

qu'on leur avait prêtée, attelée à leur vieille jument grise. Comme ils avaient roulé toute la nuit pour parcourir les quelque soixante kilomètres qui les séparaient de leurs cousins, ils arrivèrent chez les Foote peu après l'aube, contractés et tout ankylosés par cet épuisant voyage. Stoner descendit dans la cour pour les accueillir. Ils se tenaient tous deux côte à côte dans la lumière encore timide de ce petit matin frisquet : ils attendaient que leur fils vienne à leur rencontre.

Stoner et son père se serrèrent machinalement la main sans échanger le moindre regard.

— Comment va ? demanda le père.

Sa mère le salua d'un petit hochement de tête :

— Ton père et moi, nous v'là rendus pour te voir quand y t'remettront l'diplôme...

Il resta un moment silencieux et finit par leur répondre :

— Vous feriez bien d'entrer et de venir prendre un petit déjeuner...

Ils étaient seuls dans la cuisine puisque les Foote, depuis l'arrivée de leur neveu, avaient pris l'habitude de faire la grasse matinée. Pourtant ni à ce moment-là ni après qu'ils eurent fini de manger, il ne put se résoudre à leur parler de ses nouveaux projets et de sa décision de ne pas rentrer à la ferme avec eux. Pourtant il essaya, à deux reprises, mais il les voyait avec leurs visages tannés, nus, qui saillaient fièrement des cols empesés de leurs beaux habits, il songeait au long voyage qu'ils venaient d'accomplir pour venir jusque-là et à toutes ces années, surtout, pendant lesquelles ils avaient attendu son retour... Il se tint près d'eux, droit comme un i, jusqu'à ce qu'ils aient fini de boire la dernière goutte de leur café et que les Foote se soient enfin levés et les aient rejoints dans la cuisine. Alors il leur annonça qu'il devait se rendre tôt à l'université et qu'il les verrait plus tard dans la journée, au moment de la remise des diplômes.

Il erra à travers le campus avec la robe et la toque qu'il avait louées sous le bras. Elles étaient lourdes et encombrantes, mais il n'avait nulle part où les poser. Il songeait à ce qu'il devait leur annoncer et prit, pour la première fois, vraiment conscience du caractère irrévocable de sa décision. Il en venait presque à souhaiter pouvoir s'en dédire. Il sentait qu'il n'était pas à la hauteur de ce défi qu'il s'était si imprudemment lancé à lui-même et entendait l'appel plaintif de ce monde qu'il était en train d'abandonner... Il pleurait ce qu'il avait perdu, il pleurait ce que ses parents étaient en train de perdre et il lui semblait que le fait même de connaître ce chagrin l'éloignait d'eux plus encore.

Il vécut avec ce sentiment de perte pendant tout le temps que dura la cérémonie. On appela un nom, un jeune homme monta sur une estrade et un personnage sans visage, à la barbe grise, lui remit un diplôme. Apparemment ce jeune homme c'était lui, seulement le rouleau de papier qu'il tenait à la main n'avait aucun sens. Ses deux parents, assis l'un près de l'autre, raides et mal à l'aise au milieu de cette foule immense étaient la seule chose à laquelle il pût se rac-crocher.

Quand tout cela fut terminé, il s'en retourna avec eux chez les Foote où ils devaient passer la nuit avant le grand voyage du retour prévu pour le lendemain matin.

Ils s'attardèrent longtemps dans le salon. Jim et Serena restèrent un peu avec eux. De temps à autre, Jim et la mère de Stoner lançaient en l'air le nom de quelque cousin éloigné puis le silence retombait comme une pierre. Son père était assis sur une chaise les jambes écartées et le buste en avant, une main posée sur chaque genou. Au bout d'un moment, leurs hôtes échangèrent un regard, bâillèrent et annoncèrent qu'il était tard. Ils se retirèrent dans leur chambre et les trois autres se retrouvèrent seuls. On ne parla point. Ses parents fixaient les contours de leurs ombres projetées sur le sol et lançaient parfois un rapide coup d'œil du côté de leur fils comme s'ils n'osaient pas le déranger : il était diplômé.

Après plusieurs minutes, William Stoner se pencha en avant et annonça d'une voix plus forte et plus agressive qu'il ne l'aurait souhaité :

— J'aurais dû vous le dire plus tôt... J'aurais dû vous le dire ce matin ou alors cet après-midi...

Sous l'éclat de la lampe, les visages de ses parents demeuraient inertes et impassibles.

— En fait, ce que je veux vous dire, c'est que je ne vais pas retourner à la ferme avec vous...

Aucune réaction.

— Si t'as des choses ici qu'tu dois régler, nous on peut repartir au matin et toi tu nous r'joindras dans quequ'jours...

Stoner passa ses paumes sur ses joues.

— Ce... Ce n'est pas ce que j'ai voulu dire... Ce que j'essaie de vous expliquer, c'est que je ne reviendrai jamais à la ferme.

Les mains de son père se cramponnèrent davantage à ses genoux et il partit en arrière.

— Tu t's'rais mis dans l'pétrin ?

Stoner sourit.

— Non, non... Pas du tout... Simplement, je vais continuer mes études encore une année. Et peut-être même encore deux ou trois...

L'autre secoua la tête :

— Mais... J'ai bien vu qu't'en avais fini aujourd'hui... Et pis l'assistant rural, il a dit que ça s'rait l'affaire de quatre ans...

Il tenta de lui expliquer ce qu'il avait l'intention d'entreprendre. Il essaya de lui faire comprendre ses motivations et à quel point c'était important pour lui. Il entendait le flot de ses paroles comme si elles sortaient de la bouche d'un autre et observait le visage de son père qui les encaissait comme un tronc une volée de coups de poing. Quand il eut terminé il se rassit en arrière, les mains jointes entre ses cuisses et la tête inclinée. Il entendit le silence qui suivit.

Finalement son père remua sur sa chaise. Stoner leva les yeux. Deux visages lui faisaient face et il comprit qu'il leur avait presque crié dessus.

— J'en sais rien... murmura-t-il d'une voix rauque et épuisée, j'aurais pas imaginé que ça s'passerait comme ça... J'avais pensé faire au mieux pour toi en t'envoyant ici... Ta mère et moi, on a toujours fait au mieux de c'qu'on pouvait en c'qui t'concerne...

— Je sais, répondit William, incapable à présent de soutenir leurs regards, je le sais. Alors ? Est-ce que ça ira pour vous ? Vous savez, je pourrai revenir un peu cet été, je pourr...

— Si tu penses que tu dois rester ici pour étudier tes livres alors c'est ça qu'tu dois faire, le coupa-t-il, ta m'man et moi, on y arrivera très bien.

Sa mère se tenait face à lui, mais elle ne le voyait pas. Les yeux douloureusement fermés, elle respirait avec difficulté, son visage était tordu de douleur et elle tenait ses poings fermés devant ses joues. Stoner finit par comprendre qu'elle pleurait en silence, avec toute la honte et la terrible gêne de celle qui ne s'y autorise jamais.

Il la regarda un moment encore puis se redressa pesamment et quitta le salon. Il retrouva le chemin du petit escalier qui menait à son gourbi, s'étendit sur son lit et resta ainsi, très longtemps, à fixer sans ciller l'obscurité qui descendait sur lui.

II

Quinze jours après que William Stoner fut licencié en lettres, un nationaliste serbe assassina l'archiduc François-Ferdinand et, avant l'automne, une guerre s'abattit sur toute l'Europe. C'était un grand sujet de conversation chez les étudiants les plus âgés. Ils se demandaient quelle position l'Amérique allait adopter et étaient tout émoustillés. Auraient-ils un destin ?

Pour Stoner, au contraire, l'avenir s'annonçait radieux et déjà tout tracé. Il ne l'envisageait pas comme un fleuve capricieux soumis aux aléas d'événements extérieurs, mais comme un territoire nouveau qui s'étendait loin devant lui et attendait seulement d'être foulé. Son avenir ressemblait à la bibliothèque d'une grande université : on pourrait y ajouter des ailes supplémentaires, de nouveaux livres viendraient y prendre place tandis que d'autres, plus anciens, seraient voués à disparaître sans que rien de tout cela ne changeât sa nature profonde. Le futur, en ce qui le concernait, était cette institution à laquelle il s'était consacré et qu'il comprenait encore si mal. Bien sûr, lui changerait, mais il considérait l'avenir comme l'instrument de cette mue plutôt que son objet.

Vers la fin de l'été, juste avant la rentrée du premier semestre, il alla voir ses parents. Il avait eu l'intention d'aider à la moisson, mais découvrit que son père avait embauché un salarié agricole noir qui travaillait avec calme et acharnement et qui, en une journée, abattait à lui seul quasiment autant de travail qu'eux deux réunis. Ils furent heureux de le voir et ne semblaient pas lui tenir rigueur de sa décision, seulement il réalisa qu'il n'avait plus rien à leur dire et que, déjà, ils étaient en train de devenir des étrangers sous un même toit. Paradoxalement, sa tendresse à leur égard n'en fut que plus vive.

Il repartit pour Columbia une semaine plus tôt que prévu.

Les heures de travail à la ferme qu'il devait aux Foote commencèrent à lui peser. Ayant commencé plus tard que les autres, il ressentait l'urgence d'étudier. Parfois, alors qu'il était plongé dans ses livres, il prenait soudain conscience de tout ce qu'il ignorait, de tout ce qu'il n'avait pas encore lu et, quand il se souvenait du peu de temps dont il disposait, la sérénité qu'il cherchait à atteindre en travaillant si dur s'en trouvait anéantie. Il termina ses cours de maîtrise au printemps 1915 et passa l'été à conclure son mémoire – une étude de la prosodie d'un des *Contes de Canterbury* de Chaucer. Vers la fin du mois d'août, ses cousins lui annoncèrent qu'ils n'avaient plus besoin de lui à la ferme.

Il s'attendait à ce renvoi et d'une certaine manière, il s'en réjouit. Pourtant il connut ensuite un grand moment de panique : le dernier lien qui le rattachait à son passé venait d'être coupé. Il passa la fin de ses vacances dans la ferme de son père à peaufiner son mémoire. Archer Sloane s'était débrouillé pour qu'il enseignât des rudiments de littérature à deux classes d'étudiants de première année tout en commençant à travailler à sa thèse. On lui alloua pour ce faire quatre cents dollars annuels. Il récupéra ses affaires dans la mansarde des Foote où il avait vécu pendant cinq ans et prit une chambre encore plus petite près de l'université.

Bien qu'il fût censé apprendre des bases de grammaire et de composition écrite à un groupe de jeunes étudiants des plus hétérogènes qui soit, il était impatient et enthousiaste de s'atteler à cette mission qu'il abordait avec le plus grand sérieux. Il prépara ses cours pendant la semaine qui précédait la rentrée et ce premier travail de déchiffrage entrebâilla la porte du monde infini qui s'offrait à lui. Il comprenait le rôle de la grammaire et percevait comment, par sa logique même, elle permettait, en structurant un langage, de servir la pensée humaine. De même, en préparant de simples exercices de rédaction, il était frappé par le pouvoir des mots, par leur beauté, et avait hâte de se lancer enfin pour pouvoir partager toutes ces découvertes avec ses étudiants.

Pourtant, dès ces premiers cours, il se rendit vite compte que passé toutes les obligations habituelles de présentation, de programmes, de listes biographiques, etc., quand il s'attaquait au cœur de son sujet en s'adressant directement à ses élèves, il était incapable de leur communiquer son enthousiasme. Il avait parfois l'impression de se dédoubler et d'observer un type sur une estrade en train de débiter son baratin devant un groupe de jeunes gens rassemblés sous la contrainte. Il entendait sa propre voix réciter ce qu'il avait préparé et rien de tout ce qui l'avait intéressé, ou ému, n'était perceptible dans ses propos.

Plaisir, soulagement et réconfort étaient réservés aux salles de classe où c'était lui l'étudiant. Là, il retrouvait cette sorte d'illumination qu'il avait ressentie le jour où Archer Sloane l'avait interpellé et qu'en l'espace d'une seconde, il était devenu un autre. Quand son esprit embrassait un sujet, quand il était aux prises avec le pouvoir de la littérature en s'efforçant de comprendre son essence même, il ressentait, physiquement, une mue intérieure constante et très profonde. Il se désincarcérait de son pauvre corps pour pénétrer le seul monde auquel il appartenait. Il *savait* que le poème de Milton qu'il lisait – ou l'essai de Bacon, ou encore la pièce de Ben Jonson – changeaient l'humanité qu'ils avaient prise pour sujet et la changeaient pour la seule raison qu'ils en étaient dépendants. Néanmoins, il prenait rarement la parole en classe et ce qu'il rédigeait ne le satisfaisait guère. Comme les cours qu'il donnait à ses jeunes étudiants, ses commentaires ne parvenaient jamais à trahir son ardeur profonde.

Il commença à se lier d'amitié avec quelques-uns de ses camarades d'étude qui enseignaient dans le même département que lui et parmi eux, deux en particulier devinrent assez proches : David Masters et Gordon Finch.

Masters était un frêle jeune homme brun à l'esprit mordant et au regard bienveillant. Bien qu'il eût un an de moins, il était lui aussi en première année du programme de doctorat. Au sein de l'université, et surtout parmi leurs condisciples, il était connu pour son arrogance et son impertinence et beaucoup pensaient qu'il aurait du mal à obtenir son diplôme. Stoner le tenait pour l'homme le plus brillant qu'il ait jamais connu et, nullement jaloux, s'inclinait bien volontiers devant tant d'esprit.

Gordon Finch était un grand blond qui, à l'âge de vingt-trois ans, commençait déjà à prendre un peu d'embonpoint. Il avait passé deux ans dans une école de commerce de Saint-Louis puis s'était piqué d'économie, d'histoire et d'ingénierie. Ensuite, il s'était lancé dans cette histoire de diplôme de littérature en grande partie parce qu'il avait eu l'opportunité, à la dernière minute, d'y obtenir un poste d'enseignant. Il apparut bientôt comme l'étudiant le plus désinvolte qui soit, mais était très populaire auprès des première année et se plaisait à frayer avec les membres plus anciens et tous les responsables de l'administration.

Le trio Stoner-Masters-Finch prit l'habitude de se retrouver le vendredi en fin d'après-midi dans un petit bar du centre-ville de Columbia où ils buvaient de grandes chopes de bière en discutant jusque tard dans la nuit. Bien que ces soirées fussent les seules virées agréables qu'il ait jamais connues, Stoner s'interrogeait souvent à propos de cette camaraderie. Tous trois s'entendaient plutôt bien, mais ils n'étaient pas devenus amis. Ils ne se confiaient jamais les uns aux autres et se voyaient rarement en dehors de ces rendez-vous hebdomadaires. C'était un sujet dont ils ne s'étaient jamais ouverts et il savait que Gordon s'en fichait comme d'une guigne, mais il soupçonnait David Masters de s'être posé les mêmes questions que lui... Un soir, assez tard, assis dans la pénombre à une table du fond, Masters et lui devisaient de leur enseignement et de leurs études respectives avec cet humour un peu potache qui convient aux grands fronts et, à un moment, son camarade se mit à peloter un œuf dur comme si c'était une boule de cristal. Il murmura :

— Avez-vous, messieurs, jamais réfléchi à la véritable nature de l'université ? Monsieur Stoner ? Monsieur Finch ?

Les deux autres secouèrent la tête en souriant.

— Je parie que non... Monsieur Stoner ici présent la voit, j'imagine, comme un vaste entrepôt, une bibliothèque ou alors un bordel... Un endroit où les hommes viennent de leur plein gré, choisissent ce qui pourrait les contenter et où tous travaillent ensemble comme les petites abeilles d'une même ruche. Le Vrai ! Le Beau ! Le Juste ! On les reconnaît facilement : ils sont toujours là, toujours dans la rangée d'à côté, toujours plongés dans le prochain livre, celui que vous n'avez pas encore lu, ou alors dans le rayonnage suivant, celui que vous n'avez pas encore exploré, mais vous le ferez un jour ! Et quand vous irez... Quand vous irez...

Il contempla l'œuf encore un moment, le décapita d'un coup de mâchoire et se tourna vers Stoner. Ses yeux noirs étincelaient.

Stoner sourit un peu jaune tandis que Finch riait aux éclats en frappant la table :

— Il t'a eu, Will ! Il t'a bien eu !

Masters mastiqua son morceau d'œuf encore un moment puis l'avala et se tourna vers Finch :

— Et vous, monsieur Finch, qu'en pensez-vous ? Vous allez protester et répondre que vous n'y avez pas réfléchi. Mais c'est faux ! Derrière toutes ces poses et ces manières chaleureuses se cache un esprit bien simplet... Pour vous, l'institution est un instrument du Bien au service du monde en général – la chose est entendue – mais aussi, et comme cela tombe bien, du vôtre en particulier... Une espèce de fortifiant, un sirop de mélasse que vous administrez chaque automne à ces petits salopards pour qu'ils passent sans encombre un nouvel hiver ! Vous êtes le bon vieux médecin de famille qui empochez vos honoraires tout en caressant gentiment leurs petites têtes blondes...

Finch s'esclaffa de nouveau en secouant la sienne :

— J'te jure, Dave, quand tu t'y mets...

Masters mit l'autre moitié de l'œuf dans sa bouche puis l'avala tranquillement avant de prendre une bonne rasade de bière.

— Mais... reprit-il, vous avez tort tous les deux. C'est un asile de fous. Ou plutôt – comment disent-ils déjà ? – une maison de repos. Voilà ! Une maison de repos pour les infirmes, les vieux, les ratés et pour tous les bons à rien. Regardez... Nous trois... C'est *nous* qui sommes l'université. L'homme du dehors n'imaginerait pas une seule seconde que nous partageons ce secret, mais *nous*, nous le savons, pas vrai ? Oh que si, nous le savons parfaitement bien...

Finch riait toujours :

— De quoi tu parles, Dave ?

Soudain attentif à ce qu'il était en train de pontifier, Masters se pencha au-dessus de la table :

— Voyons d'abord ton cas, Finch... Tout charitable que je sois, je dirais que tu es L'Incompétent. Comme tu le sais toi-même, tu n'es pas très malin... Quoique... ça n'ait rien à voir...

— Vas-y, continue... l'encouragea Finch en souriant toujours.

— Mais tu es assez malin, disons juste assez malin, pour pouvoir deviner ce qui t'arriverait une fois dehors : tu es un raté et tu le sais parfaitement. Tu es tout à fait capable de te comporter comme un salopard, mais tu n'es pas assez impitoyable pour l'être en permanence. De plus, et bien que tu ne sois pas exactement l'homme le plus honnête qu'il m'ait été donné de connaître, tu n'es pas non plus LE salaud magnifique. D'un côté, tu es capable de donner le change avec juste ce qu'il faut de fumisterie pour ne pas travailler autant que le monde pourrait l'exiger de toi, de l'autre, tu n'es pas encore assez malin pour pouvoir lui faire gober que tu es important... Et puis tu n'es pas chanceux... du moins pas vraiment. Tu n'as aucun charisme et tu as toujours l'air un peu niaiseux... Dehors, tu passerais toujours à – Masters écarta légèrement le pouce et l'index – *ça* du succès et ce sentiment d'échec te détruirait complètement. Donc tu as été choisi. Élu. La providence, dont le sens de l'humour m'enchantera toujours, t'a arraché aux cruelles mandibules de ce monde et t'a placé ici même, en sûreté, au milieu de tes frères...

Souriant toujours, mais avec un rictus mauvais, il se tourna vers Stoner :

— Et toi, mon ami... Tu n'y échapperas pas... Car *toi*, qui es-tu ? Un simple produit de la terre, comme tu le dis si bien ? Bien sûr que non... Toi aussi, tu as ta place parmi les infirmes... Toi, tu es Le Rêveur, le fou dans un monde encore plus fou que lui. Tu es le Don Quichotte du Middle West qui trottine sans son Sancho Panza sous un ciel d'azur. Tu es plutôt brillant, du moins plus brillant que notre ami commun, mais tu portes la tache originelle. Cette vieille infirmité... Tu penses qu'il y a quelque chose ici-bas, quelque chose à découvrir... Eh bien, dehors, tu serais vite renseigné ! Toi aussi tu es taillé pour l'échec... Si toutefois tu avais eu l'idée de t'y frotter, tu laisserais le monde te gober puis te recracher et tu resterais sur le carreau à te demander ce qui a bien pu aller de travers. Et tout ça parce que tu as toujours attendu du monde qu'il soit quelque chose qu'il n'était pas et qu'il n'avait pas envie d'être... Prends le charançon dans la fleur de coton, le ver sur la tige du haricot, ou encore la larve dans le maïs, tu ne pourrais pas leur faire face et tu serais incapable de les combattre. Pourquoi ? Parce que tu es trop faible et trop fort à la fois... Donc, dehors, tu n'as nulle part où aller...

— Et toi, alors ? lui demanda Finch. Et toi ?

— Oh, moi... soupira-t-il, en se carrant de nouveau dans son fauteuil, moi, je suis comme vous. Non, je suis pire en fait... Moi je suis trop brillant pour ce monde et je serais infoutu de la boucler... C'est un mal contre lequel il n'y a pas de remède possible et c'est pour ça que je dois être enfermé quelque part. Dans un endroit où je puisse être irresponsable en toute sécurité et où je ne puis faire aucun mal...

Il se pencha en avant et leur sourit :

— Nous sommes tous de pauvres Tom et nous avons froid...

— *Le Roi Lear*, lâcha Stoner imperturbable.

— Acte III, scène IV, précisa Masters. Eh oui... C'est ainsi que la providence, la société, le destin ou... appelez-le comme vous voulez, a créé cet abri pour nous. Pour que nous puissions nous abriter de la tempête. C'est pour nous que l'université existe. Pour les dépossédés du monde. Ce n'est ni pour les étudiants, ni pour la poursuite désintéressée du savoir, ni pour aucune des raisons que vous avez pu entendre jusque-là. Des raisons, nous leur en fourguons des tas, mais nous ne gardons que les plus simplettes : celles qu'ils peuvent comprendre. Pourtant ce n'est rien d'autre que de la poudre aux yeux... Exactement comme l'Église du Moyen Âge qui se foutait bien des laïcs et même de Dieu... Nous aussi nous avons nos tartufferies pour pouvoir survivre. Et nous survivrons d'ailleurs... Nous survivrons parce que nous n'avons pas le choix.

Finch secoua la tête d'un air admiratif :

— Eh bien... Tu donnes une drôle d'image de nous, Dave...

— Peut-être, oui... mais aussi terribles que nous soyons, nous sommes tout de même meilleurs qu'eux... Ceux qui sont dehors, dans la fange... tous ces pauvres crétins... Nous, nous ne faisons de mal à personne, nous disons ce que nous voulons et en plus, on nous paie pour ça ! Franchement, si ce n'est pas le triomphe de la vertu, ça y ressemble foutrement !

Ensuite Masters s'écarta de la table, indifférent et se fichant comme d'une guigne de tout ce qu'il venait de raconter.

Gordon Finch se racla la gorge et répondit avec le plus grand sérieux :

— Bon... Il y a sûrement du vrai dans ce que tu dis, mais je pense quand même que tu pousses le bouchon un peu loin. Oui, un peu trop loin...

Stoner et Masters échangèrent un petit sourire entendu et le débat fut clos, mais pendant des années, des années et des années, Stoner, à ses moments perdus, repensera aux paroles de David Masters. Elles ne correspondaient en rien à l'idée qu'il se faisait de l'institution à laquelle il s'était destiné, mais disaient beaucoup quant à sa relation avec ces deux hommes. Et puis elles lui remettaient en bouche le goût de l'amertume de la jeunesse. Tellement pure et si destructrice...

*
* *

Le 7 mai 1915, un sous-marin allemand coula le *Lusitania*, paquebot britannique qui comptait cent quatorze passagers américains à son bord. À la fin de l'année 1916, la guerre sous-marine menée par les Allemands fut impitoyable et les relations entre les États-Unis et l'Allemagne ne cessèrent de se détériorer. En février 1917, le président Wilson rompit les relations diplomatiques et le 6 avril suivant, le Congrès déclara l'état de guerre entre l'Allemagne et les États-Unis.

Suite à cette déclaration, des milliers de jeunes hommes à travers tout le pays, comme soulagés d'en finir enfin avec ce suspense épuisant, assiégèrent les bureaux de recrutement installés à la hâte quelques semaines plus tôt. À dire vrai, des centaines de gamins n'avaient pas attendu la déclaration américaine et s'étaient engagés dès 1915 pour servir dans les rangs de l'Armée royale canadienne ou comme ambulanciers dans les armées alliées en Europe. Quelques-uns des anciens étudiants de Columbia en étaient et bien qu'il n'en connût aucun personnellement, William Stoner entendit de plus en plus souvent parler de ces noms légendaires au cours des semaines et des mois qui suivirent. Enfin, vint un moment où tous comprirent qu'ils ne pourraient pas y couper.

La guerre fut déclarée un vendredi. Les cours prévus ce jour-là furent maintenus, mais peu d'élèves et d'enseignants firent semblant de les honorer. Tous s'affairaient et se rassemblaient par petits groupes dans les couloirs en murmurant à voix basse. De temps à autre, des accès de violence jaillissaient de cet affolement feutré. Il y eut deux manifestations contre l'Allemagne au cours desquelles des étudiants éructèrent en agitant des drapeaux américains. Une fois même, on assista à une brève cabale contre l'un des enseignants, un vieux professeur chenu en langues germaniques qui était né à Munich et avait passé quelques années à l'université de Berlin quand il était jeune. Quand le vieux monsieur fut face à ce petit groupe d'étudiants rouges de colère, il écarquilla les yeux l'air effaré et leur tendit ses petites mains tremblantes à serrer. Ils se dispersèrent dans le désordre et de méchante humeur.

Dans les premiers jours qui suivirent cette annonce, Stoner aussi fut troublé. Mais la nature de sa confusion n'avait rien à voir avec celle de ses congénères. Il avait souvent évoqué cette guerre en Europe avec certains de ses étudiants ou avec des collègues, seulement n'y avait jamais vraiment cru. Et maintenant qu'elle était là, au-dessus de sa tête, au-dessus de leur tête à tous, il se découvrit un grand sentiment d'indifférence. Il était contrarié par les perturbations qu'elle imposait à l'université, mais n'arrivait pas à se piquer de patriotisme, pas plus qu'il ne parvenait à se forcer à haïr les Allemands.

Pourtant les Allemands étaient là et devaient être haïs. Un jour, il tomba sur Gordon Finch qui s'adressait à un groupe de collègues plus âgés. Son visage se tordait et il parlait des « Huns » comme s'il crachait par terre. Un peu plus tard, quand ce dernier vint vers lui dans le grand bureau qu'ils partageaient avec une demi-douzaine d'autres enseignants, son humeur n'était plus du tout la même. Exalté, jovial, il lui tapa sur l'épaule :

— On ne peut pas les laisser faire, Will ! s'excitait-il, sa face poupine toute luisante de sueur et le petit cheveu blond en bataille. Non monsieur ! Non ! Moi, j'y vais ! J'en ai déjà parlé au vieux Sloane et il m'a encouragé. Je retourne à Saint-Louis demain pour pouvoir m'engager !

L'espace d'un instant, il parvint à se fabriquer une mimique des plus solennelles :

— On a tous notre rôle à jouer…

Ensuite il fit un grand sourire et claqua de nouveau l'épaule de son camarade :

— Et tu ferais bien d'en être, toi aussi !

— Moi ?

William Stoner répéta cette même syllabe d'un air incrédule : « Moi ? »

— Bien sûr ! s'égayait Finch. Tout le monde signe ! Je viens juste d'en parler à David, il vient aussi !

Stoner sursauta comme s'il venait de prendre un coup :

— David Masters ?

— Mais oui ! Ce brave Dave dit souvent des trucs bizarres, mais quand ça sent vraiment le roussi, il est bien comme nous autres et il fera sa part de boulot lui aussi… Tout comme tu feras le tien, Willy…

Il lui donna une bourrade :

— Tout comme tu feras le tien !

Ce dernier demeura silencieux.

— Je n'y avais jamais songé, finit-il par murmurer, tout cela est arrivé si vite… Il faut que j'en parle à Sloane. Je te tiens au courant.

— Bien sûr… Et sa voix en chevrotait d'émotion à présent : On est tous dans le même bateau maintenant, Will… Dans le même bateau…

Stoner quitta Finch, mais ne se rendit pas chez Archer Sloane. À la place, il quadrilla le campus à la recherche de David Masters. Il le trouva dans l'une des salles de la grande bibliothèque, seul, en train de fumer en contemplant l'un des rayonnages.

Stoner s'installa en face de lui à une table de travail. Quand il lui demanda s'il allait vraiment s'engager, l'autre rétorqua :

— Bien sûr. Pourquoi pas ?

Et quand Stoner lui demanda justement pourquoi, il continua :

— Tu me connais bien, William... tu sais parfaitement que je me fous pas mal des Allemands... Et pour tout dire, j'imagine que je me fous pas mal des Américains aussi...

Il vida les cendres de sa pipe en la retournant sur le parquet puis les dispersa de la pointe de son soulier.

— Je suppose que je fais ça justement parce que ça n'a aucune importance que j'y aille ou que je n'y aille pas... Et puis ce peut être amusant de voir un peu le monde avant de s'en retourner à la lente et douce extinction qui nous attend par ici...

Bien qu'il ne les comprît pas, Stoner acquiesça aux propos de son ami.

— Gordon veut que je vous rejoigne...

Masters sourit :

— Ah ! Pour la première fois de sa vie notre petit bonhomme a l'occasion de jouer les héros ! C'était inespéré ! Et bien sûr, il veut que le reste du monde vienne jouer avec lui pour qu'il puisse continuer de croire en son personnage... Bon... Et pourquoi pas, tiens ? Viens avec nous ! À toi aussi, cela pourrait te faire du bien de voir un peu à quoi ressemble le vaste monde...

Il s'interrompit et soutint le regard de Stoner :

— Mais si tu viens, bon sang, ne le fais pas pour Dieu, pour ce pays ou pour ta chère université du Mi-Sourd, fais-le pour toi et pour toi seul.

Stoner attendit encore un moment puis il lâcha :

— Je dois parler à Sloane. Je vous tiens au courant.

Il n'avait aucune idée de ce que serait la réaction d'Archer Sloane. Néanmoins il fut surpris quand il se retrouva face à lui dans ce long bureau encombré de livres et qu'il lui fit part de ses doutes.

Sloane, qui ne s'était jamais départi à son encontre d'une forme d'ironie désinvolte et courtoise, perdit totalement son sang-froid. Sa figure longue et mince devint cramoisie et ses rides se plissèrent sous l'effet de la colère. Il se redressa à moitié de son fauteuil en tendant les poings vers Stoner ; puis il se rassit. Il les déroula et posa ses mains bien à plat sur son bureau. Elles tremblaient, mais la voix, elle, demeura d'airain :

— Je vous prie d'excuser ce mouvement d'humeur. En quelques jours, je viens de perdre presque un tiers des membres de mon département et je n'ai aucun espoir de les remplacer. Ce n'est pas contre vous que je suis en colère, mais...

Il lui tourna le dos et avisa l'étroite fenêtre qui surplombait tous ses livres. Sous cette lumière dure, ses rides se creusèrent davantage et ses cernes semblaient encore plus gris et plus profonds. L'espace d'un instant, il eut l'air d'un vieillard souffreteux.

— ... je suis né en 1860, juste avant la Guerre de Sécession. Je n'en ai aucun souvenir bien sûr, j'étais trop jeune... Je ne me souviens pas non plus de mon père puisqu'il a été tué dans la première année de la guerre à la bataille de Shiloh mais...

Il jeta un rapide coup d'œil vers son ancien étudiant.

— ... j'en connais les conséquences... Une guerre ne tue pas seulement quelques milliers ou quelques centaines de milliers de jeunes hommes, elle détruit aussi, chez un peuple, quelque chose qui ne pourra jamais être remplacé... Et si ce

même peuple traverse plusieurs guerres succes-
sives, très vite, la seule chose qui demeure, c'est
la brute. Cette créature que nous, c'est-à-dire
vous, moi et quelques autres, avons tirée de son
bourbier...

Il resta un long moment silencieux puis eut un
sourire très doux :

— On ne devrait pas demander aux professeurs de détruire ce qu'ils ont, leur vie durant,
cherché à édifier...

Stoner se racla la voix et dit d'un ton mal
assuré :

— Tout cela semble être arrivé si vite... Il aura
vraiment fallu que je parle avec Finch et Masters
pour comprendre la situation... Et maintenant
encore, je n'arrive pas à croire que ce soit vrai...

— Ça ne l'est pas, bien sûr, rétorqua Sloane.

De nouveau très agité, il se détourna :

— Je ne vais pas vous dire ce que vous devez
faire. Je vais simplement vous dire ceci : c'est à
vous de faire votre choix. Il y aura une conscription, mais vous pouvez vous faire exempter si
vous le souhaitez. Dites-moi... Vous n'avez pas
peur d'y aller, n'est-ce pas ?

— Non, monsieur. Je ne crois pas.

— Donc vous avez un choix à faire et vous
devez le faire seul... Il va sans dire que si vous
vous engagez, vous retrouverez votre poste actuel
à votre retour et que si vous décidez de ne pas y
aller, vous pourrez rester ici. Vous n'aurez, bien
évidemment, aucun avantage particulier. Il est
même possible que vous soyez désavantagé au
contraire... Aujourd'hui, ou dans l'avenir...

— Je comprends, fit Stoner.

Il y eut un assez long silence. Au bout d'un
moment, il décida que Sloane en avait probablement terminé, mais à l'instant même où il se leva

pour quitter la pièce, le vieux professeur reprit la parole.

Il murmura :

— Vous ne devez pas perdre de vue qui vous êtes et ce que vous avez choisi de devenir... Vous ne devez pas perdre de vue l'importance de ce que vous faites aujourd'hui... Il est des guerres, des défaites et des victoires de l'humanité qui ne sont pas militaires et qui ne seront jamais consignées dans les annales de l'Histoire... Souvenez-vous de tout cela quand vous serez en train de prendre votre décision.

Pendant deux jours, Stoner n'assura pas ses cours et ne parla à personne. Il resta dans sa petite chambre en proie à une vive lutte intérieure. Il se sentait protégé par ses livres, par la quiétude de ses murs et, à l'exception du grondement lointain des cris d'étudiants, du martèlement des pas de chevaux sur le pavé ou des pétarades des quelques voitures qui étaient apparues en ville, il ne sut rien du monde extérieur. Il n'était pas doué pour l'introspection et l'idée de devoir ainsi fouiller en lui-même afin de se justifier d'un choix plutôt que d'un autre lui sembla difficile. Voire déplaisante. Il sentait qu'il avait peu d'éléments à apporter à son propre moulin et qu'il n'avait pas grand-chose non plus en lui-même qui puisse l'aider à y voir un peu clair.

Quand enfin, il prit sa décision, il lui sembla qu'il l'avait toujours connue. Il rencontra Masters et Finch le vendredi suivant et leur annonça qu'il ne se joindrait pas à eux pour aller combattre les Allemands.

Gordon Finch, tout corseté dans ses beaux habits neufs de patriote, se raidit et laissa échapper une belle expression de chagrin contrit :

— Tu nous laisses tomber, Willy, dit-il gravement, tu nous laisses tous tomber...

— Du calme, fit Masters, puis, tenant Stoner en joue : Je pensais en effet que tu pourrais ne pas venir. Tu es tellement... investi par ta « mission » et tu prends tout tellement au sérieux... Bien sûr, tout cela n'a pas la moindre importance, mais quand même... dis-nous, dis-moi ce qui a finalement présidé à ton choix ?

Stoner demeura interdit un long moment. Il pensait à ces deux derniers jours, à ce combat silencieux et absurde et qui ne menait nulle part... Il pensait à sa vie à l'université pendant ces sept dernières années et à celles qui avaient précédé, à ce temps si lointain quand il était encore à la ferme avec ses parents et à cette mort intime à laquelle il avait miraculeusement échappé.

Il répondit enfin :

— Je ne sais pas. Tout, je suppose. Je ne saurais dire.

— Ça va être dur, ajouta Masters, de rester ici...

— Je sais.

— Et tu penses vraiment que ça vaut le coup ?

Stoner fit oui de la tête.

Masters eut une grimace mauvaise :

— T'es trop pur. T'y crois trop. T'es fichu, l'ami...

Le ton gentiment condescendant de Finch avait tourné au mépris :

— Tu vas le regretter, Will... le sermonna-t-il en prenant sa grosse voix.

Grosse voix qui hésitait encore entre la menace et la pitié.

Stoner acquiesça.

— C'est fort possible.

Il leur dit au revoir et s'en alla.

Les deux autres devaient se rendre à Saint-Louis dès le lendemain pour s'engager et William Stoner avait des cours à préparer pour la semaine suivante.

Cette décision n'entraîna aucun sentiment de culpabilité et quand la conscription devint générale, il présenta une demande de sursis sans éprouver de remords particulier. Cependant, il était conscient des regards en biais que lui décochaient ses collègues les plus âgés et pouvait sentir comme un zeste d'insolence sous l'attitude apparemment respectueuse de ses étudiants. Il suspecta même Archer Sloane, lequel en son temps avait chaleureusement approuvé sa décision, de le battre froid et d'être de plus en plus distant à mesure que durait la guerre.

Il termina son programme de doctorat au printemps 1918 et fut diplômé en juin. Un mois auparavant, il avait reçu une lettre de Gordon Finch.

Ce dernier avait suivi une école d'officiers avant d'être affecté à un camp d'entraînement dans la banlieue de New York. Dans sa lettre, il lui racontait qu'il avait été autorisé à suivre les cours de Columbia durant son temps libre et qu'il pourrait, lui aussi, présenter son doctorat pendant l'été auprès d'un jury de professeurs qui s'était organisé là-bas.

Elle l'informa aussi que David Masters avait été envoyé en France avec les premières troupes américaines à combattre et que presque un an jour pour jour après son engagement il avait été tué à Château-Thierry.

III

Une semaine avant la cérémonie de remise des diplômes au cours de laquelle William Stoner devait obtenir son doctorat, Archer Sloane lui proposa un poste d'enseignant à plein temps. Ce dernier lui précisa qu'il n'était pas dans la politique de l'université de confier un tel contrat à l'un de leurs anciens élèves, mais qu'à cause de la guerre et de la pénurie de professeurs confirmés, il avait pu persuader l'administration de faire une entorse à cette règle.

Non sans réticence, Stoner avait déjà envoyé quelques lettres de candidature à diverses universités et collèges des environs en consignant sèchement ses états de service. Il ne reçut aucune réponse et s'en trouva curieusement soulagé. C'était une réaction qu'il pouvait en partie comprendre : il avait ressenti entre les murs de Columbia le même sentiment de chaleur et de sécurité qu'il aurait dû éprouver enfant dans la maison de ses parents et qu'il n'avait justement jamais connu. Sans compter qu'il doutait de son aptitude à pouvoir jamais trouver ce genre d'abandon où que ce soit ailleurs... Il accepta donc l'offre de Sloane avec gratitude.

Il lui apparut que ce dernier avait beaucoup vieilli durant cette dernière année de guerre. Sans avoir atteint les soixante ans, il en paraissait dix de plus. La tignasse gris foncé, folle et bouclée d'autrefois avait blanchi et se disséminait à présent sur un crâne anguleux. Ses yeux noirs avaient perdu de leur intensité et semblaient s'être définitivement embués. Son long visage ridé qui semblait aussi résistant qu'une peau de vélin avait aujourd'hui la finesse du papier bible et sa voix, terne, mais si pleine d'ironie, commençait à chevroter légèrement. En le dévisageant ainsi, William Stoner ne put s'empêcher de songer : il va mourir. Dans un an, ou deux, ou dix peut-être, il va mourir. Un avant-goût d'abandon le mordit au cœur. Il se détourna.

Il pensa beaucoup à la mort durant cet été de 1918. Celle de Masters lui avait causé un choc bien plus profond qu'il ne voulait l'admettre et puis on commençait à divulguer les premières listes de soldats américains disparus... Jusqu'à présent, quand il lui arrivait d'y penser, c'était soit un événement romanesque soit le dénouement de l'inexorable travail du temps sur nos corps imparfaits. Il n'imaginait pas alors qu'elle pût être un bouillonnement de sang giclant d'une gorge arrachée sur un lointain champ de bataille. Il réfléchissait à la différence entre ces deux façons de partir, à ce qu'elle prouvait, et sentait monter en lui un peu de cette terrible amertume qu'il avait entraperçue un soir dans le cœur encore bien vivant de son ami David Masters...

L'intitulé du sujet de thèse avait été *De l'influence de l'Antiquité grecque et romaine dans la poésie lyrique du Moyen Âge* et il passa beaucoup de temps, cet été-là, à relire les poètes en latin classique et médiéval. Et plus particulièrement leurs écrits sur la mort. De nouveau, il admira la simplicité et l'élégance avec lesquelles

les poètes romains en acceptaient l'idée. Comme si le néant qui les attendait n'était que le juste tribut à payer pour toute la richesse des années dont ils avaient pu jouir. De même, il était fasciné par l'amertume, la terreur et la haine à peine dissimulées qui pointaient chez certains des poètes chrétiens de tradition latine. À leurs yeux, la mort et ses promesses – tellement hasardeuses – d'une pure félicité à venir n'étaient qu'une supercherie propre à gâcher la vie terrestre. Quand il pensait à Masters, il le voyait comme un Catulle, ou un Juvénal, en plus tendre et plus lyrique... Un apatride dans son propre pays dont la disparition soudaine n'était rien d'autre qu'un nouvel exil, plus long et plus mystérieux encore que celui dont il avait déjà souffert.

Au début de l'automne 1918, il était clair pour tous que la guerre en Europe ne pourrait se prolonger très longtemps. La dernière offensive désespérée des Allemands avait été contrée non loin de Paris et le maréchal Foch avait lancé une contre-attaque générale des Alliés qui avait rapidement refoulé l'ennemi sur ses positions de départ. Les Anglais avançaient au nord, les Américains traversaient l'Argonne – au prix, d'ailleurs, de lourdes pertes qui seraient bien vite oubliées dans l'allégresse générale – et tous les journaux prédisaient l'effondrement de l'Allemagne d'ici Noël.

Oui, c'est ainsi que ce semestre commença. Dans une atmosphère de cordialité un peu crispée et de grande espérance. Étudiants et professeurs se souriaient et se saluaient chaleureusement dans les couloirs, il y eut des manifestations de folle exubérance, voire de violence parmi les étudiants, et l'administration ferma les yeux. Un étudiant anonyme et qui devint, de fait, une sorte de héros du folklore local avait escaladé l'une des colonnes de Jesse Hall pour y accrocher une grosse tête bourrée de paille à l'effigie du Kaiser.

Une seule personne, au sein de l'université, semblait indifférente à tout ce tintamarre : Archer Sloane. Il avait commencé à se replier sur lui-même dès le premier jour de l'entrée en guerre des États-Unis et cet ostracisme n'avait fait qu'empirer alors même que les combats touchaient à leur fin. Il fallait vraiment qu'il y soit matériellement contraint pour adresser la parole à ses collègues et ses cours, chuchotait-on dans les couloirs, étaient devenus si bizarres que les étudiants en avaient une sainte terreur. Il lisait ses notes machinalement, d'une voix atone et sans jamais lever les yeux, et il arrivait de plus en plus fréquemment que ses propos s'effilochassent jusqu'à en devenir presque inaudibles. S'ensuivaient une, deux, parfois même cinq longues minutes de silence pendant lesquelles il demeurait immobile et totalement indifférent aux questions embarrassées de ses élèves.

William Stoner fut le témoin des derniers vestiges de l'homme flamboyant qu'il avait connu le jour où ce dernier lui indiqua ses nouvelles affectations pour l'année scolaire à venir. Sloane lui avait réservé deux cours de composition pour étudiants de première année et un autre, une sorte de panorama de la littérature médiévale, à l'attention d'élèves plus âgés. Dans une ultime pointe d'ironie, il lui avait alors confié :

— Vous, comme bon nombre de vos collègues et un nombre non moins édifiant de nos étudiants, serez bien aise d'apprendre que j'abandonne la plupart de mes cours... Il y en avait un parmi eux de très démodé, mais qui fut cher à mon cœur : l'Introduction à la littérature anglaise pour les étudiants de deuxième année. Peut-être même vous en souvenez-vous... ?

Stoner acquiesça en souriant.

— Oui, continua-t-il, il me semblait en effet que vous pourriez ne pas l'avoir oublié... Je vous demande de prendre ma suite... Non pas que cela soit un grand cadeau, mais j'ai pensé que cela vous amuserait peut-être de commencer votre carrière officielle de professeur à l'endroit même où vous l'aviez commencée en tant qu'étudiant...

Sloane le dévisageait. Il avait ce beau regard vif et intense d'avant-guerre. Un voile d'indifférence le brouilla à nouveau, il se pencha et se mit à farfouiller dans ses papiers.

Ainsi William Stoner débuta là où tout avait commencé. En homme grand, mince et voûté dans la pièce même où, grand garçon maigre et voûté, il avait écouté avec attention les paroles qui l'y avaient conduit... Et une fois encore, il connut cette étrange impression d'absence à lui-même.

Le 11 novembre de cette année, soit deux mois après le début des cours, l'Armistice fut signé. La nouvelle tomba un jour de semaine et tous les cours furent aussitôt suspendus. Les étudiants se dispersèrent gaiement à travers le campus et commencèrent à former de petites processions qui ne cessaient de se faire et de se défaire en serpentant à travers les couloirs, les salles de classe, les amphithéâtres et les bureaux de l'administration. Un peu malgré lui, Stoner se retrouva happé dans l'une d'elles qui cheminait du perron au grand hall puis dans les escaliers et vers d'autres couloirs... Ainsi pris dans une nasse d'étudiants et de professeurs, il passa devant la porte entrouverte du bureau d'Archer Sloane. Cela ne dura qu'un instant, mais il l'aperçut, assis dans son fauteuil devant son bureau, le visage nu, décomposé, et qui pleurait amèrement. Ses rides profondes n'étaient que rigoles.

Pendant un moment encore, et comme en état de choc, il se laissa porter par la foule. Il s'en extirpa enfin et s'enfuit dans sa petite chambre près du campus où il se retira dans la pénombre. Il entendait au loin des cris de joie et de soulagement et songeait à son vieux maître qui pleurait une défaite que lui seul percevait ou croyait percevoir. Il sut alors que l'homme était brisé et qu'il ne serait plus jamais le même.

*

* *

Vers la fin du mois de novembre, un grand nombre de ceux qui étaient partis revinrent à Columbia et le campus fut constellé de points verdâtres : les uniformes de l'armée. Parmi ces permissionnaires de longue durée se trouvait Gordon Finch. Il s'était empâté pendant ces dix-huit mois passés loin de l'université et sa bonne grosse figure d'autrefois arborait à présent un air de gravité légèrement compassée. Il portait toujours ses galons de capitaine et ne manquait jamais d'évoquer « ses hommes » avec une tendresse toute paternelle. Il adopta vis-à-vis de Stoner une cordialité distante et prit soin de traiter les membres les plus anciens du département avec la plus grande déférence. Le trimestre était alors trop avancé pour que l'on puisse lui confier le moindre poste, aussi et pour le reste de l'année en cours, lui bricola-t-on une sorte de sinécure provisoire d'assistant administratif auprès du doyen des Sciences et des Lettres. Il était assez subtil pour mesurer l'ambiguïté de sa nouvelle position et assez finaud pour en déceler toutes les opportunités. Ses relations avec ses collègues devinrent prudentes, courtoises, évasives.

Josiah Claremont, le doyen en question, était un petit vieillard barbu ayant dépassé de plusieurs années l'âge limite de la retraite. Il était dans les murs depuis les années soixante-dix du siècle précédent – date à laquelle on avait transformé un collège classique en université à part entière – et son père en avait même été l'un des premiers présidents.

Il était tellement bien enraciné et si impliqué dans l'histoire de l'école que personne n'avait encore eu le courage de le pousser vers la sortie. Et cela en dépit d'une incompétence de plus en plus flagrante. Il avait pratiquement perdu la mémoire et il lui arrivait parfois d'errer dans les couloirs de Jesse Hall où se trouvait son bureau jusqu'à ce qu'une bonne âme vînt le prendre par le coude comme un enfant et le ramenât à sa table de travail.

Il était devenu si... nébuleux en ce qui concernait la bonne marche de l'université que lorsque son service annonça qu'une réception allait être donnée à son domicile privé en l'honneur des vétérans de la faculté et des administrations revenus de la guerre, la plupart de ceux qui reçurent une invitation crurent à un canular ou à une erreur. Mais non, ce n'était ni une mauvaise blague ni un malentendu. Gordon Finch confirma l'événement et il n'était pas incongru d'imaginer qu'il en était aussi l'instigateur et le grand chambellan...

Josiah Claremont, veuf depuis bien longtemps, vivait seul avec trois serviteurs noirs pratiquement aussi âgés que lui. Il habitait l'une de ces grandes demeures d'autrefois bâties avant la guerre de Sécession comme il y en avait tant autour de Columbia et qui, à présent, disparaissaient les unes après les autres avec l'arrivée de petits fermiers indépendants et des promoteurs immobiliers. Le style de la maison était agréable quoique difficile à définir. Très marquée « Grand Sud » dans ses proportions et sa solennité, elle n'avait pas cette raideur néoclassique des maisons de Virginie. Couvertes de bardeaux blancs, les huisseries des fenêtres et les balustrades qui ourlaient les petits balcons postés çà et là aux étages supérieurs étaient peintes en vert. Les jardins se prolongeaient en un bois tout autour de la propriété et l'allée principale ainsi que tous les sentiers de promenade étaient bordés de grands peupliers nus et décharnés en cet après-midi de décembre. William Stoner n'avait jamais eu l'occasion d'approcher une maison aussi imposante et, ce vendredi-là, entre chien et loup, il éprouva une sorte d'effroi en remontant à pied la grande allée qui devait le mener à cette assemblée de gens du campus qu'il ne connaissait pas et qui attendaient tous devant le perron qu'on les invitât à entrer.

C'est Gordon Finch, toujours en uniforme, qui leur ouvrit la porte. Le groupe se pressa dans un vestibule plutôt exigu au bout duquel on apercevait un grand escalier dont les rampes en chêne massif étaient magnifiquement cirées. Une petite tapisserie française y était accrochée. Elle était mal éclairée et ses teintes, bleues et or, avaient tant pâli qu'il était difficile d'en saisir le motif. Stoner la détailla longuement pendant que les autres invités s'égaillaient autour de lui.

— Donne-moi ton manteau, Will...

Cette voix si près de son oreille le fit sursauter. Il se retourna. Finch lui souriait et tendait la main pour saisir le vêtement qu'il n'avait pas encore déboutonné.

— Tu n'étais encore jamais venu ici, n'est-ce pas ? lui demanda-t-il dans un souffle.

Il lui fit signe que non.

Finch se tourna vers l'assemblée, il n'eut pas besoin d'élever davantage la voix pour capter leur attention :

— Messieurs, au grand salon, je vous prie... Puis, indiquant une porte sur la droite : Tout le monde est là...

Il revint à Stoner :

— C'est une belle maison, ajouta-t-il en accrochant son manteau dans une large penderie cachée sous l'escalier, une de celles qui valent vraiment le coup d'œil dans le coin...

— En effet, répondit Stoner. J'en avais déjà entendu parler.

— Et le doyen Claremont est un vieillard sympathique... Il m'a demandé de le... seconder en quelque sorte, pour tout organiser ce soir...

Son hôte acquiesça.

Finch le prit par le coude et le guida vers la porte qu'il venait d'indiquer aux autres.

— Il faudra que nous trouvions un moment pour parler un peu tout à l'heure... Allez, vas-y... Je serai là dans un instant. Il y a là des gens que je voudrais te présenter...

Stoner était sur le point de lui répondre quelque chose, mais Finch était déjà reparti vers le perron pour accueillir une nouvelle grappe d'invités. Il inspira profondément et tourna la poignée.

Le contraste de température entre l'entrée et le salon était saisissant. À peine eut-il entrouvert la porte qu'il eut l'impression d'être repoussé, refoulé par une vague de chaleur. Du même interstice s'échappait un bourdonnement de murmures indistincts qui semblait aller crescendo. Il attendit un moment et laissa à ses tympans le temps de s'y habituer.

Il y avait là une vingtaine de personnes et dans un premier temps, il n'en reconnut aucune. Il observait les couleurs austères des costumes d'hommes, ces noirs, ces bruns, ces gris qui se mêlaient au kaki des uniformes et où pointait, ici et là, le bleu ou le rose délicat d'une robe. L'assemblée s'agitait mollement dans cette douce étuve et il essayait d'en faire autant, embarrassé qu'il était de se trouver si grand au milieu de tous ces gens déjà assis. Il adressa de discrets signes de tête à ceux d'entre eux qu'il reconnaissait enfin.

Au fond de la pièce, un passage menait à un autre salon qui desservait une salle à manger toute en longueur. Une porte à double battant leur révélait une table magnifique recouverte d'une nappe damassée jaune. La vaisselle était blanche et l'argenterie éblouissante. Quelques invités s'en étaient approchés. Debout, à son extrémité, une grande jeune femme, blonde et mince, vêtue d'une robe de soie moirée bleue versait du thé dans des tasses dorées à l'or fin. Frappé, Stoner s'immobilisa dans l'embrasure. Son long visage aux traits si délicats n'était que sourires et ses mains si fines, fragiles presque, manipulaient toute cette porcelaine avec grâce. En la regardant ainsi, il fut de nouveau accablé par la certitude de sa propre balourdise.

Pendant un long moment il demeura ainsi, interdit sur le seuil de la salle à manger. Il écoutait la voix de cette jeune femme, douce et ténue, au-dessus du brouhaha des invités qu'elle était en train de servir. Soudain, elle leva la tête et leurs regards se croisèrent. Ses grands yeux pâles semblaient illuminés de l'intérieur. En proie à une sorte de confusion, il tourna les talons et retourna dans le petit salon. Il y avait là une chaise de libre près du mur, il n'en bougea plus et se mit à détailler les motifs du tapis à ses pieds. Il n'osait plus regarder vers la salle à manger, mais il lui sembla à plusieurs reprises que les yeux de la jeune femme se posaient sur lui. Un souffle tiède sur son visage...

Les invités vaquaient tout autour, allaient, venaient, changeaient de sièges, de ton et d'intonation selon qu'ils se trouvaient de nouveaux partenaires avec lesquels converser. Stoner les percevait à travers un voile de brume, en simple spectateur. À un moment Gordon Finch apparut au bout de la pièce. Il se leva aussitôt et alla le rejoindre. Celui-ci était en train de discuter avec un vieux monsieur et il les interrompit cavalièrement. Tirant son ami vers lui et sans baisser la voix le moins du monde, il lui intima de le présenter à la jeune femme qui servait le thé.

Finch le dévisagea un moment. Il était contrarié, mais son front se défroissait à mesure que ses yeux s'écarquillaient :

— Pardon ?

Bien qu'il fût un peu plus petit que Stoner, il semblait le regarder de haut.

— Je veux que tu me présentes, s'empourpra-t-il, tu la connais ?

— Évidemment, rétorqua Finch qui commençait à se fendre d'un large sourire, c'est une cousine éloignée du doyen. Elle est venue de Saint-Louis rendre visite à l'une de ses tantes...

Son sourire s'élargit encore :

— Ah ! mon vieux Will, tu es loin du compte hein ? Allez, viens… Bien sûr que je vais te présenter !

Elle s'appelait Edith Elaine Bostwick et vivait chez ses parents à Saint-Louis où elle venait de terminer au printemps dernier un cursus de deux ans dans une école privée réservée aux jeunes filles bien nées. Elle était venue rendre visite à la sœur aînée de sa mère et demeurerait à Columbia pendant encore quelques semaines. Au printemps prochain, elles partiraient toutes les deux en Europe pour leur « Grand Tour », un projet de nouveau envisageable maintenant que la guerre était terminée. Son père était issu d'une famille de la Nouvelle-Angleterre et il était président d'une succursale de banque à Saint-Louis. Il avait rejoint le Grand Ouest dans les années soixante-dix et avait épousé la fille d'une bonne famille du Missouri. Edith avait toujours vécu à Saint-Louis. Quelques années plus tôt, elle s'était rendue sur la côte est avec ses parents et avait fait son entrée dans le monde à Boston. Elle était allée à l'opéra à New York et avait visité les musées. Elle avait vingt ans, jouait du piano et s'était découvert quelques velléités artistiques que sa mère ne manquait pas d'encourager.

Plus tard, Stoner aurait le plus grand mal à se remémorer comment il avait réussi à collecter toutes ces informations ce premier après-midi-là chez Josiah Claremont car le souvenir de cette rencontre demeurait aussi confus et guindé que la tapisserie ancienne qui pendait dans les escaliers. Il se souvenait lui avoir parlé, lui avoir dit qu'elle pourrait envisager l'idée de le regarder, de rester à ses côtés, et de lui faire le grand plaisir de le laisser entendre sa douce et jolie voix répondre à ses questions avant de lui en poser d'autres à son tour, et de tout aussi formelles…

Les invités commencèrent à prendre congé. On entendait des au revoir, des portes claquer et toutes les pièces se vidèrent peu à peu. Stoner resta bien après tout le monde et quand la voiture d'Edith fut avancée, il la suivit jusque dans le vestibule et l'aida à enfiler son manteau. Juste avant qu'elle ne parte, il lui demanda s'il pourrait lui rendre visite le lendemain soir.

Elle ouvrit la porte comme si elle ne l'avait pas entendu et demeura quelques instants immobile. Stoner se tenait derrière elle. Il avait chaud. L'air glacé du dehors le fouetta au visage. Elle se retourna et le regarda en battant des cils. Son regard était interrogateur, presque audacieux. Enfin, elle acquiesça et murmura :

— Oui. Vous pouvez passer.

Elle ne souriait pas.

*
* *

Et donc, il passa. Traversant par une nuit d'hiver du Middle West extrêmement froide toute la ville à pied jusqu'à la maison de sa tante. Le ciel était pur et un quartier de lune éclairait la fine couche de neige qui était tombée un peu plus tôt dans l'après-midi. Les rues étaient désertes et seul le bruit sec de la neige qui crissait sous ses pas venait troubler cette paix feutrée. Une fois arrivé, il resta un long moment devant la grande maison. Il écoutait le silence. Ses pieds étaient engourdis, mais il ne bougeait pas. La lumière qui tombait des grandes fenêtres festonnées semblait dessiner des plis crémeux sur ce grand manteau bleuté. Il crut apercevoir une silhouette bouger, mais n'en était pas vraiment sûr. Posément, délibérément, comme s'il avait conscience de s'engager plutôt que d'avancer, il fit un pas en avant, mit un pied devant l'autre, suivit l'allée qui menait sous le porche et frappa à la porte.

La tante d'Edith – laquelle, Stoner l'avait appris la veille, s'appelait Emma Darley et était veuve depuis bon nombre d'années – vint l'accueillir et le pria d'entrer. C'était une petite femme bien en chair au visage encadré par de beaux cheveux blancs et vaporeux. Même embués, ses yeux sombres pétillaient et elle s'exprimait toujours d'une voix basse, haletante, comme si elle était en train d'ébruiter un secret. Stoner la suivit dans le salon et s'assit en face d'elle sur un long canapé en noyer dont les coussins étaient recouverts d'un gros velours bleu. De la neige s'était fichée sous ses souliers. Il la regarda fondre et former des taches sombres sur l'épais tapis à fleurs.

— Edith m'a dit que vous enseigniez à l'université, monsieur Stoner... ?

— C'est... c'est exact, madame, répondit-il en s'éclaircissant la gorge.

— Oh, c'est tellement plaisant d'avoir de nouveau l'occasion de converser ici avec l'un de ces jeunes professeurs ! s'égaya-t-elle. Mon défunt mari, monsieur Darley, a siégé au conseil d'administration de l'université pendant de nombreuses années, mais j'imagine que vous le saviez...

— Non, madame.

— Ah... ? Eh bien nous avions l'habitude de recevoir certains des très jeunes professeurs à l'heure du thé... Mais c'était il y a bien longtemps... Avant la guerre... Vous avez fait la guerre, professeur Stoner ?

— Non, répondit-il, j'étais à l'université.

— Ah... fit-elle avant de hocher gentiment la tête, et vous enseignez...

— L'anglais. Et je ne suis pas professeur, juste assistant.

Il savait que sa voix était cassante, mais ne parvenait pas à la contrôler. Il essaya de sourire.

— Ah, oui, reprit-elle, Shakespeare... Browning...

Un ange passa. Stoner se tordit les mains et regarda de nouveau les fleurs.

Madame Darley annonça :

— Si vous voulez bien m'excuser... Je vais voir si Edith est prête.

Stoner acquiesça et se remit debout dès qu'elle fut sortie. Il entendit de bruyants chuchotements et attendit encore quelques minutes.

Et soudain elle fut là, dans l'encadrement de la grande porte, pâle et sombre à la fois. Ils se dévisagèrent et semblèrent ne pas se reconnaître. Les lèvres pincées, elle commença par reculer d'un pas avant d'avancer dans sa direction. Ils se serrèrent cérémonieusement la main et prirent place sur le canapé. Ils n'avaient pas échangé une parole.

Elle était encore plus élancée que dans son souvenir, et plus fragile aussi. Son visage était long et mince et ses lèvres closes cachaient d'assez grandes dents. Sa peau avait cette espèce de transparence diaphane qui trahit la moindre émotion. Se colorant, s'empourprant ou blêmissant tour à tour. Ses cheveux étaient châtain clair avec de légers reflets roux et elle les avait rassemblés en deux grosses nattes au-dessus de sa tête. Mais comme la veille, c'était ses yeux surtout qui le fascinaient. Ils étaient immenses et du bleu le plus pâle qu'il eût pu imaginer. Quand il les croisait, il avait l'impression de sortir de lui-même et d'être aimanté par une sorte de mystère qui le dépassait. C'était la femme la plus belle qu'il eût jamais vue et il lâcha sans réfléchir :

— Je... Je voudrais vous connaître.

Elle eut un léger mouvement de recul. Il se reprit :

— Non, je veux dire... Hier, à la réception, nous n'avons pas vraiment eu l'occasion de parler... Je voulais vous parler, mais il y avait tellement de monde... Et puis on est sans cesse interromp...

— C'était une réception bien agréable, murmura Edith, j'ai trouvé que tout le monde était si gentil...

— Oh, oui, bien sûr, rétorqua Stoner, ce que je voulais dire c'est que...

Il n'alla pas plus loin et elle ne vint pas à son secours.

— J'ai cru comprendre que votre tante et vous alliez vous rendre en Europe d'ici quelque temps... ?

— Oui, répondit-elle.

— L'Europe... Il secoua la tête. Vous devez être bien impatiente...

Elle acquiesça sans conviction.

— Et où allez-vous aller ? Je veux dire... dans quels lieux ?

— L'Angleterre. La France. L'Italie.

— Et vous partez... ? Au printemps, n'est-ce pas ?

— Avril, répondit-elle.

— Cinq mois... Ce n'est pas très long. J'espère que d'ici là nous pourrons...

— Je ne suis là que pour trois semaines, le coupa-t-elle, ensuite je repars à Saint-Louis. Pour Noël.

— *Ça* c'est court, sourit-il et il ajouta, un peu maladroitement : Alors il faut que je vous voie le plus souvent possible de façon à ce que nous apprenions à mieux nous connaître !

Elle le regarda horrifiée.

— Mais ce… ce n'est pas du tout ce que j'ai voulu insinuer, se défendit-elle. S'il vous plaît…

Stoner resta un moment silencieux.

— Je suis désolé. Je… C'est que je tiens vraiment à vous revoir. Et aussi souvent que vous m'y autoriserez. Puis-je ?

— Oh… répondit-elle, eh bien…

Elle avait croisé ses jolis doigts sur ses genoux. Sa peau était plus pâle au niveau du pli des articulations et le dos de ses mains semblait saupoudré de minuscules taches de rousseur.

Il soupira :

— Bon… Tout va de travers, n'est-ce pas ? Vous devez me pardonner. Je n'ai encore jamais croisé quelqu'un comme vous et je dis des choses un peu déplacées, j'imagine… Oui, vous devez vraiment me pardonner si je vous ai importunée…

— Oh, non, le rassura-t-elle, puis, se tournant vers lui et étirant ses lèvres en un quelque chose qu'il prit pour un sourire : pas du tout, je passe un moment délicieux, je vous assure…

Il ne sut que répondre. Il parla du temps et se confondit de nouveau en excuses à cause de la neige sur le tapis, elle bredouilla quelque chose. Ensuite il évoqua les cours dont il avait la charge à l'université et elle hocha la tête l'air bien décontenancé, enfin il se tut.

Au bout de plusieurs minutes, Stoner se releva. Il se déplia lentement et péniblement comme s'il était épuisé. Edith leva les yeux vers lui. Son regard était vide.

— Bien, dit-il en se raclant la voix, il est tard et je... Écoutez. Je suis confus. Puis-je revenir vous voir dans quelques jours ? Peut-être que...

Et, encore une fois, ce fut exactement comme s'il n'avait rien dit. Il hocha la tête, lui souhaita une bonne nuit et tourna les talons.

Edith Bostwick dit alors d'une voix haut perchée, stridente presque, mais sans marquer la moindre intonation :

— Quand j'étais petite... je devais avoir dans les six ans environ, je savais jouer du piano, j'aimais peindre et j'étais très timide alors ma mère m'a envoyée au cours de mademoiselle Thorndyke à Saint-Louis. Là-bas, j'étais vraiment la plus jeune, mais ils m'ont quand même prise parce que Papa était membre du conseil d'administration et qu'il avait tout arrangé... Au début, je n'aimais pas beaucoup et puis après, j'ai adoré. Toutes les filles étaient vraiment riches et gentilles, et puis je m'y suis fait des amies pour la vie et...

Stoner s'était retourné dès qu'elle s'était mise à parler. Il l'observait avec une stupéfaction qu'il prenait bien soin de lui cacher. Son regard était fixe, son visage impassible et ses lèvres remuaient comme si elle était en train de lire un livre invisible auquel elle ne comprenait strictement rien. Il traversa la pièce sur la pointe des pieds et revint s'asseoir auprès d'elle. Elle ne sembla pas l'avoir remarqué. Ses yeux fixaient toujours un point au loin et elle continuait de lui parler d'elle comme il le lui avait demandé quelques minutes plus tôt. Il voulait lui dire de cesser tout cela, il voulait la réconforter et la serrer dans ses bras. Bien sûr il ne fit rien ni ne prononça le moindre mot.

Elle continuait de parler et il lui fallut un moment pour commencer à entendre ce qu'elle racontait. Bien des années plus tard, il lui arriva de songer que pendant cette heure et demie, ce soir de décembre, jour du premier moment qu'ils partagèrent ensemble, elle lui en dit plus sur elle-même qu'elle ne le fit plus jamais par la suite. Quand ce fut terminé, il sentit qu'ils étaient devenus des étrangers d'une façon qu'il n'aurait jamais crue possible et il sut qu'il était amoureux.

Edith Elaine Bostwick ne fut probablement pas consciente de ce qu'elle avait dit à William ce soir-là et l'eût-elle été qu'elle n'aurait pas réalisé la portée de ses propos, mais Stoner, lui, savait ce qu'elle avait trahi et ne l'oublia jamais. Ce qu'il avait entendu était une sorte de délivrance. Une confession qu'il prit pour un appel au secours.

En la connaissant mieux, il en apprit davantage sur son enfance et finit par réaliser que tout ce qu'elle avait évoqué alors était le lot commun de la plupart des jeunes filles de son milieu et de son époque. Elle avait été élevée dans l'idée qu'elle serait toujours préservée de tous ces événements grossiers qui auraient pu avoir le mauvais goût de se placer sur son chemin et qu'elle n'aurait jamais d'autre devoir en ce bas monde que de demeurer un objet gracieux et digne d'une telle faveur puisqu'elle appartenait à un rang vis-à-vis duquel cette protection était perçue comme une obligation quasiment sacrée. On l'avait envoyée dans ces institutions pour jeunes filles où elle avait appris à lire, à écrire et à résoudre des calculs simples. Pendant ses temps libres, on l'avait encouragée à broder, à jouer du piano, à faire de l'aquarelle et à commenter quelques morceaux choisis de littérature. On lui avait aussi enseigné certains rudiments pour ne pas être prise au dépourvu face à des problèmes tels que :

les robes, les voitures, la diction des femmes du monde et les bonnes mœurs.

Son éducation morale en revanche – et que ce soit dans les écoles qu'elle fréquenta ou à la maison – fut nocive par essence, prohibitive et culpabilisante par intérêt, et quasiment exclusivement obsédée par les choses du sexe. Quant à la sexualité, bien que toujours sous-jacente, elle était totalement niée et gangrenait tous les autres domaines de cette éducation, laquelle ne tenait que par cette sorte de dictature tacite et débilitante. On lui inculqua qu'elle aurait des devoirs envers son mari et sa famille et qu'elle devrait tout faire pour contribuer à leur épanouissement.

Son enfance fut excessivement guindée, même dans les moments les plus intimes de la vie familiale. Ses parents se conduisaient l'un envers l'autre avec une politesse distante. Edith ne vit jamais passer entre eux le moindre élan de chaleur, de colère ou d'amour. La colère se traduisait par de longs silences courtois et l'amour était un terme du vocabulaire anglais que l'on employait pour témoigner son affection. Elle était enfant unique et la solitude fut l'une des premières certitudes de sa vie.

Ainsi grandit-elle dans l'illusion de quelques dispositions artistiques et sans rien soupçonner des nécessités matérielles de la vie quotidienne. Ses travaux d'aiguille étaient ravissants et totalement inutiles, elle peignait des petits lavis, des paysages brumeux à l'aquarelle et jouait du piano avec un toucher précis, mais un peu mièvre. Elle ignorait tout de son corps et de ses fonctions, n'avait jamais eu à prendre soin d'elle-même et il ne lui serait jamais venu à l'idée qu'elle pourrait, un jour, se sentir responsable du bien-être d'autrui. Sa vie était réglée comme du papier à musique et tenait tout entière entre les mains de sa mère. Quand elle était enfant, cette dernière s'asseyait auprès d'elle et la regardait peindre ou jouer du piano pendant des heures, comme s'il n'y avait rien eu de plus important au monde, voire d'envisageable, pour l'une comme pour l'autre.

À l'âge de treize ans, Edith connut les transformations habituelles de la puberté et subit une métamorphose qui l'était moins : en l'espace de quelques mois, elle prit une trentaine de centimètres et fut presque aussi grande qu'un homme. Le décalage entre ce grand corps non encore formé et son nouvel état de femme lui causa un tourment dont elle ne se remit jamais vraiment. Sans compter que tous ces changements ne firent qu'aggraver sa timidité naturelle. Elle était distante avec ses camarades d'école, il n'y avait personne à la maison avec qui elle pût parler et elle devint de plus en plus introvertie.

C'est dans cet insondable repli que William Stoner venait de s'immiscer et quelque chose en elle, d'insoupçonné – une sorte d'instinct –, l'avait poussée à retenir cet homme alors même qu'il allait franchir le seuil de la porte et à se désincarcérer d'elle-même dans un flot de paroles désespérées. Comme si elle ne s'était jamais confiée auparavant et pressentait qu'elle n'aurait plus jamais l'occasion de le faire.

*
* *

Durant les deux semaines qui suivirent, il la vit pratiquement tous les soirs. Ils allèrent à un concert organisé par le département de musique de l'université et, quand le temps le permettait, se retrouvaient pour de longues promenades solennelles dans les rues de la ville. Ils se voyaient surtout dans le salon de madame Darley. Ils bavardaient et Edith jouait pour lui. Il l'écoutait alors en observant ces mains presque inertes effleurer les touches du clavier. Après cette première soirée, leur conversation devint étrangement affectée. Il était incapable de vaincre sa réserve et n'insistait pas quand il voyait que ses efforts pour y parvenir l'embarrassaient. Pourtant il y avait entre eux une sorte de paix et il s'imagina que c'était déjà une forme de complicité. Moins d'une semaine avant qu'elle ne reparte pour Saint-Louis, il lui déclara sa flamme et lui demanda sa main.

Bien qu'il n'eût aucune certitude quant à la manière dont elle accueillerait ces propos, il fut surpris par son impassibilité. Après l'avoir écouté, elle lui lança un long regard déterminé et plein de hardiesse – qui lui rappela ce premier soir sur le perron de Claremont quand elle s'était retournée après qu'il lui avait demandé s'il pouvait la revoir et qu'une bourrasque les avait cinglés tous deux – puis elle baissa les yeux et son visage exprima un étonnement qui lui sembla totalement factice. Elle lui avoua qu'elle n'avait jamais pensé à lui de cette façon, qu'elle ne s'était jamais rien imaginé de la sorte et que... Elle ne savait pas.

— Vous avez bien dû vous rendre compte que je vous aimais, rétorqua-t-il, je ne vois vraiment pas comment j'aurais pu le cacher...

Elle répondit avec à peine plus de vivacité :

— Mais non... Bien sûr que non... J'ignore tout de ces choses...

— Alors je dois vous le redire, ajouta-t-il d'une voix douce, et vous allez devoir vous y habituer.

Je vous aime et je ne m'imagine pas vivre sans vous.

Elle secoua la tête comme si elle ne comprenait rien et ajouta faiblement :

— Mon voyage en Europe... Ma tante Emma...

Il eut envie de rire et ajouta sur un ton joyeux et tout plein d'une confiance nouvelle :

— Ah ! L'Europe ! Mais je vous y emmènerai, moi ! Nous la visiterons ensemble un jour...

Elle s'écarta de lui et se toucha le front :

— Vous devez me laisser le temps d'y réfléchir. Et puis je dois parler avec Mère et Papa avant même de considérer votre...

Elle ne souhaitait pas s'engager plus avant. Elle ne devait plus le revoir d'ici son départ dans quelques jours et elle lui écrirait après s'être entretenue avec ses parents et avoir mis un peu d'ordre dans ses pensées. Quand il la quitta ce soir-là, il se pencha vers elle pour l'embrasser, mais elle se détourna et ses lèvres ripèrent sur sa joue. Elle lui pressa légèrement la main et le laissa partir sans lui accorder le moindre regard.

Dix jours plus tard, il reçut sa lettre. C'était un petit mot étrangement impersonnel sans la moindre allusion à ce qui s'était passé entre eux. Elle lui disait qu'elle aimerait le présenter à ses parents et qu'ils étaient tous impatients de le rencontrer quand il viendrait à Saint-Louis. Le week-end suivant si c'était possible.

Comme il s'y attendait, les parents d'Edith le reçurent assez froidement et prirent bien soin de ne jamais le mettre à l'aise. Madame Bostwick lui posait des questions et répondait par un « Mmoui... » des plus suspicieux à chacune de ses réponses. Et puis elle le regardait bizarrement. Comme si son visage était sale ou qu'il saignait du nez. Elle était aussi grande et mince que sa fille et Stoner fut d'abord décontenancé par cette ressemblance à laquelle il ne s'était pas attendu. Mais son visage était lourd, flasque, sans la moindre trace de délicatesse ou de vitalité, et portait les stigmates d'une sorte de perpétuelle insatisfaction.

Horace Bostwick aussi, était grand, mais plus qu'une présence, c'était un volume, une masse. Un toupet de cheveux gris ondulait sur son crâne chauve et deux bajoues pendouillaient sous ses favoris. Quand il s'adressait à Stoner, il regardait fixement un point au-dessus de sa tête comme s'il avait aperçu quelque chose de plus intéressant derrière son dos et quand ce dernier répondait à ses questions, ses doigts boudinés pianotaient sur le passepoil de son gilet.

Edith le salua comme elle l'aurait fait avec n'importe quel invité puis s'esquiva, apparemment indifférente, pour aller vaquer à des petits travaux sans importance. Il la suivit du regard, mais ne parvint pas à retenir le sien.

C'était la maison la plus grande et la plus élégante dans laquelle il se soit jamais rendu. Les pièces étaient hautes de plafond et très sombres. Elles débordaient de vases incroyables, de pièces d'argenterie à l'éclat un peu terne posés sur des tables, des commodes ou encore des coffres à plateau de marbre et de tout un mobilier luxueux et élégant. Ils traversèrent plusieurs pièces et s'installèrent dans un vaste salon où, murmura madame Bostwick, son mari et elle avaient l'habitude de « s'asseoir pour papoter avec leurs amis... » Stoner prit place sur une chaise tellement fragile qu'il n'osa plus bouger. Il la sentait vaciller sous son poids.

Edith avait disparu. Il la chercha désespérément du regard, mais elle ne revint dans le salon que deux bonnes heures plus tard, juste après que ses parents et lui eurent mis un terme à leur « petite conversation ».

Conversation qui fut laborieuse, indirecte, pleine de sous-entendus et sans cesse interrompue par de longs silences. Horace Bostwick parlait de lui en adressant de brefs discours à un auditoire situé quelques centimètres au-dessus du crâne de Stoner. Ce dernier apprit ainsi qu'il venait de Boston et que son père avait, vers la fin de sa vie, ruiné sa carrière dans la banque – et compromis celle de son fils en Nouvelle-Angleterre par la même occasion – à cause d'une série d'investissements peu judicieux qui l'avaient mené à la faillite. (« Trahi, avait-il précisé en levant les yeux au plafond, par de soi-disant amis »...) Raison pour laquelle l'héritier avait atterri dans le Missouri peu de temps après la fin de la guerre civile alors qu'il se dirigeait plus à l'ouest et n'alla jamais plus loin que Kansas City où ses affaires le menaient de temps à autre. Ayant toujours à l'esprit l'échec paternel – la trahison plutôt – il ne lâcha pas son premier poste dans une petite banque de Saint-Louis et quand il eut une trentaine d'années et qu'il se trouva bien établi – il était alors vice-président – il épousa la fille d'une bonne famille du cru. Un seul enfant naquit de cette union – il voulait un garçon, il eut une fille – et ce fut là une déception supplémentaire qu'il ne s'embarrassait guère à dissimuler. À l'instar de beaucoup d'hommes ainsi frustrés, il était extraordinairement fat et imbu de sa personne. Tous les quarts d'heure à peu près, il tirait une montre-gousset de sa poche, la consultait et secouait la tête d'un air douloureux.

Madame Bostwick ne parlait pas autant d'elle, et de façon moins directe, mais Stoner ne mit pas longtemps à la cerner. C'était une de ces femmes du Sud assez prévisibles : née au sein d'une vieille famille sans le sou, mais qui portait beau, elle avait grandi dans l'idée que cette condition pénible dans laquelle ils se trouvaient, à toujours tirer le diable par la queue, n'était pas digne de leur rang. On lui avait dit d'attendre patiemment des jours plus cléments sans lui préciser vraiment de quel genre d'amélioration il pouvait bien s'agir et elle avait accepté l'idée de son mariage avec Horace Bostwick avec cette espèce d'insatisfaction si bien ressassée que c'en était devenu un trait de son caractère à part entière. À cela s'ajoutaient une aigreur et une amertume qui n'avaient cessé d'empirer avec les années et qui étaient devenues si habituelles et si bien établies que plus rien n'aurait pu l'en distraire. Elle s'exprimait d'une voix haut perchée avec, dans la glotte, de tels effets de lamento que le moindre de ses propos s'en trouvait plombé.

L'après-midi était déjà bien avancé quand ils abordèrent enfin le sujet qui les avait réunis.

Ils lui rappelèrent à quel point Edith leur était chère, lui redirent combien ils se souciaient de son bonheur futur et firent grand cas de tous les privilèges dont elle avait pu jouir jusque-là. Assis en face d'eux, affreusement embarrassé, William Stoner était à l'agonie. Il tenta de leur donner, du moins l'espérait-il, les réponses qu'ils attendaient.

— Une enfant extraordinaire, précisa madame Bostwick, tellement sensible...

Son visage prit un air grave et elle ajouta, plaintive :

— Aucun homme... Aucun... Personne ne peut vraiment comprendre la délicatesse de... de...

— Bien, la coupa son mari, et il commença à enquêter sur ce qu'il appelait « les perspectives » de Stoner.

Celui-ci répondit du mieux qu'il put. Il n'avait encore jamais eu l'occasion de songer à ses « perspectives » et fut surpris de les découvrir si... courtes.

— Et vous n'avez pas d'autres... euh... revenus que votre solde de professeur ?

— Non, monsieur.

Horace Bostwick secoua la tête l'air contrarié :

— Edith a bénéficié de nombreux avantages, vous savez... Une belle maison, des domestiques, les meilleures écoles... et je me demande, ou plutôt je crains, que le changement de train de vie qu'entraînera fatalement votre... votre situation ne...

La fin de sa phrase demeura en suspens.

Stoner sentit une sorte de nausée monter en lui. Et de colère aussi. Il attendit quelques instants avant de lui répondre et modula sa voix aussi calme et contenue que possible :

— Je dois vous avouer, monsieur, que je n'avais pas encore pris toutes ces questions matérielles en considération. Le bonheur d'Edith est évidemment mon... Et si vous pensez qu'elle sera malheureuse alors je dois...

Il s'interrompit pour trouver le mot juste. Il voulait dire au père d'Edith à quel point il l'aimait, comme il était certain de leur bonheur à venir et quel genre de vie ils avaient l'intention de mener. Mais il fut incapable d'aller plus loin. Il percevait sur le visage de ce monsieur une telle expression d'inquiétude, de désarroi, d'angoisse même, qu'il s'en trouva réduit au silence.

— Mais non, s'empressa de répondre l'autre – ses traits s'étaient adoucis – vous m'avez mal compris... J'essayais simplement de vous faire prendre conscience de certaines... difficultés qui pourraient se présenter dans l'avenir... Enfin... Je suis sûr que vous avez déjà parlé de tout cela ensemble et que vous savez à quoi vous en tenir... Je respecte votre décision et...

Et ce fut clos. On ajouta encore quelques mots puis Mme Bostwick se demanda où Edith avait-elle bien pu passer pendant tout ce temps... Elle l'appela de sa voix stridente et quelques instants plus tard, sa fille apparut dans le salon où ils étaient tous réunis. Elle ne lui lança pas le moindre regard.

Son père lui annonça que son « jeune ami » et lui avaient eu une bonne discussion et qu'ils avaient sa bénédiction. Elle acquiesça.

— Bon, dit sa mère, nous devons commencer à faire des plans... Un mariage au printemps donc... En juin, peut-être ?

— Non, répondit Edith.

— Pardon, ma chérie ? demanda gaiement sa mère.

— Si cela doit avoir lieu alors je veux que ce soit le plus rapidement possible.

— L'impatience de la jeunesse... fit M. Bostwick. Il s'éclaircit la voix et ajouta : Mais peut-être que ta mère a raison, ma chère enfant, il y a des choses à prévoir, il faut du temps pour...

— Non, répéta Edith et d'une façon si catégorique qu'ils se retournèrent tous pour la regarder, ce doit être bientôt.

Silence. Son père dit alors d'une voix étonnamment conciliante :

— Très bien, ma chérie. Comme tu voudras. Vous autres, jeunes gens, ferez bien comme vous l'entendez...

Edith hocha la tête, murmura quelque chose à propos d'un travail qui l'attendait et s'effaça. Stoner ne la revit pas jusqu'à l'heure du dîner, lequel fut placé sous la domination silencieuse et compassée d'Horace Bostwick. Ensuite Edith se mit à son piano. Très nerveuse, elle joua mal, fit de nombreuses fausses notes et finit par leur annoncer qu'elle ne se sentait pas très bien et qu'elle préférait regagner sa chambre.

Dans celle des invités, cette nuit-là, William Stoner ne put fermer l'œil. Il contemplait l'obscurité, réfléchissait au tour singulier qu'avait pris sa vie et se demanda pour la première fois s'il n'était pas en train de commettre une erreur. Ses pensées allèrent vers Edith et il y puisa un peu de réconfort. Il songea que tous les hommes devaient passer par les mêmes moments de doute et se trouver soudainement aussi démunis qu'il l'était à présent.

Il devait attraper un train pour Columbia de bonne heure le lendemain matin et n'eut donc pas beaucoup de temps après le petit déjeuner. Il voulait prendre le tram jusqu'à la gare, mais M. Bostwick insista pour qu'un domestique attelât le landau. Edith lui écrirait d'ici quelques jours à propos des modalités de la cérémonie. Il remercia ses hôtes et leur dit au revoir. Il était presque arrivé au portail quand il entendit, dans son dos, quelqu'un courir à sa rencontre. Il se retourna, c'était Edith. Elle se tenait face à lui, très grande, très raide, très pâle, et le regarda droit dans les yeux :

— J'essaierai d'être une bonne épouse pour vous, William, j'essaierai vraiment.

C'était la première fois que quelqu'un l'appelait par son prénom depuis qu'il avait mis les pieds dans cette maison.

IV

Pour des raisons dont elle ne souhaita pas se justifier, Edith refusa de se marier à Saint-Louis. Le mariage se déroula donc à Columbia, dans la grande salle à manger d'Emma Darley où ils avaient passé leurs premières heures ensemble. Il eut lieu pendant la première semaine de février au moment des vacances scolaires d'hiver. Les Bostwick prirent le train à Saint-Louis et les parents de William, qui ne connaissaient pas encore Edith, vinrent de la ferme en voiture et arrivèrent la veille, le samedi après-midi.

Stoner voulait leur réserver une chambre d'hôtel, mais ils préférèrent loger chez les Foote bien que ces derniers fussent devenus plutôt froids et distants depuis que leur fils avait quitté leur service.

— J'saurais pas comment m'tenir dans un hôtel, avait rétorqué son père, et pis les Foote peuvent bien nous avoir pour une nuit...

Ce soir-là, William loua un cabriolet et conduisit ses parents en ville chez Emma Darley pour qu'ils fassent la connaissance d'Edith.

Madame Darley les accueillit sur le pas de la porte. Elle jeta à ses hôtes un bref coup d'œil embarrassé puis les pria de la suivre au salon. Son père et sa mère s'assirent avec précaution, tout engoncés qu'ils étaient dans leurs beaux habits.

— Je ne sais pas ce qui peut bien retenir Edith, finit-elle par murmurer, si vous voulez bien m'excuser...

Et elle quitta la pièce à la recherche de sa nièce.

Au bout d'un long moment, sa fiancée parut enfin. Elle sembla entrer dans la pièce à reculons avec une sorte d'appréhension méfiante.

Ils se levèrent aussitôt et, pendant quelques instants, ils se tinrent tous les quatre affreusement gênés sans savoir quoi se dire, puis Edith, tel un automate, s'avança, tendit son bras, serra la main de la mère de William puis celle de son père.

— Comment qu'ça va ? demanda-t-il cérémonieusement en lui rendant aussitôt la sienne comme s'il avait eu peur de la briser.

Edith le regarda, tenta de lui sourire et recula d'un pas.

— Asseyez-vous, dit-elle, je vous en prie, asseyez-vous...

Ils lui obéirent. William ajouta quelque chose. Il ne reconnut pas sa propre voix.

Après un long silence, sa mère dit doucement et avec étonnement, comme si elle pensait tout haut :

— Ben ma foi, c'est qu'elle est drôlement jolie, hein ?

William se mit à rire et ajouta avec tendresse :

— Ça oui, madame. Elle l'est !

L'atmosphère s'en trouva allégée et parler devint plus facile. Cependant tous continuaient de s'observer en tapinois avant de laisser leurs regards se perdre dans les profondeurs de la pièce. Edith murmura qu'elle était heureuse de faire leur connaissance et qu'elle regrettait de ne pas les avoir rencontrés plus tôt.

— Et quand nous serons installés...

Elle fit une longue pause et William se demanda si elle allait finir sa phrase.

— ... quand nous serons installés, il faudra venir nous rendre visite.

— Merci, c'est très gentil, répondit sa mère.

Et la conversation se poursuivit ainsi, entrecoupée de longs silences. La nervosité d'Edith devint extrême, presque palpable, à tel point qu'une fois ou deux, elle fut incapable de répondre à la question qu'on venait de lui poser. William se leva et sa mère l'imita en jetant des regards inquiets autour d'elle. Le père, lui, ne bougea pas de son fauteuil et regarda cette jeune fille droit dans les yeux pendant un long moment.

Il finit par lâcher :

— William a toujours été un bon garçon et j'suis content pour lui qu'y se soye trouvé une femme de qualité... Un homme a besoin d'une femme à lui qui s'en occupe et pis qui l'réconforte. Alors, maintenant, faudra être bonne avec lui parce qu'y mérite d'avoir quelqu'un qui soye correct.

Comme sous l'effet d'un choc, le visage d'Edith bascula en arrière. Ses yeux étaient exorbités et William crut un instant qu'elle était en colère. Mais non, elle ne l'était pas. Son père et elle se tinrent en joue encore un long moment et elle finit par dire :

— Je vais essayer, monsieur Stoner. Je vais essayer.

Alors son père se releva et les salua gauchement :

— Y s'fait tard. On f'rait mieux d'y aller à présent...

Et il sortit avec son petit bout de femme effacée à ses côtés en laissant Edith et son fils entre eux.

Edith ne dit rien, mais quand William se tourna vers elle, il vit qu'elle était au bord des larmes. Il s'inclina pour l'embrasser et sentit – légère résistance – la pression de ses doigts fins sur ses bras.

*
* *

La lumière froide de cet après-midi de février entrait dans la maison Darley par les grandes fenêtres de devant et venait frapper de biais les silhouettes qui se déplaçaient dans le salon. Les parents de Stoner se tenaient seuls dans un coin, tout comme les Bostwick qui étaient arrivés seulement une heure auparavant par le train du matin et qui ne leur avaient pas jeté le moindre regard. Gordon Finch se déplaçait gravement et l'air un peu tendu comme s'il était en charge de quelque chose. Il y avait aussi quelques amis d'Edith et de ses parents que William ne connaissait pas. Il percevait des voix sourdes, étouffées, monter jusqu'à lui. Il s'entendit leur répondre et eut conscience de leur sourire.

Gordon Finch se tenait à ses côtés. Il transpirait, son visage brillait au-dessus de son col sombre et il souriait nerveusement :

— Alors ? Prêt, mon Willy ?

Stoner sentit sa nuque plonger en avant.

— Le condamné a-t-il un dernier souhait ?

Stoner sourit et secoua la tête.

Finch lui tapota l'épaule :

— Tout ce que tu as à faire, c'est de rester près de moi et m'écouter... Tout va bien se passer et Edith sera là dans quelques instants...

Il se demanda quel souvenir il garderait de tout ça une fois que ce serait terminé. La scène lui paraissait tellement irréelle... Il s'entendit demander à Finch :

— Et le pasteur ? Je ne l'ai pas vu. Il est là ?

Finch rit, secoua la tête et marmotta il ne savait quoi. Puis il y eut un grand murmure : Edith apparut en haut des marches.

Dans sa robe blanche, elle donnait l'impression d'une lumière froide qui descendait sur eux. Instinctivement, Stoner fit un pas dans sa direction et sentit que Finch le retenait par le bras. Sa fiancée était très pâle, mais elle lui adressa un petit sourire. Ensuite elle fut près de lui et ils firent quelques pas ensemble. Un inconnu vêtu d'un large col rond se tenait face à eux. Il était petit et gros avec un visage quelconque et marmonnait en fixant un livre blanc ouvert devant lui. À plusieurs reprises, William s'entendit répondre à des silences et sentait Edith trembler à ses côtés.

Puis il y eut un blanc, un autre murmure, des éclats de rire et quelqu'un cria : « Embrasse la mariée ! » Il se retourna. Finch lui souriait de toutes ses dents. Il baissa le regard, le visage d'Edith semblait flotter devant lui, il lui sourit et l'embrassa. Ses lèvres étaient aussi sèches que les siennes.

On lui pressa la main, des gens riaient en lui donnant des tapes dans le dos et toute la pièce s'anima. Des visages nouveaux surgissaient et un immense bol de punch fit son apparition sur une longue table au fond du salon. Il y avait aussi un gâteau. Quelqu'un saisit sa main, la déposa sur celle d'Edith et on leur tendit un couteau. Il comprit qu'il était censé l'aider à découper la première part.

Ensuite, ils furent de nouveau séparés et il ne parvint plus à la repérer au milieu de la foule. Il répondait, parlait, riait, acquiesçait et continuait de regarder tout autour de lui dans l'espoir de l'apercevoir. Il vit ses parents, qui n'avaient pas bougé et se tenaient toujours dans le même coin. Sa mère souriait et son père, toujours un peu empêtré, la tenait par les épaules. Il voulut les rejoindre, mais il était sans cesse accaparé par des gens qui venaient à sa rencontre.

Enfin il aperçut Edith. Elle était avec sa tante et ses parents. Son père, le front plissé, observait la foule d'un air excédé et sa mère sanglotait. Ses yeux étaient rouges et gonflés et sa bouche se tordait à la manière d'un enfant que l'on aurait contrarié. Edith et sa tante la tenaient chacune par un bras et Mme Darley s'adressait à elle avec une sorte de fébrilité comme si elle essayait de la raisonner. D'aussi loin qu'il se tenait, William pouvait voir qu'Edith était muette. Son visage ressemblait à un masque. Blanc, lisse et impénétrable. Au bout d'un moment, elles conduisirent Mme Bostwick hors de la pièce et William ne revit plus Edith jusqu'à la fin de la réception. Jusqu'à ce que Gordon Finch lui murmurât quelque chose à l'oreille, le menât à une porte latérale qui donnait sur un petit jardin et le poussât à l'extérieur. Elle attendait là, transie de froid, le visage caché derrière son col relevé. Toujours riant et prononçant des mots que William ne comprenait pas, il les pressa tous deux le long d'un sentier jusqu'à la route où une calèche les attendait pour les conduire à la gare. Ce fut seulement quand ils se retrouvèrent dans le train qui devait les mener à Saint-Louis pour leur semaine de lune de miel que William Stoner réalisa que tout était fini et qu'il avait une épouse.

*
* *

Tous deux abordèrent les rives de ce continent qu'on appelle le mariage également innocents, mais innocents d'une manière bien différente. Ils étaient vierges tous les deux et conscients de leur manque d'expérience, seulement, ayant été élevé dans une ferme, le grand cycle naturel de la vie n'avait aucun secret pour William, alors que pour Edith, toutes ces choses étaient extrêmement mystérieuses. Elle ne savait rien et il y avait quelque chose en elle qui ne *voulait pas* savoir.

Et donc – et comme pour beaucoup d'autres avant eux – leur lune de miel fut un échec. Même s'ils refusèrent de l'admettre et mirent très long-temps à mesurer vraiment les conséquences de ce fiasco.

Ils arrivèrent à Saint-Louis pendant la nuit. Dans le compartiment de train, entourés de gens qui les regardaient avec une sorte de bien-veillance curieuse, Edith fut animée et presque gaie. Ils riaient, se tenaient par la main et par-laient de ce qu'ils allaient faire les jours suivants. Mais une fois arrivés, et le temps que William trouvât une voiture pour les conduire à l'hôtel, sa gaieté avait viré à une sorte d'hystérie.

En riant, il la porta à moitié pour franchir le seuil de l'hôtel Ambassador. Cette énorme bâtisse en pierre taillée de couleur brunâtre. La récep-tion était déserte, sombre et aussi profonde qu'une grotte. Quand ils furent à l'intérieur, Edith se calma aussitôt. Accrochée à son bras, il la sen-tait qui chancelait le long de l'immense couloir qui les menait vers le comptoir de la réception et quand ils rejoignirent enfin leur chambre, elle était quasiment malade. Elle tremblait, semblait fiévreuse, son visage était devenu crayeux et ses lèvres presque bleues. William voulait appeler un docteur, mais elle était seulement fatiguée, insistait-elle, et avait juste besoin de se reposer. Ils évoquèrent gravement les angoisses de la journée passée et Edith fit allusion à une sorte de faiblesse intime qui la tourmentait de temps en temps. Elle souhaitait – murmura-t-elle sans le regarder et sans la moindre émotion – que leurs premières heures ensemble fussent parfaites.

Alors William répondit :

— Elles le sont. Et le seront. Maintenant tu dois te reposer... Notre mariage commencera demain.

Et comme d'autres jeunes mariés dont il avait entendu parler et aux dépens desquels il avait bien dû rire grassement lui aussi, il passa sa nuit de noces sans sa femme. Il se roula en boule comme il put sur un petit sofa et passa une nuit blanche à regarder les heures défiler.

Il se leva très tôt. Leur suite – qui avait été réservée et payée par les parents d'Edith comme cadeau de mariage – était située au dixième étage et surplombait toute la ville. Il l'appela doucement et au bout de quelques minutes, elle sortit de la chambre en nouant son peignoir. Encore tout engourdie de sommeil, elle bâillait et lui souriait gentiment. William sentit son amour pour elle le saisir à la gorge. Il la prit par la main et la conduisit près de la fenêtre. Ils regardèrent la ville à leurs pieds, les automobiles, les piétons et les voitures attelées qui s'affairaient le long des rues étroites et se sentaient à l'abri, loin du monde et de son agitation. Dans le lointain, derrière les grands buildings en brique rouge, on apercevait le Mississippi qui déroulait son grand serpentin bistre dans la lumière du matin. Les bateaux à aube et les remorqueurs qui allaient et venaient le long de ses courbes semblaient des jouets d'enfant, à la seule différence qu'ils exhalaient de grands nuages de fumée grise... Il éprouva alors une grande sensation de calme. Il prit son épouse par la taille, la serra délicatement et ils regardèrent tous deux ce monde miniature qui leur sembla plein de promesses et de paisibles aventures.

Ils prirent leur petit déjeuner de bonne heure. Edith semblait en forme et tout à fait remise de son indisposition de la veille. Elle était presque gaie et regardait William avec une tendresse et une confiance qu'il prit pour de la gratitude et de l'amour. Ils ne firent aucune allusion à la nuit passée et, de temps à autre, elle regardait son alliance toute neuve en la réajustant à son doigt.

*
* *

Ils se couvrirent chaudement et flânèrent à travers les rues de Saint-Louis qui commençaient à s'animer. Ils faisaient du lèche-vitrines, évoquaient l'avenir et songeaient à la façon dont ils avaient l'intention de le remplir. William commençait à retrouver l'assurance et la confiance découvertes quand il avait commencé à courtiser cette femme qui était devenue la sienne. Edith était pendue à son bras et l'écoutait parler comme elle ne l'avait encore jamais fait auparavant. Ils s'arrêtèrent dans un petit café chaleureux et observèrent les passants qui se hâtaient dans le froid. Ils hélèrent une voiture et se firent conduire au musée des Beaux-Arts. Bras dessus, bras dessous, ils déambulèrent à travers les grandes salles baignées de couleurs éclatantes. Au milieu de cette paix, de cette douce chaleur, de cette impression de temps suspendu qui émanait des vieilles pierres et des tableaux anciens,

William Stoner eut une énorme bouffée d'affection pour cette grande jeune femme pâle et si délicate qui marchait à ses côtés. Il sentit monter en lui une sorte de passion tranquille, apaisante, sensuelle, courtoise, à l'image de toute cette beauté qui les entourait.

Il était tard quand ils sortirent enfin. Le temps s'était couvert et un petit crachin commençait à tomber, mais il était encore tout emmitouflé du bien-être qu'il avait emmagasiné dans les salles du musée. Ils retournèrent à l'hôtel peu après le coucher du soleil. Edith alla se reposer dans la chambre et William appela la réception pour qu'on leur montât un dîner léger. Saisi d'une soudaine inspiration, il descendit lui-même au bar, demanda que l'on mît une bouteille de champagne au frais et qu'on la leur portât dans leur chambre d'ici une heure. Le barman grimaça. Ce serait un vin de mauvaise qualité, le prévint-il. D'ici le 1er juillet, la prohibition serait nationale, il était déjà illégal de brasser ou de distiller de l'alcool et il ne restait guère plus d'une cinquantaine de bouteilles de champagne de plus ou moins bonne qualité dans les caves de l'hôtel. Il allait donc le payer bien plus cher que ce qu'il valait vraiment. Stoner lui sourit et répondit que cela ne posait pas de problème.

Bien qu'il lui était arrivé, à certaines grandes occasions, de goûter un peu de vin chez ses parents, Edith n'avait encore jamais eu l'occasion de boire du champagne et, pendant qu'ils dînaient autour d'une petite table de bridge dressée dans leur salon privé, elle ne pouvait s'empêcher de lancer des coups d'œil nerveux vers cette étrange bouteille qui les attendait dans son seau plein de glace. Deux bougies blanches plantées dans des chandeliers en cuivre vacillaient dans la pénombre. William avait éteint toutes les autres lumières. Les flammes éclairaient leurs visages, caressaient les courbes de la grosse bouteille sombre et faisaient scintiller les glaçons. Tous deux étaient aussi nerveux et gais que possible.

Il fallut un moment pour la déboucher. Edith sursauta quand le bouchon sauta. La main de William fut couverte de mousse. Ils rirent de sa maladresse, burent un verre chacun et elle avoua qu'elle était déjà pompette. Ils burent un deuxième verre et William crut percevoir une sorte de langueur lui monter au visage tandis que ses yeux devenaient plus sombres et plus intenses. Il se leva, vint s'asseoir derrière elle, posa ses mains sur ses épaules et fut troublé par la vision de ses gros doigts sur sa peau soyeuse. Elle se raidit à son contact. Il remonta lentement le long de sa nuque pour lui caresser les cheveux. Elle était tendue comme un arc, prête à rompre. Il passa ses mains sous ses avant-bras, la souleva de sa chaise puis la tourna par-devers lui. Dans la clarté des bougies, ses yeux étaient immenses, pâles, presque translucides. Mais toujours aussi éteints... Il se sentait à la fois très proche et très éloigné d'elle et fut ému par son expression d'animal traqué. Le désir le prit à la gorge et il fut incapable de prononcer le moindre mot. Il la poussa doucement vers la chambre, conscient de ce corps qui tentait de lui résister et qui, dans le même temps, luttait contre cet instinct de survie.

La chambre était plongée dans l'obscurité. Il laissa la porte ouverte. La faible clarté des bougies le guida. Il parlait tout bas comme pour la réconforter et la rassurer, seulement ses propres mots le suffoquaient et il ne parvenait plus à les entendre. Il posa les mains sur son corps à la recherche des différents boutons qui l'en séparaient.

Elle le repoussa comme elle aurait chassé un insecte, lèvres et yeux bien cousus, s'écarta, fit un bref mouvement et sa robe tomba en chiffon sur ses pieds. Ses bras et ses épaules étaient nus. Elle frissonnait et ordonna d'une voix atone :

— Va dans l'autre chambre. Je serai prête dans une minute.

Il lui caressa le bras et posa les lèvres sur son épaule. Elle ne se retourna pas.

Dans le petit salon, il observa la cire des bougies qui coulait au milieu des reliquats de leur dîner. La bouteille de champagne était à peine entamée. Il s'en servit un petit verre. Le liquide était tiède et un peu écœurant.

Quand il revint dans la chambre, Edith était couchée et avait tiré les couvertures jusque sous son menton. Son visage était tourné, ses yeux clos et son front plissé. Silencieusement, comme s'il avait eu peur de la réveiller, Stoner se déshabilla et vint s'allonger auprès d'elle. Pendant quelques instants, il demeura ainsi, immobile, avec son désir qui était devenu quelque chose de triste et solitaire. Il lui parla tendrement dans l'espoir de retrouver une sorte de refuge où abriter ses sentiments. Elle ne répondit pas. Il posa sa main sur son corps et sentit, à travers la fine étoffe de sa combinaison, la chair qu'il avait tant désirée. Il la caressa du bout des doigts, elle ne réagissait pas. Seuls les plis sur son front se creusèrent davantage. Alors il parla de nouveau et murmura son nom dans le silence. Ensuite il vint sur elle, attentif et précautionneux dans sa maladresse. Quand il sentit la douceur de ses cuisses, elle tourna brusquement la tête et leva un bras pour se couvrir le visage.

Elle n'émit aucun son.

Ensuite, il s'étendit à côté d'elle et lui murmura des mots d'amour. Les yeux d'Edith étaient grands ouverts et elle le fixait dans le noir. Son visage ne trahissait aucune émotion et puis, soudain, elle arracha les couvertures et courut vers la salle de bains. Il aperçut un rai de lumière sous la porte et l'entendit qui crachait et vomissait entre deux hoquets déchirants. Il l'appela et vint auprès d'elle. La porte était fermée à clef. Il redit son nom, mais elle ne répondait toujours pas. Il retourna se coucher et attendit. Après plusieurs minutes de silence, la lumière de la salle de bains s'éteignit et la porte s'entrouvrit. Edith sortit et, raide comme un piquet, s'avança jusqu'au lit.

— C'est le champagne, dit-elle, je n'aurais pas dû en boire un deuxième verre.

Elle tira les couvertures au-dessus d'elle et se tourna sur le côté. Quelques instants plus tard, sa respiration devint plus régulière : elle s'était endormie.

V

Ils revinrent deux jours plus tôt que prévu.

Le confinement dans lequel ils se trouvaient les épuisait tant physiquement que nerveusement. C'était comme s'ils se promenaient ensemble dans la cour d'une prison. Edith annonça qu'ils devaient vraiment retourner à Columbia pour qu'il puisse, lui, commencer à préparer ses cours et elle, aménager leur nouvel appartement. William accepta aussitôt. Tout serait plus facile, se disait-il, une fois qu'ils se sentiraient chez eux au milieu de visages connus et dans un décor familier. Ils firent leurs valises et prirent le premier train du soir.

Quelques jours avant leur mariage, il avait trouvé, à la hâte et pas trop loin du campus, un appartement au premier étage d'un immeuble qui ressemblait un peu à une vieille grange. Sombre et dépouillé, il était composé d'une petite chambre, d'une cuisine minuscule et d'un immense salon. Il avait été occupé autrefois par un artiste, professeur à l'université, qui ne devait pas être trop porté sur le ménage. Les murs étaient sales et les grandes lattes brunes du plancher maculées de taches de peinture rouge, jaune et bleue. Stoner l'avait trouvé romantique et commode et avait jugé que c'était là un bon endroit pour commencer une nouvelle vie.

Edith l'aborda comme un territoire ennemi à conquérir. Elle qui n'avait jamais rien fait de ses dix doigts fit disparaître la plupart des taches de couleur et s'échina sur une crasse – plus ou moins imaginaire d'ailleurs – qu'elle traquait jusque dans les moindres recoins. Ses mains s'étaient couvertes d'ampoules, elle avait des cernes et son visage commençait à se creuser. Quand Stoner essayait de l'aider, elle se braquait, prenait un air pincé et secouait la tête en signe de dénégation. Il devait se consacrer à ses études, rétorquait-elle, ça c'était son travail à *elle*. S'il insistait et lui donnait un coup de main malgré ses récriminations, elle se renfrognait et se sentait humiliée. Il finissait par lui obéir et la regardait, perplexe et impuissant, qui s'échinait, l'air buté, à gratter les sols, lessiver les murs, rafistoler, décaper et repeindre les vieux meubles qu'ils avaient commencé à accumuler. Bien qu'elle n'eût aucune disposition pour tout cela, Edith s'acharnait à travailler en silence et avec une telle férocité qu'elle se trouvait épuisée quand il revenait de l'université dans l'après-midi. Elle se traînait alors jusqu'à la cuisine pour préparer le dîner, mangeait à peine, filait au lit, tombait comme une masse et ne se réveillait qu'après son départ le lendemain matin.

Au bout d'un mois, il comprit que son mariage était un échec et au bout d'un an, il cessa d'espérer. Il apprit à se taire et à museler ses envies autant que ses élans. S'il lui parlait ou la touchait tendrement, elle se détournait, se recroquevillait à l'intérieur d'elle-même, devenait muette, insondable, puis se tuait à la tâche jusqu'à épuisement pendant des jours… À cause d'une sorte d'entêtement terrible dont ils ne parlèrent jamais, mais qu'ils partageaient, ils continuaient de dormir dans le même lit. Il arrivait parfois que, dans son sommeil, elle s'approchât et se collât à lui sans s'en rendre compte. Sa sagesse et toutes ses bonnes résolutions s'en trouvaient anéanties. Il fermait les yeux et venait s'agiter au-dessus elle. S'il la réveillait, elle se braquait, se raidissait, tournait la tête comme elle en avait pris l'habitude, l'enfonçait dans un oreiller et endurait. En de tels moments Stoner lui manifestait sa tendresse le plus rapidement possible en se haïssant d'être aussi expéditif et en regrettant ses passions. C'était plus rare, mais il arrivait aussi qu'elle demeurât assoupie. Elle était passive alors et murmurait dans son sommeil sans qu'il sût jamais si c'était de surprise ou pour protester. Il en vint à attendre ces instants si rares et si imprévisibles avec impatience comme s'il pouvait imaginer trouver, dans cet abandon comateux, quelque chose comme un aveu.

Le pire c'est qu'il ne parvenait pas à parler avec elle de sa... de cette misère. Quand il essayait, elle prenait tout ce qu'il disait comme autant d'accusations personnelles et de reproches à ses manquements et devenait aussi lointaine et intouchable que lorsqu'il lui faisait l'amour. Alors il maudissait sa maladresse et se sentait responsable de son désarroi.

Le désespoir avait engendré chez lui une sorte de cruauté placide et il se livra à tout un tas de petites expériences pour essayer de lui faire plaisir. Il lui rapportait des cadeaux qu'elle acceptait sans ciller, se contentant parfois d'une allusion au prix qu'ils avaient dû coûter. Il l'emmenait en promenade ou bien pique-niquer dans les collines boisées autour de Columbia, mais elle se fatiguait vite et il lui arriva même de se trouver mal. Ou alors il l'invitait à le rejoindre sur le campus comme du temps de leurs fiançailles, seulement cela ne l'amusait plus guère.

Enfin, et bien qu'il fût conscient de sa grande timidité, il insista en déployant des trésors de diplomatie pour qu'ils s'amusassent un peu et vissent du monde. Ils organisèrent un thé auquel furent invités quelques-uns des jeunes enseignants du département et donnèrent plusieurs dîners. Il était impossible de savoir si Edith appréciait ou non ces événements. Leur organisation la mettait dans un tel état que lorsque les invités arrivaient, elle était au bord de la crise de nerfs. Heureusement, William était le seul à s'en rendre compte.

Elle recevait bien et s'adressait à ses hôtes avec tant d'aisance et de volubilité qu'il avait parfois l'impression de se trouver en présence d'une étrangère. Paradoxalement, quand ils étaient ainsi entourés, elle lui parlait avec une douceur et une tendresse qui le surprenaient toujours. Elle l'appelait Willy, ce qui ne manquait jamais de le dérouter, et il lui arrivait même de laisser traîner sa jolie main sur son épaule.

Mais le dernier invité parti, la façade s'effondrait et laissait voir son envers. Elle était amère, disait du mal de ses invités, imaginait des offenses larvées et d'obscurs rapports de force, ne cessait de repenser à ce qui était allé de travers et à toutes les petites erreurs qu'elle avait commises ce soir-là et qu'elle ne pourrait jamais se pardonner. Elle s'asseyait au milieu des décombres de la fête, demeurait songeuse et lui répondait à peine quand il essayait de la sortir de sa torpeur.

Une fois, cependant, la façade s'est fissurée alors que les invités étaient encore là...

Plusieurs mois après le mariage de Stoner et d'Edith, Gordon Finch se fiança avec une jeune fille qu'il avait rencontrée par hasard quand il était encore à New York et dont les parents habitaient Columbia. On lui avait confié un poste de doyen assistant et il était plus ou moins convenu que lorsque Josiah Claremont viendrait à disparaître, sa candidature au poste de doyen du collège serait considérée avec la plus grande attention. L'invitation venait un peu tard, mais Stoner les pria à dîner, sa dulcinée et lui, pour fêter à la fois leurs fiançailles et son avancement.

Ils arrivèrent par une chaude soirée du mois de mai dans une automobile noire flambant neuve et toute pétaradante que Finch gara, et avec quelle adresse, sur la route pavée qui bordait leur vieil immeuble. Il klaxonna et leur lança de grands signes jusqu'à ce que William et Edith les eussent rejoints. Une petite brunette au visage doux et avenant était assise à ses côtés.

Il la leur présenta : Caroline Wingate et tous les quatre bavardèrent un moment tandis que Finch l'aidait à s'extraire de son engin.

— Alors ? Comment tu la trouves ? demanda-t-il en donnant un coup de poing sur l'aile de devant, magnifique, non ? Elle appartient au père de Caroline... Comme j'ai l'intention d'en acheter une du même modèle, je...

Il s'interrompit. Il l'observait froidement en plissant les yeux. Cette machine était le symbole de l'avenir et Gordon calculait. Spéculait plutôt.

Puis il redevint affable et gai, mit son index devant ses lèvres, jeta des regards furtifs aux alentours et sortit un sac en papier brun de sous le siège passager.

— De la gnôle... murmura-t-il, tombée du bateau... Couvre-moi mon pote, on va peut-être arriver à la passer jusqu'à ta bicoque...

Le dîner se déroula on ne peut mieux. Il y avait des années que Stoner n'avait pas vu Finch si en forme et il repensa à ces temps lointains quand, avec Masters, ils se retrouvaient dans un pub le vendredi soir après les cours pour refaire le monde en buvant des bières. Caroline ne parlait pas beaucoup, mais elle souriait tendrement quand son fiancé racontait des bêtises en lui lançant de petits clins d'œil. Ce fut un choc. Un choc mêlé d'une pointe d'envie, de réaliser à quel point Finch était amoureux de cette jolie brune qui ne parlait pas pour la seule raison qu'elle buvait littéralement ses paroles.

Même Edith se détendit. Elle souriait et rit de bon cœur. Finch la traitait avec une spontanéité et une familiarité que lui, son mari – et il en prenait conscience à l'instant même –, n'aurait jamais pu se permettre. Il ne l'avait pas vue aussi heureuse depuis des mois.

Après le dîner, Finch prit le sac en papier qu'il avait mis dans la glacière et en sortit quelques bouteilles sombres. C'était une petite décoction maison qu'il avait menée à bien et dans le plus grand secret derrière la porte de la penderie de sa garçonnière.

— Plus du tout de place pour mes nippes, mais bon... un homme se doit de garder le sens des valeurs...

Sous la lumière d'une lampe qui accentuait encore la pâleur de son teint et la finesse de ses cheveux blonds, et avec des gestes de chimiste en train de manipuler une substance explosive, c'est-à-dire lentement, délicatement et en retenant son souffle, il versa sa bibine dans leurs tubes à essai.

— Faut faire attention avec ce truc, murmura-t-il, il y a un sacré dépôt au fond de la bouteille et si tu verses trop vite, il se sauve aussi...

Tous reposèrent leur verre en le complimentant pour la saveur de sa bière. Et c'était sincère. Elle était étonnamment bonne, légère, avec juste assez d'amertume et une très belle couleur. Même Edith vida le sien et en accepta un deuxième.

Un peu éméchés, ils riaient bêtement, se laissaient aller et se découvraient tous sous un jour nouveau.

Levant son verre dans la lumière, Stoner dit :

— Je me demande bien ce que Dave en aurait pensé...

— Dave ? demanda Finch.

— Oui, Dave Masters... Tu te souviens comme il aimait la bière ?

— Dave Masters... Ce bon vieux Dave... Quel foutu gâchis...

— Masters ? s'étonna Edith, est-ce que ce n'était pas votre ami qui est mort à la guerre ?

— Oui, lui répondit Stoner en lui rendant son sourire, c'est lui...

Il fut pris d'une grande tristesse.

— Ce bon vieux Dave, répéta Finch. Tu sais, Edith... Ton mari, Dave et moi, on en a aligné des chopines ensemble... Enfin, c'était bien avant qu'il te connaisse, bien sûr... Ah ! ce David...

Un ange passa. En mémoire de lui.

— C'était un de vos bons amis ? demanda-t-elle.

Stoner opina :

— Très bon...

— Château-Thierry... Finch vida son verre puis secoua la tête : La guerre, quelle saloperie... Mais ce coquin de Dave... Il est probablement quelque part en train de se fiche de nous à l'heure qu'il est ! Ah, il ne serait pas en train de pleurer sur son sort, lui ! La seule chose, tu vois... c'est que je me demande même s'il a vraiment eu l'occasion de voir la France...

— Je ne sais pas, murmura Stoner, il a été tué si vite...

— Si c'est le cas, quel dommage... J'ai toujours pensé que c'était la seule vraie raison de son engagement : aller faire un petit tour en Europe.

— L'Europe... répéta gravement Edith.

— Ouais, continua Finch, ce brave Dave n'avait pas envie de grand-chose, mais ça, il y tenait... De voir le vieux continent avant de clamser...

— Je devais aller en Europe autrefois...

Elle souriait et ses yeux papillotaient un peu trop vite.

— Tu te souviens, Willy ? Je devais y aller avec ma tante Emma juste avant que nous nous mariions... Tu te souviens ?

— Je me souviens.

Elle rit jaune puis secoua la tête comme si elle était complètement perdue :

— Ça a l'air si loin... Et pourtant ça ne l'est pas... C'était il y a combien de temps, Willy ?

— Edith... soupira-t-il.

— Voyons... Nous devions y aller en avril puis un an a passé, et maintenant nous sommes en mai, donc si j'y avais été, j'y serais allée en...

Et soudain ses yeux se remplirent de larmes alors même qu'elle souriait de toutes ses forces.

— J'imagine que je n'irai plus jamais à présent... Ma tante Emma va mourir bientôt et je n'aurai plus jamais l'occasion de...

Puis, toujours souriante et le regard fiévreux, elle fut prise d'un terrible sanglot. Les garçons se levèrent aussitôt.

— Edith... murmura William totalement désarmé.

— Oh ! Laisse-moi tranquille, toi !

Dans une étrange pirouette, elle se redressa et se tint devant eux, les yeux douloureusement clos et les mains sur les hanches :

— Oui ! Tous autant que vous êtes ! Laissez-moi tranquille !

Elle se retourna, tituba jusqu'à la chambre et claqua la porte.

Et pendant un long moment, on n'entendit rien d'autre que ses sanglots étouffés. Stoner finit par soupirer :

— Il faut l'excuser. Elle n'a pas été très bien ces derniers jours... La fatigue, la pression...

— Bien sûr. Je sais ce que c'est, Will ! répondit Finch dans un rire forcé, ces dames et toutes leurs histoires... Mon petit doigt me dit que je vais devoir bientôt m'habituer à tout ça, moi aussi...

Il regarda Caroline, rit de nouveau et reprit plus bas :

— Bon, nous n'allons pas la déranger maintenant. Tu la remercieras pour nous et tu lui diras que son dîner était délicieux... Et puis la prochaine fois, c'est vous qui viendrez nous voir quand nous serons installés...

— Merci, Gordon. Je lui dirai.

— Et surtout, ne t'inquiète pas, ajouta-t-il en lui donnant une bourrade. Ce sont des choses qui arrivent...

Après leur départ, quand les pétarades et les vrombissements de la belle auto se furent évanouis dans la nuit, William Stoner demeura long-temps debout au milieu du salon à écouter les petits sanglots secs de sa femme. Ça n'était qu'un bruit, un son dénué d'émotion qui semblait ne jamais devoir s'arrêter. Il aurait voulu la consoler, l'apaiser, seulement il ne savait pas quoi dire.

Au bout d'un moment, il réalisa que c'était la première fois qu'il l'entendait pleurer.

*
* *

Après cette soirée désastreuse avec Gordon Finch et Caroline Wingate, Edith changea. Elle se détendit et devint plus calme. Mais elle ne voulut plus recevoir personne et ne sortait qu'à contrecœur de leur appartement. Stoner se chargea donc de faire les courses en suivant scrupuleusement les listes qu'elle lui rédigeait d'une drôle de petite écriture, laborieuse et presque enfantine, sur des feuillets de papier bleu. C'était la solitude qui lui convenait le mieux. Elle passait des heures à coudre et à broder des nappes ou des serviettes de table un petit sourire aux lèvres. Sa tante Emma lui rendait visite de plus en plus souvent et quand William rentrait de l'université, il les trouvait toutes deux en train de boire du thé et de converser à voix basse. Si basse que c'en était presque des chuchotements. Elles l'accueillaient toujours très poliment, mais il avait bien conscience de les contrarier et Mme Darley s'esquivait presque aussitôt. Il apprit à conserver une attitude discrète et délicate vis-à-vis de cet univers dans lequel son épouse commençait à s'épanouir.

Pendant l'été 1920, il alla passer une semaine chez ses parents pendant qu'elle rendait visite à sa famille à Saint-Louis. Il ne les avait pas vus depuis leur mariage.

Il travailla aux champs un jour ou deux pour aider son père et son ouvrier, mais le contact des mottes humides sous ses pieds et l'odeur de la terre fraîchement retournée n'évoquaient plus rien de rassurant ou même de familier. Il retourna à Columbia et passa le reste de ses vacances à préparer le nouveau cours qu'il devait enseigner à la rentrée. Il travaillait à la bibliothèque toute la journée et ne rejoignait Edith qu'assez tard. Il respirait alors l'odeur entêtante des chèvrefeuilles dans la tiédeur du soir, il écoutait le bruissement et observait le ballet des feuilles délicates des grands cornouillers. Ces feux follets dans l'obscurité... Il avait tant travaillé, s'était tant concentré sur des textes si ardus que ses yeux le brûlaient, sa tête lui pesait et ses doigts étaient gourds, douloureux d'avoir manipulé tant de reliures anciennes et d'ouvrages si lourds et si fragiles. Mais il était poreux, ouvert, sensible au monde... Ces promenades nocturnes l'apaisaient et lui procuraient une grande félicité.

De nouvelles têtes apparurent dans la salle des professeurs tandis que d'autres manquaient à l'appel. Archer Sloane continuait de suivre la pente tranquille de ce déclin que Stoner avait commencé à percevoir pendant la guerre. Ses mains tremblaient et il avait de plus en plus de mal à se concentrer sur ce qu'il disait. Ainsi allait le département de littérature, tenu par son élan, ses codes, ses traditions et sa seule raison d'être...

Il reprit ses cours avec une fièvre et une intensité qui impressionnèrent certains de ses nouveaux collègues, mais qui inquiétèrent ceux qui le connaissaient depuis longtemps. Il était devenu hagard, avait maigri et se tenait de plus en plus voûté. Au second semestre, il accepta les heures supplémentaires qu'on lui proposa et se chargea aussi des nouveaux cours d'été qui venaient d'être instaurés. C'était encore assez vague, mais il avait en tête l'idée d'économiser assez d'argent pour pouvoir partir à l'étranger et rendre à Edith ce voyage en Europe auquel elle avait renoncé par sa faute.

Durant l'été 1921, alors qu'il cherchait la référence d'un poème latin, il retomba pour la première fois sur la thèse qu'il avait soutenue trois ans auparavant. Il la parcourut et la jugea digne de connaître un écho plus large. Quelque peu effrayé par ses prétentions, il envisagea tout de même de la retravailler avant d'essayer de la publier. Bien qu'il continuât d'enseigner à temps plein cet été-là, il relut la plupart des textes sur lesquels il avait travaillé et approfondit ses recherches. Fin janvier, il admit que l'idée d'un livre était possible et au début du printemps, il avait accumulé assez de matière pour se lancer enfin.

Ce fut au cours de ce même printemps qu'Edith lui annonça, avec calme et sans émotion particulière, qu'elle avait décidé d'avoir un enfant.

*
* *

Cette décision était si soudaine et tellement inattendue que lorsqu'elle l'exprima un matin, au moment du petit déjeuner, juste avant qu'il ne file pour son premier cours, elle sembla en être la première étonnée. Comme si elle venait à l'instant même de la concevoir...

— Pardon ? demanda-t-il. Qu'est-ce que tu viens de dire ?

— Je veux un enfant. Je pense que je veux avoir un bébé.

Elle était en train de grignoter un toast. D'un coin de sa serviette, elle se tamponna les lèvres et se mit à sourire fixement.

— Tu ne penses pas que nous devrions en avoir un ? reprit-elle. Nous sommes mariés depuis presque trois ans...

— Bien sûr.

Il reposa très délicatement sa tasse sur la soucoupe et ajouta sans lever les yeux :

— Tu en es certaine ? Nous n'en avons jamais parlé. Je ne voudrais pas que tu...

— Mais oui, j'en suis sûre ! Je pense que nous devrions avoir un enfant.

William jeta un coup d'œil à sa montre :

— Je suis en retard. J'aurais vraiment préféré avoir plus de temps pour parler de tout cela. Je veux être bien certain que tu sois sûre et...

Le front d'Edith se plissa :

— Mais je viens de te le dire. Tu n'en veux pas, toi ? Pourquoi est-ce que tu me poses toutes ces questions, à la fin ? De toute façon, je n'ai plus envie d'en parler.

— Très bien.

Il demeura assis à la regarder un moment, murmura « Il faut vraiment que j'y aille... » et ne bougea pas. Puis, maladroitement, il posa sa main sur ses longs doigts qui traînaient sur la nappe et les tint serrés jusqu'à ce qu'elle reprenne son bien. Il se leva et, un peu intimidé, s'agita autour d'elle pour rassembler ses livres et ses notes. Comme tous les matins, Edith passa dans le salon pour attendre son départ. Il l'embrassa sur la joue – chose qu'il n'avait pas faite depuis très longtemps.

Au moment d'ouvrir la porte, il se retourna et dit :

— Je... je suis heureux que tu veuilles un enfant, Edith... Je sais que pour tout un tas de raisons notre mariage a été une source de déception pour toi et j'espère que ce... que ce choix va changer les choses entre nous...

— Oui, allez... répliqua-t-elle, tu vas être en retard pour tes cours. Tu ferais mieux de te dépêcher.

Après son départ, Edith resta debout au milieu du salon à regarder la porte qui venait de se refermer comme si elle essayait de se souvenir de quelque chose. Ensuite elle se mit à tourner en rond dans toutes les pièces. Elle était nerveuse et ne savait que faire. Ses vêtements la gênaient, lui pesaient. Elle ne pouvait plus supporter leur contact sur sa peau. Elle déboutonna son austère robe de chambre en taffetas gris et la laissa glisser sur le sol. Elle croisa ses bras sur sa poitrine et se serra fort en pétrissant sa chair contre la fine étoffe de sa chemise de nuit. De nouveau, elle demeura immobile puis se dirigea vers leur minuscule chambre. Derrière la porte du placard se trouvait un grand miroir en pied. Elle l'ajusta dans la lumière et se posta devant pour détailler le reflet de cette longue silhouette fine prise dans une chemise de nuit bleue toute simple. Sans jamais se quitter des yeux, elle la déboutonna, la fit remonter le long de son corps par-dessus sa tête et se retrouva nue dans la lumière du matin. Elle roula sa chemise de nuit en tapon et l'envoya bouler. Elle se tourna et se retourna devant la glace en inspectant son corps comme si c'était celui d'une autre. Elle passa ses mains autour de ses petits seins qui n'étaient déjà plus si fermes puis les laissa glisser lentement le long de ses hanches et sur son ventre plat.

Elle s'écarta du miroir et se dirigea vers son lit défait. Elle tira les couvertures, les plia n'importe comment et les ficha dans le fond du placard. Elle secoua les draps puis se coucha sur le dos, les jambes bien droites et les bras le long du corps. Immobile, sans ciller, elle se mit à fixer le plafond et attendit ainsi toute la matinée et tout l'après-midi.

Quand William Stoner revint chez lui ce soir-là, il faisait déjà presque nuit et le premier étage était plongé dans l'obscurité. Vaguement inquiet, il monta les escaliers et alluma les lumières du salon. La pièce était vide.

— Edith ?

Aucune réponse. Il l'appela de nouveau.

Il alla dans la cuisine. La vaisselle du petit déjeuner était toujours sur la table. Il retraversa le salon au pas de course et ouvrit la porte de leur chambre.

Elle était là, allongée sur un drap. Quand la lumière du couloir la caressa, elle tourna la tête vers lui, mais ne se leva pas. Son regard était vide et elle laissait échapper de petits sons confus.

— Edith !

Il s'agenouilla auprès d'elle :

— Ça ne va pas ? Tu as un problème ?

Elle ne répondit rien, mais les sons qu'elle proférait devinrent plus rauques et son corps commença à s'agiter. Soudain, ses doigts se refermèrent sur lui comme des serres et, instinctivement, il fit un bond en arrière. Mais non, c'était ses vêtements qu'elle cherchait. Pour s'y agripper, les lui arracher et le tirer sur le lit auprès d'elle. Sa bouche affamée et fiévreuse goba la sienne et ses mains couraient le long de son corps en tirant sur sa chemise pour le trouver enfin.

Tout le temps que dura cette scène, ses yeux, pareils à ceux d'une poupée de porcelaine, demeurèrent grands ouverts, immobiles, et totalement fixes. Ils ne virent rien.

Il découvrit une autre Edith. Avec ce désir comme une fringale, si intense qu'il semblait exister indépendamment d'elle et qui, à peine rassasié, criait de nouveau famine de sorte qu'ils se mirent à vivre tous deux sous son joug et dans un état de tension extrême.

Bien que les deux mois qui suivirent fussent le seul moment de passion qu'Edith et William partagèrent jamais, leur relation ne changea pas pour autant et cette fièvre qui aimantait leurs deux corps, Stoner le réalisa assez vite, n'avait pas grand-chose à voir avec l'amour. Ils s'accouplaient avec une détermination féroce – quoique détachée – se séparaient un temps puis s'accouplaient de nouveau, épuisés et à peine capables d'assouvir encore leurs besoins.

Quelquefois dans la journée, quand William était à l'université, cette femme était prise d'une telle frénésie qu'il lui devenait physiquement impossible de rester tranquille. Elle quittait alors l'appartement et s'épuisait dans de longues promenades en marchant sans but à travers toute la ville. Ensuite elle rentrait, tirait les rideaux, se déshabillait et attendait son retour tapie dans l'ombre. À peine avait-il franchi le seuil qu'elle se jetait sur lui et ces deux mains, qui n'étaient plus vraiment les siennes, démentes, déchaînées le tiraient vers leur chambre puis le poussaient sur le lit encore froissé de leurs exploits de la veille ou du matin même.

Elle fut enceinte en juin et tomba aussitôt dans une sorte de langueur qui ne la quitta pas tout le temps que dura sa grossesse. Dès l'instant où l'enfant fut conçu – et avant même que sa présence ne soit confirmée par son calendrier ou par un médecin – cet appétit pour William qui l'avait consumée pendant les deux derniers mois la déserta. Elle lui fit clairement savoir qu'elle ne pourrait plus supporter le moindre contact physique et il ne mit pas longtemps à comprendre que le seul fait de la regarder était perçu comme

118

une agression. Cette ivresse charnelle ne devint plus qu'un vague souvenir et il finit par s'y résoudre : tout ceci n'avait été qu'un rêve qui n'avait rien eu à voir avec eux deux.

Ainsi, ce lit qui avait été l'arène de leur passion devint le témoin de ses nausées. Elle y restait presque toute la journée, ne se levant que dans la matinée pour aller vomir et une autre fois dans l'après-midi pour tenter d'enchaîner quelques pas mal assurés dans le salon. Stoner rentrait le plus tôt possible. Il se chargeait du ménage, de la vaisselle et préparait un dîner qu'il allait lui porter sur un plateau. Elle ne voulait pas qu'il prît le sien auprès d'elle, mais semblait heureuse de partager une tisane en fin de soirée. Alors ils bavardaient tranquillement, comme deux vieux amis ou deux ennemis fourbus. Ensuite Edith s'endormait et William retournait à la cuisine pour tout ranger avant d'installer une table devant le petit sofa du salon sur laquelle il corrigeait ses copies et préparait ses cours. Passé minuit, il tirait de sous le canapé une couverture soigneusement pliée, s'y enroulait puis, ainsi recroquevillé, dormait mal jusqu'au matin.

L'accouchement dura trois jours et l'enfant, une fille, naquit au milieu du mois de mars 1923. Ils la prénommèrent Grace, en souvenir d'une tante d'Edith morte il y a bien longtemps.

Grace était une ravissante petite poupée coiffée d'un fin duvet blond. Au bout de quelques jours, les premières rougeurs du nouveau-né disparurent et son teint devint aussi joli qu'un pétale de rose. Elle pleurait rarement et, très éveillée, observait tout ce qui l'entourait. William tomba amoureux au premier regard et reporta sur elle toute l'affection qu'il n'avait jamais pu témoigner à son épouse. Jamais il n'aurait imaginé prendre autant de plaisir à s'occuper d'un bébé.

Après la naissance de sa fille, Edith ne quitta guère son lit. On craignait qu'elle demeurât invalide bien que le docteur ne lui trouvât rien d'anormal. William embaucha une femme qui venait chaque matin prendre soin d'elle et il aménagea ses horaires pour pouvoir rentrer plus tôt.

Ainsi, pendant plus d'un an, il tint la maison et prit soin de deux êtres humains qui dépendaient entièrement de lui. Il était debout avant l'aube, corrigeait les devoirs de ses élèves et préparait ses cours, ensuite il donnait son biberon à son enfant, prenait son petit déjeuner, portait le sien à Edith et se préparait un sandwich qu'il glissait dans son cartable. Sitôt ses cours terminés il se dépêchait de rentrer et renouait son tablier.

Pour cette petite fille, il fut davantage une mère qu'un père. Il la changeait, lavait ses couches, choisissait ses vêtements, les raccommodait s'il s'y trouvait un accroc, la nourrissait, lui donnait son bain, la prenait dans ses bras et la berçait patiemment quand elle était malheureuse. De temps à autre, Edith réclamait sa fille d'une voix plaintive. William la lui amenait, elle se redressait dans son lit, la prenait quelques instants sans prononcer le moindre mot et un peu empêtrée comme si cette enfant avait appartenu à une étrangère puis montrait des signes de fatigue et la rendait à son père en soupirant. Troublée par quelque obscure émotion, elle pleurait en silence, se tamponnait le coin des yeux et regardait ailleurs.

Pendant la première année de son existence, Grace Stoner ne connut que la main de son père, et sa voix, et son amour.

VI

Au début de l'été 1924, c'était un vendredi après-midi, plusieurs étudiants virent Archer Sloane se rendre à son bureau. Il fut découvert le lundi suivant par le concierge de Jesse Hall alors que ce dernier effectuait sa première ronde pour vider les corbeilles à papier. Il était à sa table de travail, affalé dans son fauteuil, raide, la tête curieusement penchée de côté, les yeux grands ouverts et le regard fixe. Le concierge lui adressa quelques mots puis partit en courant et en poussant de grands cris que personne n'entendit. On ne le sortit pas tout de suite et quelques élèves matinaux traînaient déjà dans les couloirs quand un étrange paquet blanc tout bosselé fut descendu sur une civière jusqu'à l'ambulance qui attendait en bas des escaliers. On apprit plus tard qu'il était mort dans la nuit du vendredi, ou alors le samedi matin très tôt, de causes naturelles – c'est du moins ce que tout le monde tint pour acquis bien que celles-ci ne fussent jamais précisément déterminées – et qu'il avait passé tout le week-end assis derrière son bureau à fixer l'éternité. L'officier chargé de l'enquête déclara qu'il s'agissait d'une crise cardiaque, mais Stoner fut toujours convaincu que son vieux maître, dans un ultime sursaut de colère, ou de désespoir, avait supplié son cœur de cesser de battre. Dernière bravade – et discrète cette fois – dernier geste d'amour et de mépris vis-à-vis d'un monde qui l'avait si profondément trahi qu'il ne souhaitait plus en être.

Stoner fut de ceux qui portèrent son cercueil. Il ne parvint pas à se concentrer sur le discours du pasteur, mais cela n'avait aucune importance : ses mots étaient creux. Il se souvenait de Sloane quand il l'avait vu pour la première fois dans leur salle de classe. Il se remémora leurs premières conversations et songeait au lent déclin de cet homme qui avait été son ami en secret. Plus tard, quand le service fut terminé et qu'il saisit l'une des poignées du cercueil gris pour le transporter jusqu'au corbillard, ce qu'il souleva de terre lui parut si léger qu'il eut l'affreuse sensation de transporter une boîte vide.

Sloane n'avait pas de famille. Seuls ses collègues et quelques habitants de Columbia se rassemblèrent autour d'un trou bien étroit et écoutèrent pieusement, respectueusement et vaguement embarrassés les dernières paroles de l'officiant. Et parce qu'il n'avait personne, ni famille ni bien-aimés, pour le pleurer, c'est lui, Stoner, qui se permit cet abandon quand les cordes se détendirent. Comme si quelques larmes pouvaient alléger la solitude de cette ultime descente... Pleurait-il sur lui-même, sur ce chapitre de son histoire et de sa jeunesse qui allait être définitivement enfoui ou sur cette pauvre silhouette décharnée qui avait contenu autrefois l'âme de l'homme qu'il avait aimé ? Il n'aurait su le dire.

Gordon Finch le raccompagna et ils restèrent silencieux pendant tout le trajet. Quand ils approchèrent de la ville, ce dernier lui demanda des nouvelles d'Edith. William bredouilla quelques mots et s'enquit de Caroline. Gordon lui répondit à son tour puis le silence retomba. Juste avant qu'ils n'arrivent en bas de chez William, Gordon ajouta :

— Je ne sais pas pourquoi, mais pendant tout le service, je n'ai cessé de penser à Dave Masters... À Dave en train d'agoniser en France et au vieux Sloane, assis là, tout raide, devant son bureau, pendant deux jours... Comme si c'était le même genre de mort... Je n'ai jamais eu l'occasion de bien connaître Sloane, mais j'imagine que c'était un type bien. Enfin c'est ce que j'ai entendu dire... Et maintenant il faut qu'on embauche quelqu'un d'autre... Et que nous trouvions un nouveau président pour le département... Cette roue qui n'en finit jamais de tourner, de tourner et de tourner encore, ça laisse songeur, hein... ?

— Oui, dit Stoner.

Il n'alla pas plus loin. L'espace d'un instant, il éprouva une immense tendresse pour ce bon gros garçon assis à ses côtés et quand il descendit de sa voiture et qu'il le regarda disparaître au loin, il eut la conscience aiguë qu'une autre part de lui-même et de son passé s'éloignait dans la nuit.

*

* *

En plus de ses fonctions d'assistant auprès du doyen, on confia à Gordon Finch le poste de président intérimaire du département de littérature et sa première mission fut de trouver un remplaçant à Archer Sloane.

La question ne fut réglée qu'en juillet. Finch convoqua ceux des membres du département qui étaient restés à Columbia pendant l'été et les mit au courant de la nouvelle nomination. Il s'agissait, leur annonça-t-il, d'un spécialiste du xixe siècle, Hollis N. Lomax, qui venait d'obtenir son doctorat à l'université d'Harvard, mais qui avait déjà eu l'occasion d'enseigner quelques années dans une petite faculté généraliste de l'État de New York. Il était auréolé des meilleures recommandations, avait déjà commencé à publier et était directement engagé au rang de maître de conférences. D'autre part, souligna bien Finch, rien n'avait encore été décidé quant à la conduite du département dont lui-même continuerait d'assurer la fonction de président par défaut au moins une année de plus...

Tout le reste de l'été, Lomax demeura un mystérieux objet de spéculations auprès de ses futurs collègues. Les essais qu'il avait publiés dans différents journaux furent exhumés et lus avec attention avant de circuler de main en main sous des hochements de tête entendus. Il ne fit pas son entrée en scène durant la semaine de prérentrée des nouveaux étudiants ni n'apparut à la réunion générale de la faculté qui avait toujours lieu le vendredi précédant celle des inscriptions. Et le jour des inscriptions justement, tous les membres du département assis en rang d'oignons derrière de longues tables pour aider, non sans une certaine lassitude, les étudiants à choisir leurs matières et à remplir les sempiternels formulaires administratifs, ne manquaient pas de lancer quelques regards furtifs à la ronde dans l'espoir de découvrir une nouvelle silhouette. Las, Lomax demeurait invisible.

On ne l'aperçut pas avant la première réunion du département qui eut lieu le mardi en fin d'après-midi après que toutes les inscriptions eurent été enregistrées. À ce moment-là, engourdis par la monotonie des deux jours précédents et déjà un peu tendus par l'imminence d'une nouvelle année scolaire avec toute l'excitation qui s'ensuit, les professeurs de littérature n'avaient plus vraiment ce monsieur L. en tête. Ils s'avachirent sur les chaises occupées d'habitude par leurs étudiants dans le grand amphithéâtre de l'aile est de Jesse Hall et levèrent dédaigneusement les yeux – non sans une certaine fébrilité curieuse il faut bien l'avouer – vers l'estrade d'où les surplombait Gordon Finch. Cet ersatz de doyen qui les passait tous en revue avec une sorte de superbe bienveillante. Un léger brouhaha emplit la pièce, des chaises tombèrent et fusait de temps à autre un rire un peu trop bruyant pour être honnête... Gordon Finch leva la main droite, tourna sa paume vers son auditoire et le brouhaha baissa d'un ton.

Baissa suffisamment en tout cas pour que l'on entendît le grincement de la porte du fond puis des pas traîner sur le parquet. Tous se retournèrent. Le bourdonnement des conversations cessa aussitôt. Quelqu'un murmura « C'est Lomax » et ces trois syllabes résonnèrent dans tout l'amphithéâtre.

Il était entré par la porte du fond, l'avait refermée et s'était avancé de quelques pas avant de s'immobiliser. Il mesurait à peine plus d'un mètre cinquante et son corps était si difforme qu'il en était grotesque. Il était bossu, son épaule gauche remontait jusque dans son cou et se prolongeait par un bras inerte. Son buste était large et creux, comme évidé, de sorte qu'il donnait l'impression d'être toujours en train de chanceler pour pouvoir tenir en équilibre, et ses jambes semblaient deux fétus. Il se déplaçait en boitant à cause d'une raideur à celle de droite. Pendant quelques instants il se tint ainsi, sa tête blonde penchée en avant comme s'il était en train d'inspecter ses chaussures parfaitement cirées ou le pli de son pantalon puis finit par se redresser. Il dégaina son bras valide. L'amplitude de son geste laissa voir, sous sa manche, une poignée de chemise blanche sur laquelle étincelait un bouton de manchette en or et le tout se terminait par de longs doigts pâles qui tenaient, négligemment, une cigarette. Il aspira une bouffée, l'inhala et recracha une fine volute. Alors seulement, ils purent voir son visage.

C'était celui d'un chanteur de charme. Mince, long et vif, bien qu'il manquât singulièrement de finesse, avec un grand front étroit encadré de veines saillantes et des cheveux blonds comme les blés, épais, gominés et savamment coiffés en arrière. Il laissa tomber sa cigarette sur le sol, l'écrasa sous sa semelle et dit :

— Je suis Lomax.

Il fit une pause. Sa voix était chaude et profonde et il s'exprimait avec la diction parfaite d'un tragédien.

— J'espère que je n'ai pas perturbé votre... réunion.

La réunion en question poursuivit son cours, mais plus personne ne prêtait attention à ce que racontait Gordon Finch. Lomax s'était assis à l'écart tout au fond. Il fumait et contemplait le plafond, apparemment indifférent à toutes ces nuques qui se déboîtaient de temps à autre pour le détailler. Quand Finch eut terminé, il demeura dans son coin et laissa ses nouveaux collègues venir à lui pour se présenter et débiter leur petit laïus. Il les salua tous sans s'appesantir et avec une courtoisie un peu goguenarde.

On ne mit pas longtemps à comprendre qu'Hollis Lomax n'avait aucune intention de se fondre dans la petite routine sociale, culturelle et pédagogique de l'université de Columbia dans le Missouri. Bien qu'il fût toujours d'une grande affabilité – mâtinée, certes, d'ironie – avec ses collègues, il n'accepta ni ne se lança dans aucune mondanité. Il ne se rendit même pas à la grande réception annuelle du doyen Claremont – événement pourtant incontournable où la présence de chacun était quasiment obligatoire – et on ne le vit jamais à aucun concert ou débat organisés au sein de l'université. Mais on disait que ses cours étaient très animés et que c'était un professeur assez fantasque. Il était populaire auprès des étudiants, qui s'agglutinaient dans son bureau quand il ne faisait pas cours ou le suivaient jusque dans les couloirs. Il était aussi de notoriété publique qu'il invitait parfois des groupes de jeunes gens dans ses appartements où il tenait salon, et leur faisait écouter des quatuors à cordes.

William Stoner aurait aimé mieux le connaître. Seulement il ne savait pas comment s'y prendre. Il essayait d'engager la conversation et le pria même à dîner, mais Lomax lui répondait comme il répondait à tous les autres, c'est-à-dire avec une sorte de politesse décalée et distante. Et quand il refusa son invitation, il se trouva bien désemparé.

Il lui fallut un certain temps avant de comprendre les raisons de sa fascination pour cet homme. Il retrouvait, dans son arrogance, son esprit et son amertume badine, une image tronquée, mais bien reconnaissable de son ami David Masters. Il aurait aimé bavarder avec lui comme il l'avait fait avec Dave, mais voilà, il ne pouvait pas, même quand il eût fini par s'avouer cette inclination. La pudeur de sa jeunesse ne l'avait pas quitté, mais l'enthousiasme, la fraîcheur, la simplicité enfin, qui auraient permis une telle amitié, si. Il savait que son vœu était irréalisable et cette certitude l'attrista.

*
* *

Tous les soirs, après avoir mis un peu d'ordre à la maison, rangé la vaisselle du dîner et couché Grace dans son berceau dans un coin du salon, il travaillait à son livre. Il en vint à bout à la fin de l'année et, bien qu'il n'en fût pas pleinement satisfait, l'envoya à un éditeur. À sa grande surprise, son manuscrit fut accepté avec une publication prévue pour l'automne 1925. Cette promesse lui valut d'être nommé maître de conférences et d'obtenir sa titularisation.

Son avancement fut confirmé quelques semaines après la sortie du livre et, forte de ce succès, Edith annonça qu'elle allait passer une semaine à Saint-Louis chez ses parents avec la petite.

Elle revint à Columbia plus tôt que prévu, épuisée, à bout de nerfs, mais avec un petit sourire triomphal au coin des lèvres. Elle avait écourté sa visite parce que le voyage l'avait tant fatiguée qu'elle s'était trouvée incapable de s'occuper de Grace toute seule et que c'était trop de soucis pour sa mère. Mais bon... elle avait accompli quelque chose... Elle tira de son sac une liasse de documents et tendit un petit bout de papier à William.

C'était un chèque de six mille dollars rédigé à l'ordre de M. et Mme Stoner paraphé d'un gribouillis : la grosse signature arrogante et illisible d'Horace Bostwick.

— Qu'est-ce que c'est que ça ? demanda-t-il.

Elle lui tendit les autres papiers :

— C'est un prêt. Tout ce que tu as à faire, c'est de signer là... Moi, je l'ai déjà fait.

— Mais... six mille dollars ! Pour quoi faire ?

— Une maison, répondit Edith, une vraie maison bien à nous.

William examina de nouveau la liasse de papiers, la survola rapidement et ajouta :

— Edith, c'est impossible. Je suis désolé, mais... Écoute, je ne gagnerai que mille six cents dollars cette année et les remboursements de ces prêts ont été fixés à soixante dollars par mois, c'est-à-dire pratiquement la moitié de mon salaire. Et puis il faut penser aux impôts, aux assurances et... Non, je ne vois pas comment on pourrait s'en sortir... Tu sais, j'aurais vraiment préféré que tu m'en parles avant...

Son visage se décomposa, elle tourna la tête :

— Je voulais te faire une surprise. Je ne suis pas bonne à grand-chose, mais *ça*, ça je pouvais le faire...

Il lui assura qu'il lui en était reconnaissant. Cela ne la consola pas.

— Je pensais à toi et au bébé... Tu pourrais avoir un vrai bureau et puis il y aurait un petit jardin pour Grace...

— Je sais... Mais dans quelques années peut-être ?

— Dans quelques années... répéta-t-elle.

Silence. Puis elle annonça d'une voix morne :

— Je ne peux pas continuer à vivre comme ça. Je ne peux plus. Je ne veux plus vivre dans un appartement. Où que j'aille, où que je sois, je t'entends. Et j'entends le bébé et... Et l'odeur...

Je-ne-peux-plus-supporter-cette-odeur ! Jour après jour ! Cette odeur des couches ! Je ne peux pas la supporter et je ne peux pas y échapper ! Tu comprends ? Tu peux comprendre, ça ?

En fin de compte, ils acceptèrent l'argent. Stoner se fit une raison, il abandonna l'idée de consacrer ses étés à l'étude et à l'écriture et décida de reprendre des cours à la place ; au moins pendant quelques années.

Edith se chargea elle-même de trouver une maison. Toute cette fin de printemps et ce début d'été, elle prospecta sans jamais se plaindre et cette quête sembla être le plus efficace de tous les traitements pour la sortir de son marasme. Elle se sauvait dès que William rentrait de l'université et ne revenait qu'à la nuit tombée. Soit elle partait à pied, soit elle était conduite par Caroline Finch avec laquelle elle s'était plus ou moins liée d'amitié. Elle découvrit fin juin le bien qui lui convenait, signa une promesse d'achat et donna son accord pour entrer dans les murs à la mi-août.

C'était une maison ancienne à deux étages située non loin du campus. Les anciens propriétaires ne l'avaient pas bien entretenue, la peinture extérieure vert sombre s'écaillait et la pelouse était toute pelée et infestée de mauvaises herbes, mais le jardin était grand et les pièces spacieuses. Elle avait un cachet, une splendeur oubliée qui inspirait Edith : elle en ferait quelque chose.

Elle emprunta cinq cents dollars de plus à son père pour pouvoir la meubler et William refit les peintures pendant ses quelques jours chômés entre la fin de ses cours d'été et la rentrée de septembre. Edith voulait une maison blanche et il fut obligé de s'y reprendre à trois couches pour masquer le vert. Et puis, tout à coup, dans les premiers jours de septembre, elle décida aussi qu'elle voulait organiser une fête. Une... pendaison de la crémaillère comme elle disait. Elle la planifia dans les moindres détails et rédigea les invitations en y mettant beaucoup de cœur comme s'il s'agissait d'un nouveau départ.

Ils invitèrent tous les membres du département qui étaient revenus de vacances ainsi que quelques habitants de Columbia qu'Edith connaissait plus ou moins. Hollis Lomax créa la surprise en acceptant leur invitation. La première qu'il eût jamais honorée depuis son arrivée un an plus tôt... Stoner dégotta un bootlegger et acheta plusieurs bouteilles de gin, Gordon Finch promit d'apporter de la bière et tante Emma, deux bouteilles de vieux sherry pour ceux qui n'aimaient pas les alcools forts. Edith voyait tout cela d'un mauvais œil : ce n'était pas légal. Mais Caroline Finch l'assura que personne n'y trouverait à redire et elle finit par se laisser convaincre.

L'automne commença très tôt cette année-là. Une fine couche de neige tomba le 10 septembre, veille du jour des inscriptions, et la terre gela pendant la nuit. Heureusement le temps se radoucit vers la fin de la semaine et le jour de leur réception il faisait seulement un peu frisquet. Les arbres avaient déjà perdu leur feuillage, l'herbe devenait plus rare et il y avait une sorte d'âpreté dans le paysage qui laissait présager un hiver difficile. Cette fraîcheur soudaine, ces grands peupliers nus, ces ormes qui se dressaient austères, hiératiques, dans le fond de leur jardin et ce contraste avec la chaleur de la maison plongée dans l'effervescence des préparations rappelèrent quelque chose à William Stoner. Il se bagarra un peu avec sa mémoire et puis cela lui revint : c'était par une journée assez semblable à celle-ci que, presque sept ans auparavant, il s'était rendu à pied chez Josiah Claremont et avait vu Edith pour la première fois. Mon Dieu. Cela lui sembla si loin... Il n'arrivait pas à mesurer le chemin parcouru ni même à savoir s'il y en avait eu un...

Pendant toute la semaine qui précéda, Edith se jeta corps et âme dans cette histoire de fête. Elle engagea une jeune fille noire pour la seconder et assurer le service. Toutes deux frottèrent les sols, lessivèrent les murs, cirèrent les rampes et les escaliers, épousetèrent et briquèrent tous les meubles. Les disposant comme ci, puis comme ça, puis non, ça n'allait pas, comme ci de nouveau de sorte que le soir du grand jour, elle était dans un état proche de l'épuisement. Ses yeux étaient cerclés de fatigue et sa voix au bord de l'hystérie. À six heures – les invités étaient supposés arriver à sept – elle se mit à compter de nouveau les verres et décida qu'elle n'en avait pas assez. Elle craqua et s'enfuit dans les escaliers en pleurant et en les prévenant, entre deux hoquets, qu'elle se fichait royalement de tout ce qui pourrait advenir et que d'ailleurs, elle ne redescendrait pas. Stoner essaya de la rassurer, mais elle refusait de l'entendre. Il lui dit de ne pas s'inquiéter : il allait trouver des verres. Il promit à la bonne de revenir très vite et sortit de la maison au pas de course. Pendant près d'une heure il chercha un magasin susceptible de vendre ce genre d'article et qui fût encore ouvert. Le temps qu'il en déniche un, qu'il choisisse les verres en question et qu'il revienne chez lui, il était sept heures bien sonnées et les premiers invités étaient déjà là. Edith se trouvait dans le salon parmi eux, souriante et affable comme si tout allait pour le mieux. Elle le regarda à peine et le pria d'aller déposer son paquet à la cuisine.

Ce fut une réception semblable à beaucoup d'autres. Tous les ingrédients étaient réunis : son lot de conversations d'abord décousues qui finissaient par s'épingler ensemble le temps de se donner l'illusion d'un petit débat de salon avant d'aller se mêler au petit bonheur la chance à d'autres conversations tout aussi décousues, ses petits rires prompts et nerveux éclatant çà et là comme autant de minuscules charges d'explosifs au pied d'un barrage qui n'aurait ni début, ni fin, ni la moindre cohérence et ses invités qui naviguaient d'un endroit à l'autre comme s'ils cherchaient discrètement à occuper des positions stratégiques. Certains d'entre eux, pareils à des espions, se promenèrent, guidés par Edith ou William, à travers toutes les pièces en se fendant de pieux commentaires sur la supériorité des maisons anciennes comme celle-ci par rapport à toutes ces constructions de pacotille qui poussaient comme des champignons aux abords de la ville...

Vers dix heures, la plupart de leurs hôtes s'étaient déjà servi une assiette de jambon ou de dinde froide avec des pickles d'abricot et toutes sortes de petites choses à grignoter : tomates-cerises, branches de céleri, olives, condiments, radis croquants et têtes de chou-fleur cru. Quelques-uns étaient ivres et ne mangeaient pas.

À onze heures, le plus gros de la troupe était parti. Parmi ceux qui s'attardaient encore se trouvaient Gordon et Caroline Finch, quelques collègues que Stoner connaissait depuis longtemps et Hollis Lomax. Ce dernier savait se tenir, mais il était dans un état d'ébriété déjà bien avancé. Il se déplaçait avec précaution comme s'il était en train de transporter une charge très lourde sur un terrain accidenté et son long visage s'était couvert d'un voile de sueur. L'alcool avait délié sa langue et, bien qu'il s'exprimât avec une grande clarté, sa voix n'avait plus son mordant habituel. Il était nu.

Il parla de son enfance solitaire dans l'Ohio où son père avait été un homme d'affaires modeste, mais relativement prospère. Il évoqua, comme s'il leur racontait l'histoire d'un autre, l'isolement dans lequel son infirmité l'avait enfermé et ce sentiment de honte terrible, et tellement précoce, qui dépassait alors ses forces et son entendement. Il évoqua toutes ces journées et toutes ces soirées, interminables, passées seul dans sa chambre à lire pour échapper à la réclusion que son pauvre corps lui imposait et comment il découvrit peu à peu une forme de libération qui se transforma en liberté à mesure qu'il en saisissait la nature profonde. Écoutant cet homme se livrer ainsi, William Stoner se sentit des affinités qu'il n'aurait jamais pu soupçonner. Il comprit que Lomax avait eu une sorte de révélation – une appréhension du monde rendue possible par les mots, mais que les mots, justement, ne pouvaient traduire – semblable à celle qui l'avait saisi un matin d'hiver pendant l'un des cours d'Archer Sloane. Parce qu'il y était parvenu plus tôt et sans l'aide de personne, son savoir et sa culture semblaient plus légitimes et mieux incarnés, mais en définitive, et selon les seuls critères qui comptassent vraiment, les deux hommes étaient frères. Bien qu'aucun des deux n'aurait voulu l'admettre et pas plus à l'autre qu'à soi-même.

Ils bavardèrent ainsi jusque quatre heures du matin et plus ils buvaient, plus ils étaient tranquilles. Vint même un moment où tous se turent. Ils se tenaient assis les uns près des autres, au milieu des reliquats de la fête comme sur une île déserte, et se blottissaient contre leur voisin pour y puiser un peu de chaleur ou de réconfort. Au bout d'un moment, Gordon et Caroline se levèrent et proposèrent à Lomax de le reconduire. Celui-ci serra la main de Stoner, lui demanda des nouvelles de son livre et lui souhaita un grand succès puis il se dirigea vers Edith qui se tenait bien droite sur une chaise à l'écart. Il prit sa main et la remercia pour cette soirée. Ensuite et comme saisi d'une étrange mais sereine impulsion, il se pencha légèrement en avant et posa ses lèvres sur les siennes. La main d'Edith effleura ses cheveux et ils demeurèrent ainsi quelques instants sous les yeux des trois autres. C'était le baiser le plus chaste que Stoner eût jamais vu et il sembla parfaitement naturel.

William raccompagna ses hôtes et s'attarda un moment pour les regarder descendre les escaliers et quitter le halo de lumière qui tombait du porche. Il frissonna, respira profondément, la morsure du froid le revigora. Il referma la porte à contrecœur puis revint sur ses pas. Le salon était vide et Edith était déjà montée. Il éteignit les lumières et se fraya un chemin au milieu du désordre jusqu'à l'escalier. Malgré l'obscurité, la maison lui redevint familière. Sans la voir, il trouva la rampe et se laissa guider jusqu'en haut. Une fois sur le palier, le rai de lumière qui s'échappait de la porte entrouverte de leur chambre lui permit de se repérer plus facilement. Il le suivit. Le parquet du couloir gémissait sous ses pas.

Les vêtements d'Edith étaient éparpillés tout autour du lit et les couvertures avaient été tirées n'importe comment. Elle était étendue nue sur un drap immaculé et son corps, lascif, offert, brillait comme de l'or blanc. Stoner s'approcha du lit.

Elle dormait à poings fermés, mais par un effet trompeur de jeux de lumière, ses lèvres mi-closes semblaient murmurer des mots d'amour en silence. Il la regarda longtemps.

Il ressentait une vague pitié, une amitié échaudée et une sorte de respect « domestique ». Mais une insondable tristesse aussi, car il savait que plus jamais, en la regardant ainsi, il ne revivrait cette agonie de désir qui l'avait subjugué un jour... Sa présence, et il le réalisait à l'instant même, ne le troublait plus, ne le troublerait plus. Sa mélancolie se dissipa, il la couvrit tendrement, éteignit la lampe et vint s'allonger à ses côtés.

Le lendemain matin, Edith se sentait patraque et fatiguée et passa le reste de la journée dans sa chambre. William rangea la maison et s'occupa de sa fille. Le lundi suivant, il croisa Lomax et s'adressa chaleureusement à lui en souvenir de leur nuit commune, mais l'autre lui répondit par un sarcasme qui ressemblait à de la colère froide et ne fit jamais la moindre allusion à cette soirée, ni ce jour-là ni après. C'était comme s'il s'était découvert une aversion pour Stoner qui devait le tenir éloigné de lui et contre laquelle il n'avait pas l'intention de lutter.

*
* *

Comme William l'avait craint, la maison ne tarda pas à s'avérer une charge financière dévastatrice. Bien qu'il tînt ses comptes avec soin, les fins de mois devinrent difficiles. Il ne cessait de ponctionner le petit pécule qu'il avait amassé grâce à ses cours d'été et qui fondait à vue d'œil. Durant la première année, il manqua de rembourser le père d'Edith à deux reprises et reçut une lettre glaciale, moralisatrice et pleine de bons conseils pour lui apprendre à tenir un budget.

Néanmoins, il commença à goûter aux joies de la propriété et découvrit une forme de confort auquel il ne s'était pas attendu. Son bureau était une pièce à part située au rez-de-chaussée avec une grande fenêtre qui donnait au nord. Pendant la journée, la lumière était douce et soulignait la beauté des boiseries anciennes. En outre, il avait trouvé dans la cave un lot de vieilles planches qui, malgré les ravages du temps et de l'humidité, s'accordaient parfaitement aux panneaux de son cocon. Il les restaura et s'en fit des bibliothèques afin de pouvoir vivre entouré de ses livres. Enfin, il dénicha chez un brocanteur une paire de fauteuils avachis, un canapé et un bureau ancien qui lui coûta quelques dollars et des semaines de travail de remise en état.

En s'activant ainsi dans cette pièce qui commençait tout juste à prendre forme, il réalisa que pendant de très nombreuses années, il avait vécu avec une image cadenassée quelque part dans les méandres de son inconscient. Une image refoulée comme s'il s'était agi d'un secret honteux et qui prétendait se faire passer pour un lieu, mais qui, en réalité, n'était autre qu'une représentation de lui-même. Ainsi donc, c'était lui et lui seul qu'il essayait de circonscrire en aménageant ce bureau.

En ponçant ces vieilles planches pour les transformer en bibliothèques, il les sentait devenir plus douces sous sa paume. Il regardait disparaître la patine grisâtre du temps qui, éclat après éclat, laissait deviner l'essence du bois et la pureté de ses veines. En rafistolant ces vieux meubles, en les disposant du mieux qu'il pouvait, c'était lui qu'il façonnait lentement. C'était lui qu'il arrangeait, qu'il retapait et c'était à lui aussi qu'il offrait une seconde chance.

Ainsi, malgré ces sempiternelles angoisses de dettes, de factures et d'échéances, les années qui suivirent furent plutôt heureuses. Il menait exactement la vie dont il avait rêvé quand il était encore jeune étudiant ou quand il venait de se marier. Même si Edith ne prit jamais la place qu'il avait tant souhaité lui offrir... À présent, c'était comme s'ils s'étaient tous deux accordé une longue trêve. Une sorte d'accalmie qui ressemblait à une impasse. La plupart du temps, ils vivaient séparément. Elle restait chez elle, dans une maison qui recevait peu de visites mais était toujours impeccablement tenue et quand elle n'était pas en train de balayer, de nettoyer, de laver ou de briquer, elle demeurait dans sa chambre et semblait satisfaite de son sort. Jamais elle ne franchit le seuil du bureau de William : cet endroit n'existait pas.

C'était toujours lui qui s'occupait de leur fille. L'après-midi, quand il revenait de l'université, il allait la chercher dans la chambre du haut qu'il avait transformée en nursery et la laissait s'amuser dans son bureau pendant qu'il travaillait. Assise par terre, elle était aux anges et jouait tranquillement, heureuse d'être seule. De temps à autre, il lui parlait et Grace s'immobilisait pour le regarder avec une sorte de solennité radieuse.

Parfois, il proposait à des étudiants de passer bavarder. Il avait installé un petit réchaud près de son bureau pour pouvoir leur servir du thé et avait pour eux une faiblesse émue quand il les voyait assis bien droits et un peu guindés sur l'un des vieux fauteuils qui commentaient sa bibliothèque ou le complimentaient à propos de la beauté de sa petite fille. Il les priait d'excuser l'absence de sa femme et se lançait dans de grandes explications à propos de son état de santé jusqu'à ce qu'il finisse par réaliser que ses chapelets d'excuses soulignaient son absence plutôt que de la justifier. Il ne dit plus jamais rien et pria pour que son silence fût moins compromettant que ne l'étaient ses éclaircissements.

Excepté la désertion d'Edith, sa vie était peu ou prou conforme à l'idée qu'il s'en faisait. Il lisait et écrivait quand il n'était pas en train de préparer ses cours, de corriger des copies ou d'annoter des thèses et ne désespérait pas d'être un jour reconnu, aussi bien comme chercheur que comme enseignant. Quand son premier livre fut publié ses espérances avaient été modestes, et bien lui en prit car un critique le jugea « terre à terre » et un autre affirma que l'on tenait là une « synthèse honnête ». Au début, il en avait été très fier. Il l'avait tenu dans ses mains, avait caressé le papier ordinaire dans lequel il était emballé puis l'avait feuilleté tranquillement. Il lui sembla aussi fragile et vivant qu'un enfant. Il relut sa prose ainsi imprimée et fut un peu surpris de la découvrir ni meilleure ni pire que dans son souvenir puis finit par s'en lasser. Cependant, il ne put jamais s'empêcher d'y repenser sans ressentir une pointe d'étonnement, voire d'incrédulité au regard de sa propre témérité et de cette part de responsabilité qu'il avait alors accepté d'assumer.

VII

C'était en 1927, un soir de printemps. William Stoner rentrait chez lui plus tard que d'habitude. Des grillons bavassaient dans les fourrés, toutes les fleurs semblaient prêtes à éclore, la promesse de leurs parfums flottait déjà dans la moiteur de l'air tiède et seul le pénible grognement d'une automobile poursuivie au loin par son nuage de poussière troublait cette quiétude. Il marchait lentement, happé par la douceur de la saison et fasciné par cette multitude de petits bourgeons éclatants qui piquetaient l'ombre des arbres et des buissons.

En arrivant, il avisa Edith à l'autre bout du salon qui le regardait le téléphone à la main.

— Tu es en retard.

— Eh oui, répondit-il sur un ton badin, nous avions les oraux du doctorat...

Elle lui tendit le récepteur.

— C'est pour toi. Un appel en longue distance... Quelqu'un a essayé de te joindre tout l'après-midi. Je leur ai dit que tu étais à l'université, mais ils ont continué d'appeler toutes les heures...

William saisit l'appareil et se présenta. Aucune réponse.

— Allô ? répéta-t-il.

Un étrange filet de voix l'interpella :

— C'est'y William Stoner ?

— En personne. Qui est à l'appareil ?

— Vous me connaissez pas. J'passais par là et vot'm'man m'a demandé d'vous appeler. J'ai pas arrêté d'essayer de tout l'après-midi...

— Oui, et... ? Sa main tremblait. Quelque chose ne va pas ?

— C'est vot'papa, je... J'sais pas vraiment par où commencer...

Et cette voix lointaine, laconique et inquiétante poursuivit. Stoner l'écoutait sans l'entendre. Ce qui entrait dans son oreille concernait son vieux père : depuis presque une semaine (toujours selon la voix), il ne se sentait pas très bien et comme son ouvrier n'arrivait pas à faire face avec le labour et les semailles, il s'était levé à l'aube tous les jours pour aller l'aider malgré une forte fièvre. Son gars l'avait découvert, inconscient, au milieu de la matinée allongé face contre terre. Il l'avait porté jusque chez lui, l'avait mis au lit et était parti chercher un docteur. À midi, il était mort.

— Merci d'avoir appelé, répondit-il machinalement, dites à ma mère que j'arrive demain.

Il raccrocha le récepteur et regarda pendant un long moment le microphone en forme de cloche au bout de son long cylindre noir. Il se retourna et contempla le reste de la pièce. Edith l'observait le sourcil perplexe :

— Que se passe-t-il ?

— C'est mon père. Il est mort.

— Mon Dieu ! Willy !

Puis elle se reprit :

— Mais tu vas probablement être absent jusqu'à la fin de la semaine, alors ?

— Oui.

— Bon, eh bien il faudra que je demande à ma tante Emma de venir... Pour m'aider avec Grace...

— Oui, répondit-il d'une voix sourde. Bien sûr.

Il trouva quelqu'un pour assurer ses cours à sa place et partit le lendemain matin par le premier autocar. La grande route de Columbia à Kansas City qui passait par Booneville était celle qu'il avait empruntée dix-sept ans plus tôt quand il s'était rendu à l'université pour la première fois. À présent, elle était plus large, cimentée et bordée de clôtures pimpantes qui délimitaient des carrés de blé et de maïs – lesquels formaient un long patchwork de couleurs qui défilait devant ses yeux.

Booneville, en revanche, n'avait pas beaucoup changé depuis sa dernière visite. Des bâtiments étaient sortis de terre tandis que d'autres avaient été démolis, mais l'ensemble avait gardé un côté précaire et donnait toujours l'impression d'une espèce de conglomérat provisoire voué à disparaître à n'importe quel moment. Bien que la plupart des rues aient été pavées depuis, il flottait toujours sur la ville une fine couche de poussière et l'on pouvait encore voir des chevaux flanqués de leurs vieilles charrettes. De temps à autre, leurs roues cerclées de fer lançaient de petites étincelles en frottant contre les dalles de pierre et les bordures des trottoirs.

La maison non plus, n'avait pas fondamentalement changé. Peut-être était-elle encore plus austère et plus grise qu'autrefois... À l'extérieur, il ne subsistait plus la moindre écaille de peinture sur les clins de bois, et la poutre au-dessus du porche qui n'avait jamais été peinte s'était encore affaissée et flirtait avec le sol en terre battue.

Il y avait du monde. Des voisins dont Stoner n'avait gardé aucun souvenir et un grand homme décharné vêtu d'un costume noir, d'une chemise blanche et d'une fine cravate. Il se tenait penché au-dessus de sa mère. Celle-ci était assise à côté d'une longue caisse en bois. Stoner s'avança. Le grand homme l'aperçut et vint le saluer. Ses yeux étaient gris terne, pareils à deux tessons vernissés. Une voix de baryton, profonde, onctueuse, toute pétrie d'émotion, lui chuchota quelques mots à l'oreille. L'homme s'adressait à lui en l'appelant « mon frère », lui parlait de « perte », de « douleur », de « volonté divine » puis lui demanda s'il souhaitait prier. Stoner le frôla en passant et vint au-devant de sa mère. Son visage flottait devant lui et c'est dans une sorte de brume qu'il la vit faire un petit signe de tête et se lever de sa chaise. Elle le prit par le bras et lui dit :

— Tu vas vouloir voir ton p'pa...

D'une main si faible qu'il la sentit à peine, elle le conduisit auprès du cercueil ouvert. Il baissa les yeux, s'immobilisa, leur laissa le temps de s'habituer à la pénombre puis ce fut... un choc. Ce corps était celui d'un étranger. Rétréci, rabougri, minuscule. Et ce visage... un masque de papier brun presque transparent avec deux cavités à la place des yeux... Le costume bleu dont on l'avait enveloppé était si grand qu'il avait l'air d'un pantin et au bout de ces manches beaucoup trop larges, ses deux mains croisées sur sa poitrine ressemblaient à deux vieilles pattes de poule. Stoner se tourna vers sa mère et sut alors que toute l'horreur qu'il venait de ressentir s'était fichée dans son regard.

— Ton p'pa a perdu beaucoup de poids dans les deux semaines qu'ont passé... J'ui ai demandé de pas aller aux champs, mais y s'levait bien avant moi et il était d'jà parti... Il avait pus sa tête à lui. Il était si malade qu'il avait pus sa tête à lui

144

et y n'savait pus c'qui f'sait. C'est ce que l'docteur a dit... Qu'y devait être comme ça, sinon il aurait jamais pu faire tout c'qu'il a fait...

Pendant qu'elle parlait Stoner la regarda intensément. C'était comme si elle était morte elle aussi. Une part d'elle était irrémédiablement partie dans cette boîte avec son mari et n'en ressortirait jamais plus.

Il la voyait telle qu'elle était à présent, avec son visage tout ratatiné et sa peau si fine et si tendue que même au repos, ses lèvres minces ne parvenaient plus à recouvrir le peu de dents qui lui restaient. Et puis elle se déplaçait comme si elle ne pesait plus rien ni n'avait la moindre force. Il marmonna quelque chose avant de quitter le salon, se rendit dans la chambre où il avait grandi et se tint là, désemparé, au milieu de ce rien. Ses yeux brûlants et secs étaient incapables de pleurer.

Il prit toutes les dispositions nécessaires pour les funérailles et signa des tas de papiers. Comme tous ces gens de la campagne, ses parents avaient souscrit à une assurance décès pour laquelle ils avaient, leur vie durant, mis quelques pièces de côté chaque semaine, et cela même quand les temps avaient été terriblement durs. Il y avait quelque chose de pathétique à voir ces contrats que sa mère exhumait des vieux coffres de sa chambre à coucher. Les dorures de toute cette paperasse ornementée s'étaient écaillées et le papier de mauvaise qualité commençait à se désagréger. Il lui parla de l'avenir. Il voulait qu'elle retourne à Columbia avec lui. La maison était grande, lui assurait-il et Edith (ce mensonge lui vrilla le cœur) se réjouirait de sa compagnie.

Mais sa mère ne repartirait pas avec lui.

— Je m'sentirais pas à mon aise, répondit-elle, ton p'pa et moi, on... Moi j'ai vécu ici presque toute ma vie et j'pense pas que j'pourrais m'installer aut'part ailleurs et d'm'y sentir bien... En plus de ça, Tobe...

Stoner se souvint que ce Tobe était le Noir que son père avait engagé des années auparavant.

— ... Tobe a dit qu'y resterait par ici aussi longtemps que j'aurais besoin de lui. Il a une belle chambre aménagée dans la cave et... Et on s'ra très bien...

Stoner se fâcha un peu, mais elle ne voulait rien entendre. Finalement il comprit que la seule chose qu'elle souhaitait, c'était de mourir, et de mourir là où elle avait vécu. Il savait aussi qu'elle méritait cette dérisoire dignité de n'en faire pour une fois – la dernière peut-être, la seule probablement – qu'à sa tête.

Ils l'enterrèrent dans un petit lopin de terre situé en dehors de la ville et William rentra à la ferme avec sa mère. Il ne put dormir cette nuit-là. Il se rhabilla et alla marcher dans ce champ que son père avait cultivé année après année jusqu'au seul repos qu'il eût jamais trouvé. Il essaya de se souvenir de lui, mais le visage qu'il avait connu enfant lui résistait. Il s'agenouilla, saisit une motte dure, la cassa et observa ces grains, si sombres sous la lune, s'émietter et couler le long de ses doigts. Il s'épousseta sur la jambe de son pantalon, se releva et retourna vers la maison. Là encore, il fut incapable de trouver le sommeil. Allongé sur le lit, il se mit à fixer l'unique fenêtre de sa chambrette jusqu'à ce que l'aube pointât enfin et dissipât toute trace d'ombre sur la glèbe. Jusqu'à ce qu'elle se déroule, aussi loin que portait son regard, sèche, aride, inexorable.

Après la mort de son père, Stoner fit des aller-retour à la ferme aussi souvent que possible. À chaque fois qu'il voyait sa mère, il la trouvait toujours plus maigre, plus pâle et plus inerte. À la fin, il lui semblait que seuls ses petits yeux vifs enfoncés dans leurs orbites étaient encore en vie. Les derniers jours, elle ne lui parla plus du tout. Ses paupières vacillaient faiblement quand elle regardait tout autour de son lit et, de temps en temps, ses lèvres laissaient échapper un léger soupir.

Il l'enterra près de son mari. Quand la cérémonie fut terminée et que les quelques connaissances qui s'étaient jointes au cortège l'eurent salué, Stoner, battu par un vent glacial de novembre, demeura seul devant ces deux tombes. L'une, encore béante, laissait voir sa nouvelle pensionnaire et l'autre était déjà recouverte d'un petit monticule de terre où courait un fin duvet d'herbe.

Il se détourna et observa ce lopin désolé et privé d'arbres qui tenait en son sein des hommes et des femmes semblables à ses parents. Puis son regard se perdit au loin, au-delà de cette vaste étendue de plaines, en direction de la ferme qui l'avait vu naître et où son père et sa mère avaient passé toute leur vie. Il songea au prix que tous ces gens avaient dû payer, année après année, pour faire fructifier un sol ingrat que leur sueur n'avait jamais rendu meilleur. Rien. Rien n'avait changé. Peut-être même était-il encore un peu plus pauvre et plus avare qu'autrefois...

Leur vie entière avait été sacrifiée à ce labeur accablant, leur volonté avait été brisée, leur intelligence pétrifiée et à présent, les voilà qui dépendaient de nouveau de cette terre à laquelle ils avaient déjà tout donné et qui, lentement, mois après mois, année après année, allait finir par les engloutir tout à fait. Lentement, mois après mois, année après année, l'humidité et la pourriture allaient attaquer les boîtes en sapin censées les protéger pour s'en prendre à leurs chairs avant de rogner les derniers vestiges de leur humanité. Ils allaient devenir une part insignifiante de cette ogresse acharnée à laquelle ils s'étaient sacrifiés quand ils n'étaient encore que des enfants.

Il permit à Tobe de demeurer à la ferme pendant l'hiver et la mit en vente au printemps 1928. Il était convenu qu'il pourrait y vivre jusqu'à ce qu'elle trouvât un repreneur et que tout ce qu'il cultiverait d'ici là lui appartiendrait. Ce dernier la retapa du mieux qu'il put, fit quelques travaux dans la maison et repeignit la petite grange, mais en dépit de tous ses efforts, il fallut attendre le début du printemps de l'année suivante pour trouver un acquéreur. Stoner accepta la première offre qui se présenta, soit un peu plus de deux mille dollars. Il en donna quelques centaines à son locataire et envoya le reste à son beau-père à la fin du mois d'août pour éponger ses dettes.

*
* *

En octobre de cette année-là, la Bourse s'effondra et les journaux locaux se firent l'écho de nombreuses anecdotes à propos de Wall Street et de toutes ces histoires de fortunes volatilisées et de destins brisés. À Columbia, peu de gens en pâtirent. C'était une petite communauté prudente et quasiment aucun des notables de la ville n'avait placé son argent à la Bourse ou dans des obligations. En revanche, des nouvelles commencèrent à se propager à propos de banques en difficulté à travers tout le pays et un léger vent de panique commença à souffler parmi ceux qui avaient du bien. Quelques fermiers récupérèrent leurs économies et d'autres, un peu plus nombreux – pressés en cela par ces mêmes banquiers –, en placèrent davantage. Mais personne n'était vraiment soucieux jusqu'au jour où l'on apprit la faillite d'une petite banque privée, la Merchant Trust, à Saint-Louis.

Stoner était en train de déjeuner à la cantine de l'université quand la nouvelle tomba et il rentra aussitôt chez lui pour l'annoncer à Edith. La Merchant Trust était la banque auprès de laquelle ils avaient souscrit le crédit de leur maison et dont son père était le président. Elle appela sa mère l'après-midi même. Celle-ci était toute guillerette. Son époux lui avait assuré qu'il n'y avait absolument rien à craindre et que tout rentrerait dans l'ordre d'ici quelques semaines.

Trois jours plus tard Horace Bostwick était mort. Ce matin-là, il s'était rendu à son établissement d'humeur joyeuse – fait fort inhabituel – avait salué les quelques employés qui y travaillaient encore malgré les portes fermées, prévenu sa secrétaire qu'il ne prendrait aucun appel et s'était enfermé à clef dans son bureau. Vers dix heures, il s'était tiré une balle dans la tête avec un revolver qu'il avait acheté la veille et caché dans sa serviette. Il n'avait laissé aucune lettre, mais les papiers soigneusement disposés sur son bureau parlaient d'eux-mêmes et ce qu'ils disaient tenait en deux mots : ruine financière. Comme son bostonien de père, il s'était risqué à des investissements hasardeux, non seulement avec son propre argent, mais aussi avec celui de la banque et sa faillite était si complète qu'il n'y voyait aucune issue. Il s'avéra par la suite que la situation n'était pas aussi désespérée qu'elle lui avait paru au moment de son geste fatal. En effet, quand la succession fut réglée, son épouse put garder sa maison et les quelques fonds qu'il avait investis dans un programme immobilier de la banlieue de Saint-Louis suffirent à lui allouer un petit revenu jusqu'à la fin de sa vie.

Mais, bien sûr, cela ne se sut pas tout de suite.

William Stoner reçut un coup de téléphone l'informant de la banqueroute et du suicide d'Horace Bostwick et il s'efforça d'annoncer les faits à Edith avec autant de douceur que le permettait leur intime inimitié.

Elle prit la nouvelle calmement comme si, d'une certaine façon, elle s'y était attendue. Elle le regarda un moment sans parler puis secoua la tête et lâcha distraitement :

— Pauvre maman... Que va-t-elle faire ? Elle qui a toujours eu quelqu'un pour s'occuper d'elle... Comment va-t-elle vivre à présent ?

— Dis-lui...

Sa pudeur l'empêtra, il se reprit :

— Dis-lui que si elle le souhaite, elle peut venir vivre avec nous. Elle est la bienvenue...

Edith lui lança un sourire désarmant, tout de tendresse et de dédain mêlés :

— Oh, Willy, non. Elle préférerait mourir... Mais... ? mais tu sais cela, quand même ?

Il hocha la tête :

— Oui, je... je crois que je le sais.

Ainsi, le soir même du jour où il reçut ce fameux appel, Edith quitta Columbia pour se rendre à l'enterrement de son père et devait demeurer à Saint-Louis aussi longtemps que sa présence serait nécessaire. Une semaine après son départ, il reçut un petit mot lui annonçant qu'elle resterait auprès de sa mère quinze jours de plus, voire plus longtemps encore. Elle fut absente pendant presque deux mois et William resta seul avec sa fille dans leur grande maison.

Les premiers jours, ce vide inattendu lui parut étrange et un peu inquiétant, mais il s'y habitua vite et commença même à l'apprécier. Au bout d'une semaine, il se rendit compte qu'il était plus heureux qu'il ne l'avait été depuis des années et quand il se surprenait à songer à son inévitable retour, il éprouvait un sentiment de contrariété qu'il ne se donnait même plus le mal de se cacher.

Grace avait fêté son sixième anniversaire au printemps et allait à l'école depuis le mois de septembre. Tous les matins, il l'aidait à se préparer et l'après-midi, il revenait de l'université à temps pour pouvoir l'accueillir quand elle rentrait à la maison.

C'était une petite fille grande et élancée avec des cheveux blond vénitien, une peau très claire et des yeux bleus très sombres, presque violets. Calme et joyeuse, elle avait un goût de la vie et une capacité d'émerveillement qui plongeaient son père dans une sorte de vénération déjà nostalgique.

Elle jouait parfois avec les enfants du quartier, mais le plus souvent elle s'asseyait près de lui dans son grand bureau et le regardait corriger des devoirs, lire, ou écrire. Elle lui adressait la parole et ils conversaient ensemble avec une telle grâce et un tel sérieux qu'il se trouvait submergé par un flot de tendresse qu'il n'aurait jamais cru possible. Penchée sur des feuilles de papier jaune, elle s'appliquait à faire de petits dessins un peu ratés et tout à fait charmants qu'elle soumettait solennellement au verdict de son papa. Ou bien elle lui lisait à voix haute ses pages de lecture. Le soir, quand il retournait travailler après l'avoir couchée, il ressentait une espèce de manque et se consolait en se souvenant qu'elle dormait tranquillement au-dessus de sa tête. D'une certaine manière et sans en être vraiment conscient, il avait commencé son éducation. Ému, stupéfait, il la regardait qui grandissait peu à peu et observait sur son visage les promesses d'une intelligence en devenir.

Comme Edith ne revint pas à Columbia avant la fin de l'année, William Stoner et sa fille passèrent Noël seuls ensemble. Le 25 au matin, ils s'échangèrent leurs cadeaux. Grace allait à l'école primaire un peu vieux jeu qui dépendait de l'université et pour son père qui ne fumait pas, elle avait dû modeler un genre de cendrier assez rudimentaire. Quant à lui, il lui offrit une robe neuve qu'il avait choisie seul dans un des magasins du centre-ville ainsi que plusieurs livres et une boîte de crayons de couleur. Ils restèrent assis là pratiquement toute la journée, à papoter en contemplant les lumières des décorations et le reflet des guirlandes sous les aiguilles sombres du sapin. On aurait dit un feu en train de couver.

Pendant les vacances de Noël – période un peu irréelle et comme suspendue au-dessus d'un semestre éreintant – William Stoner prit conscience de deux choses : d'une part l'importance et la place cruciale de sa fille dans son existence, d'autre part l'idée qu'il était possible, qu'il lui était possible de devenir un bon professeur.

Dans son for intérieur, il reconnaissait bien volontiers n'avoir jamais été très convaincant. Depuis toujours, depuis ses débuts laborieux avec des étudiants de première année, il n'avait jamais perdu de vue le gouffre qui séparait son amour de la littérature de ce qu'il était capable d'en témoigner. Il avait espéré que les années et l'expérience auraient contredit ce paradoxe, mais non. Ce qui lui tenait le plus à cœur, il le trahissait en le partageant, et ses pauvres discours étouffaient le feu qui le consumait. Tout ce qui l'émouvait, il l'abîmait. La certitude de cette impuissance ne cessait de croître et de le ronger au point d'être devenue un trait à part entière de sa personnalité, au même titre que ses épaules tombantes par exemple.

Mais pendant ces semaines loin d'Edith, il lui arrivait, lors de ses cours, de se laisser emporter par son sujet et de s'y perdre si intensément qu'il en oubliait ses doutes, ses faiblesses, qui il était et même les jeunes gens assis devant lui. Oui, il lui arrivait d'être tellement pris par son enthousiasme qu'il en bégayait. Il se mettait à gesticuler et finissait par délaisser complètement ses notes. Au début, il fut décontenancé par ces emportements comme s'il craignait de s'être montré trop familier avec les auteurs ou les textes qu'il vénérait et finissait toujours par s'excuser auprès de ses élèves, mais quand ils commencèrent à venir le voir à la fin des cours et que leurs devoirs manifestèrent enfin quelques lueurs d'imagination ou la révélation d'un amour encore hésitant, cela l'encouragea à continuer de faire ce que personne ne lui avait jamais appris.

Cet amour de la littérature, de la langue, du verbe, tous ces grands mystères de l'esprit et du cœur qui jaillissaient soudain au détour d'une page, ces combinaisons mystérieuses et toujours surprenantes de lettres et de mots enchâssés là, dans la plus froide et la plus noire des encres, et pourtant si vivants, cette passion dont il s'était toujours défendu comme si elle était illicite et dangereuse, il commença à l'afficher, prudemment

153

d'abord, ensuite avec un peu plus d'audace et enfin... fièrement.

Il fut à la fois enchanté et attristé par ce qu'il était en train de découvrir car il avait parfois l'impression de se fourvoyer et ses étudiants avec lui. Ceux qui, jusque-là, avaient été capables de se tailler leur petit bonhomme de chemin à travers ses cours insipides mais rassurants, se mirent à le considérer avec perplexité puis franchement d'un sale œil. Les autres, ceux qui ne l'avaient encore jamais eu comme professeur, commencèrent à assister à ses parlottes du soir et à le saluer dans les couloirs. Il s'exprimait avec plus d'assurance et sentait monter en lui une sorte d'autorité inébranlable et bienveillante. Il se soupçonnait d'être en train de comprendre, avec dix années de retard, qui il était vraiment, et ce qu'il découvrait était à la fois mieux et moins bien que ce qu'il avait imaginé. Voilà, se disait-il, je deviens un enseignant, un passeur, un homme dont la parole est juste et auquel on accorde un respect et une légitimité qui n'ont rien à voir avec ses carences, ses défaillances et sa fragilité de simple mortel.

C'était une certitude dont il ne pouvait se prévaloir, mais qui l'avait à ce point transfiguré que personne ne pouvait plus l'ignorer.

Ainsi, quand Edith revint de Saint-Louis, elle le trouva changé d'une façon qu'elle aurait été bien en peine de comprendre, mais dont elle fut aussitôt consciente. Elle avait pris le train de l'après-midi, traversé le salon et franchi le seuil de ce bureau où son mari et sa fille étaient tranquillement assis. Elle avait réapparu dans leurs vies sans prévenir et c'était bien là son intention : les saisir tous deux et faire en sorte que sa présence, et sa métamorphose, leur causassent un

154

choc. Mais quand William leva la tête et qu'elle eut perçu son étonnement, elle *sut* que le seul vrai changement venait de lui et qu'il semblait si profond qu'il gâchait, de fait, les effets de sa petite mise en scène. Elle songea alors un peu dédaigneusement, mais tout de même décontenancée : finalement je le connais mieux que je ne l'aurais pensé...

Sa présence et sa nouvelle allure surprirent William, mais ne le troublèrent plus comme cela aurait pu être le cas à une autre époque. Il la regarda quelques instants, se leva, traversa la pièce et vint la saluer sans manifester la moindre émotion.

Edith s'était fait couper les cheveux au carré et portait un petit chapeau cloche. Ses mèches savamment effilées lui encadraient le visage, ses lèvres étaient peintes d'un rouge orangé très vif et elle avait rehaussé ses pommettes de deux ronds de blush bien clinquants. Elle était vêtue d'une de ces petites robes courtes qui faisaient fureur auprès des jeunes femmes depuis quelques années et qui tombait toute droite depuis les épaules jusqu'au-dessus du genou.

Elle jeta un petit sourire à son mari puis se dirigea vers sa fille qui était assise par terre et qui la détaillait avec beaucoup d'attention. Edith s'agenouilla gauchement. Sa robe neuve lui moulait les cuisses.

— Grace, mon ange... dit-elle d'une voix qui sonna un peu trop forcée et un peu trop aiguë aux oreilles de William, est-ce que ta maman t'a manqué ? Est-ce que tu pensais qu'elle n'allait jamais revenir ?

Grace lui donna un baiser puis la regarda avec gravité :

— Tu n'es pas comme d'habitude...

Edith se mit à rire, se releva et tourna sur elle-même les bras levés au ciel.

— Oui, j'ai une nouvelle robe, de nouvelles chaussures et une nouvelle coiffure ! Tu les aimes ?

Grace fit une petite moue.

— Tu n'es pas comme d'habitude, répéta-t-elle.

Edith sourit plus largement encore. Il y avait du rouge à lèvres sur l'une de ses dents. Elle se tourna vers William :

— Est-ce que j'ai l'air si différente ?

— Oui, répondit-il. Tout à fait charmante. Très jolie.

Elle eut un petit rire moqueur et secoua la tête :

— Mon pauvre Willy...

Puis elle regarda de nouveau sa fille :

— Eh bien alors, c'est que *je suis* différente, lui dit-elle. Oui... Je crois que c'est ça !

Mais William Stoner n'était pas dupe. C'était à lui qu'elle s'adressait. Et il comprit aussi, confusément et dans l'instant même, que sa femme Edith, sans le vouloir et probablement sans en être consciente, était en train de lui signifier la chose suivante : la hache de guerre était déterrée.

VIII

Cette déclaration de reprise des hostilités découlait directement du séjour qu'Edith avait passé chez elle à Saint-Louis après la mort de son père et où elle avait amorcé sa mue. Mais elle s'intensifia au point de tourner à la sauvagerie à cause d'une autre transformation – celle qui s'installait tranquillement dans le cœur de son mari à mesure qu'il commençait à prendre confiance en lui et à croire en ses qualités de pédagogue.

Elle était restée étrangement impassible lors des funérailles de son père. Tout le temps qu'avait duré cette pompeuse cérémonie, elle s'était tenue droite et le visage fermé et n'avait pas manifesté plus d'émotion au moment de saluer le corps resplendissant et grassouillet d'Horace Bostwick dans son cercueil à ramages. Au cimetière en revanche, quand il fut descendu dans un trou étroit dissimulé derrière un tapis de gazon artificiel, elle avait baissé ses yeux secs, pris son visage entre ses mains et n'était revenue à la surface que lorsque quelqu'un lui avait pressé l'épaule.

Les jours suivants, elle était restée dans sa chambre de jeune fille et ne voyait sa mère qu'au petit déjeuner et au dîner. Les visiteurs venus présenter leurs condoléances pensaient qu'elle demeurait cloîtrée dans son chagrin.

— Ils étaient très proches, chuchotait sa mère avec des airs de conspiratrice, bien plus qu'on ne pouvait le croire...

Mais cette chambre, Edith semblait la découvrir. Elle y déambulait librement en touchant les murs, les portes et les fenêtres comme pour s'assurer de leur solidité. Il y avait là une malle pleine de ses jouets d'enfant que l'on avait descendue du grenier et elle inspecta les tiroirs de son petit bureau qui n'avaient pas été ouverts depuis plus de dix ans. Tranquillement, avec une sorte d'indolence studieuse, comme si elle avait eu la vie devant elle, elle se mit à redécouvrir toutes ses anciennes affaires. Elle les touchait, les lissait, les tournait dans un sens puis dans un autre et les examinait avec un soin presque dévot. Quand elle tomba sur une lettre qu'elle avait reçue enfant, elle la relut du début à la fin comme si c'était la première fois et quand elle exhuma une poupée oubliée, elle se mit à lui sourire et caressa ses joues de porcelaine à la manière d'une petite fille à qui l'on viendrait de faire un cadeau.

Ensuite elle tria son enfance en deux tas bien distincts. D'un côté, les jouets et les bibelots qu'elle s'était achetés, les photos secrètes, les lettres de ses camarades d'école et les cadeaux offerts par des connaissances plus lointaines, de l'autre, toutes les choses que son père lui avait données ou qui lui étaient plus ou moins directement liées. C'est cette accumulation-là qui monopolisa toute son attention. Méthodiquement et sans manifester la moindre émotion – ni joie particulière ni mouvement de colère – elle saisit tous ces objets un à un et les détruisit. Elle jeta au feu les lettres, les robes, la bourre des poupées, le coussin à aiguilles et toutes les photos. Elle broya finement les têtes, les mains, les bras et les pieds en biscuit de porcelaine dans le fond de la cheminée et ce que ni le feu ni le pilon de sa main n'avaient pu détruire, elle le balaya, le jeta dans la cuvette des toilettes qui se trouvait dans la petite salle de bains attenante à sa chambre et tira la chasse d'eau.

Quand ce travail de fossoyeur fut terminé, quand elle eut aéré sa chambre, fait disparaître les dernières cendres et rangé ses autres affaires dans les tiroirs de sa commode, Edith Bostwick Stoner s'assit devant sa coiffeuse. Sous la vitre de son miroir, la fine couche d'argent s'écaillait par endroits de sorte que son reflet était trouble et lui renvoyait un visage étrange, fragmenté. Elle avait trente ans, quelques cheveux blancs commençaient à trahir l'éclat de sa jeunesse, de petites rides détalaient sous ses paupières et ses joues s'étaient légèrement creusées. D'un signe de tête, elle signifia à cette femme qu'elle l'avait bien vue, se leva brusquement, dévala les escaliers et, pour la première fois depuis des jours, s'adressa gaiement à sa mère en adoptant un ton presque complice.

Elle voulait (disait-elle) changer. Changer intimement. Voilà trop longtemps qu'elle était la même. Elle parla de son enfance, de son mariage et – pour de vagues raisons et d'après des idées de modèles qui semblaient bien confuses – elle avait en tête une image d'elle-même. Un projet. Ainsi, pendant les deux mois qu'elle passa à Saint-Louis, elle consacra le plus clair de son temps à la concrétisation de cette idée d'accomplissement.

Elle demanda à sa mère de lui prêter une somme d'argent que cette dernière mit un point d'honneur à lui offrir et s'en servit pour changer sa garde-robe. Elle brûla toutes les affaires qu'elle avait apportées de Columbia, alla chez le coiffeur, demanda qu'on lui coupât les cheveux à la mode garçonne du moment, acheta du maquillage et des parfums qu'elle testait dans sa chambre et dont elle apprenait à se servir un peu mieux chaque jour. Elle apprit à fumer et aussi une nouvelle façon de parler, un craillement un peu pète-sec avec des intonations british. Elle s'en retourna à Columbia avec son nouveau moi d'extérieur parfaitement maîtrisé et en couvant l'autre, le secret, l'intime, pour plus tard...

Durant les premiers mois qui suivirent son retour, elle s'activa avec frénésie et n'eut même plus le temps de jouer les malades imaginaires. Elle rejoignit une petite troupe de théâtre et se voua corps et âme aux tâches qui lui incombèrent. Elle créa et peignit des décors, leva des fonds et joua même quelques petits rôles dans diverses pièces. Quand Stoner rentrait chez lui l'après-midi, il trouvait son salon colonisé par les nouveaux amis de son épouse – des étrangers qui le regardaient de travers comme s'il était un intrus. Il les saluait poliment avant de s'exiler dans son bureau derrière les murs duquel il entendait encore les bribes étouffées de quelque grande tirade.

Edith fit l'acquisition d'un vieux piano droit et l'installa dans le salon contre le mur qui était mitoyen à ce même bureau. Elle avait abandonné la musique peu de temps avant son mariage et elle recommença tout depuis les bases, multipliant les gammes et s'escrimant sur des exercices beaucoup trop difficiles pour elle. Jouant parfois deux ou trois heures par jour, souvent le soir après que Grace fut couchée.

Les groupes d'étudiants que Stoner recevait chez lui pour de longues discussions informelles ne cessaient de croître et leurs réunions devinrent de plus en plus fréquentes. Edith ne souhaitait plus s'y soustraire en se retranchant dans ses appartements. Elle insistait au contraire pour leur servir du thé ou du café et en profitait pour s'asseoir au milieu d'eux. Elle se mettait alors à jacasser comme une pie et se débrouillait pour faire dévier la conversation vers ses activités dans son petit théâtre, ses progrès au piano ou encore son amour de la peinture et de la sculpture – deux passions qu'elle avait (du moins l'annonça-t-elle) l'intention de reprendre dès qu'elle aurait un peu plus de temps. Les étudiants, perplexes et très embarrassés, cessèrent progressivement de venir et Stoner se mit à les rencontrer plutôt à la cantine de l'université ou dans l'un des petits cafés disséminés sur le campus.

Il ne fit jamais allusion à son nouveau comportement, et ses toquades, pour tout dire, ne le contrariaient pas plus que cela. Et puis elle semblait heureuse. Du moins faisait-elle des efforts désespérés pour le laisser croire... Au bout du compte, c'est encore lui qu'il tint pour responsable de tout ce charivari. Puisqu'il avait été incapable de l'aider à trouver un sens à leur mariage et à leur vie commune, c'était bien la moindre des choses qu'elle se soit trouvée, elle, le sens qu'elle pouvait dans des cercles qui n'avaient rien à voir avec lui et dans lesquels il n'avait pas sa place.

Conforté par ses succès en tant que professeur et par sa popularité grandissante auprès des élèves les plus fins de troisième cycle, il s'attela à un nouveau livre pendant l'été 1930. Dorénavant, il consacrait pratiquement tout son temps libre à l'étude. Edith et lui gardaient entre eux deux ce simulacre de partager la même chambre, mais il en franchissait rarement le seuil et jamais la nuit. Il dormait sur le canapé de son bureau et s'était même fabriqué un petit placard en encoignure dans lequel il rangeait ses vêtements.

Mais il avait Grace… Comme elle en avait pris le pli pendant la première longue absence de sa mère, elle passait le plus clair de son temps dans son antre avec lui. Il lui avait même installé une petite chaise et un bureau à sa taille où elle pouvait lire et faire ses devoirs. Ils prenaient la plupart de leurs repas ensemble. Edith était rarement à la maison et quand elle y était, c'était pour recevoir ses amis théâtreux à de petites sauteries où la présence d'un enfant n'était pas franchement la bienvenue.

Seulement un jour, sans crier gare, elle se mit à rester à la maison. Alors ils recommencèrent à partager leurs repas tous les trois et elle eut même de nouveau quelques velléités domestiques. La maison était calme et le piano silencieux. Une fine couche de poussière s'était déposée sur le clavier.

Ils en étaient arrivés à ce point de leur vie de couple où ils ne se parlaient plus guère et surtout jamais d'eux-mêmes de peur de briser ce fragile équilibre qui leur permettait de vivre encore ensemble. Aussi, ce fut après avoir longtemps hésité et songé aux conséquences possibles d'une telle initiative que Stoner se décida enfin à lui demander si quelque chose n'allait pas.

Ils venaient de terminer de dîner et Grace avait eu le droit d'aller chercher un livre dans le bureau de son père.

— Pourquoi tu me demandes ça ? répondit-elle.

— Je ne sais pas... On ne voit plus tes amis...
Et puis tu n'as plus l'air aussi impliquée dans ton
théâtre, alors je me demandais juste si quelque
chose n'allait pas...

D'un geste tout masculin, Edith secoua son
paquet de cigarettes posé près de son assiette, en
fit glisser une, se la ficha entre les lèvres et
l'alluma avec le mégot de la précédente à moitié
consumée dans le cendrier. Elle tira dessus profondément en la gardant dans son bec et renversa
la tête en arrière de sorte que lorsqu'elle soutint
de nouveau le regard de son mari, ses yeux, que
la fumée piquait, semblaient narquois et calcula-
teurs.

— Tout va bien, c'est juste qu'ils m'ennuyaient,
eux et toutes leurs histoires... Est-ce qu'il faudrait toujours que quelque chose aille mal ?

— Non, non, pas du tout. Je me disais simplement que peut-être tu ne te sentais pas très bien
ou que...

Il oublia cette conversation, quitta rapidement
la table et alla rejoindre son bureau où Grace,
assise sur sa petite chaise, était plongée dans une
histoire. Le poli de son pupitre illuminait sa chevelure et soulignait le sérieux de son mignon
visage. William songea qu'elle avait bien grandi
ces derniers mois et cette pensée le prit gentiment
à la gorge. Il sourit et retourna à son fauteuil.

Quelques minutes plus tard, il était déjà plongé
dans ses pensées. La veille, il s'était enfin mis à
jour, avait fini de corriger toutes ses copies et préparé ses cours pour la semaine à venir, il avait, il
aurait donc, de longues soirées devant lui pour se
consacrer à l'écriture de son livre. Il ne savait pas
encore exactement où il voulait en venir. L'idée
de départ étant d'approfondir ses recherches précédentes et de trouver un angle nouveau pour les

remettre en perspective. Il voulait étudier la période de la Renaissance anglaise et montrer les influences du latin classique et médiéval. Il essayait d'élaborer un plan de travail et c'était justement ces recherches préparatoires qui lui procuraient le plus grand plaisir. Tout lire, choisir parmi différentes approches celle qui lui semblait la plus pertinente, rejeter certains schémas, guetter les surprises qui pourraient naître de toute cette matière encore inexplorée, découvrir les conséquences de tels choix, etc., etc. Le monde, la friche qui s'offrait à lui le mettait dans un tel état d'euphorie qu'il était incapable de rester tranquille. Il se levait, faisait quelques pas et disait deux-trois bêtises à sa petite fille pour laisser filer un peu de cette pression qui l'égayait et le frustrait tout à la fois. Elle levait les yeux de son livre et lui répondait calmement.

Elle avait bien compris dans quel état se trouvait son papa et à un moment il baragouina quelque chose qui l'amusa. Elle se mit à pouffer, il l'imita et ils furent secoués d'un fou rire idiot comme s'ils avaient sept ans tous les deux. Tout à coup, la porte s'ouvrit et la lumière dure du salon vint briser la douce intimité de leur retraite : Edith se tenait devant eux à contre-jour.

— Grace, dit-elle en s'exprimant lentement et distinctement, ton père essaye de travailler. Tu ne dois pas le déranger.

William et sa fille furent tellement surpris par cette intrusion si soudaine qu'ils demeurèrent quelques instants pétrifiés. Enfin, il articula :

— Tout va bien, Edith, elle ne me dérange pas du tout.

Et comme s'il n'avait pas parlé, elle répéta :

— Tu m'as entendue, Grace ? Sors d'ici immédiatement !

Déroutée, la petite se leva de sa chaise et s'avança. Arrivée au milieu de la pièce, elle resta immobile, regarda d'abord son père, sa mère ensuite. Edith se remit à la sermonner, mais William réussit à l'interrompre :

— Tout va bien, Grace, lui dit-il le plus calmement possible. Tout va bien... Va avec ta maman...

Tandis qu'elle franchissait la porte de son bureau, Edith ajouta en regardant son mari :

— Cette enfant a eu trop de liberté. Ce n'est pas normal qu'elle soit si calme et si renfermée. Elle est beaucoup trop seule. Elle devrait être plus active et jouer avec des amis de son âge. Est-ce que tu ne vois pas comme elle est malheureuse ?

Et elle ferma la porte avant qu'il n'ait eu le temps de répondre.

Il resta immobile pendant un long moment. Il jeta un regard à son bureau couvert de notes et de livres ouverts, le rejoignit très lentement et se mit à les refermer et à empiler ses feuilles noircies sans trop savoir ce qu'il faisait. Il demeura ainsi, sonné et les sourcils froncés encore quelques instants comme s'il essayait de se souvenir de quelque chose puis se retourna et marcha jusqu'au pupitre de Grace. Il se mit à l'observer sans bouger comme il avait observé son propre bureau deux minutes plus tôt. Il éteignit la petite lampe et il n'y eut plus d'éclat : un simple revêtement gris et sans vie. Ensuite il s'allongea sur son canapé et regarda le plafond.

L'énormité de son geste ne lui apparut pas sur le coup et il se passa encore plusieurs semaines avant qu'il ne réalise vraiment ce qu'Edith était en train de manigancer. Et quand enfin, il admit l'inacceptable, il ne fut pas étonné. Elle menait son travail de sape avec tant d'intelligence et d'habileté qu'il ne parvenait pas à trouver la moindre raison objective de la contrarier. Après son irruption brutale et presque violente dans son bureau ce soir-là – une apparition dont il se souvenait aujourd'hui comme d'une crise cardiaque –, la stratégie de son épouse devint moins directe, plus embusquée et terriblement bien maîtrisée. C'était un sabordage qui avançait masqué, comme l'amour ou la sollicitude, et contre lequel, de fait, il était impuissant.

Edith était à la maison presque tout le temps à présent. Le matin et jusqu'à ce que Grace rentrât de l'école, elle s'activait en refaisant toute la décoration de sa chambre. Elle avait récupéré son petit bureau dans celui de Stoner, l'avait décapé et repeint en rose pâle puis l'avait garni d'un large ruban de satin froncé de sorte qu'il n'avait plus rien à voir avec le pupitre gris auquel la petite était habituée. Un après-midi, elle ouvrit la penderie de sa fille qui se tenait là, muette à ses côtés, inspecta tous les vêtements que William lui avait achetés, mit la plupart au rancart et lui promit qu'elles iraient en ville le week-end suivant pour remplacer tous ces rossignols par des tenues plus seyantes, plus « filles ». Et c'est ce qu'elles firent. Il était déjà tard quand Edith rentra ce samedi-là, sur les genoux mais triomphante, avec des tas de paquets et une gamine épuisée. Épuisée et à l'agonie, engoncée qu'elle était dans une robe encore toute raide d'apprêt, pleine de frous-frous, et avec un ourlet boule qui donnaient à ses petites jambes l'allure de deux misérables allumettes.

Edith lui acheta des poupées et des jouets et veillait bien à ce qu'elle s'amusât avec comme si c'était un devoir. Elle lui fit aussi prendre des leçons de piano et s'asseyait sur un tabouret à côté d'elle pendant qu'elle faisait ses gammes. À la moindre occasion, elle donnait des petites fêtes en son honneur où tous les enfants du voisinage étaient conviés, le plus souvent contre leur gré. Ils se présentaient à la porte, renfrognés et boudeurs dans leurs habits du dimanche. Enfin, elle supervisait ses lectures et ses devoirs avec un temps imparti pour chacune de ces deux activités.

Désormais les invités d'Edith étaient les mères de famille du quartier. Elles arrivaient dans la matinée, buvaient un café et papotaient jusqu'à ce qu'il fût l'heure d'aller chercher leurs enfants à l'école. Ensuite elles revenaient avec eux et les regardaient jouer dans le grand salon en tenant des propos sans intérêt sur leurs progrès en galipettes et le bruit qu'ils faisaient, mon Dieu, en s'agitant ainsi...

Durant ces après-midi, Stoner était généralement dans son bureau et comme elles parlaient très fort pour couvrir le tintamarre de leur progéniture, il ne manquait aucun potin.

Un jour, alors qu'il y avait une sorte d'accalmie dans la pièce à côté, il entendit la voix d'Edith : « Pauvre Grace... Elle aime tellement son papa... Et il a si peu de temps à lui consacrer... Son travail, vous savez... Sans compter qu'il a commencé un nouveau livre... »

Curieusement et d'une façon presque détachée, il regarda ses mains qui tenaient justement un livre. Elles se mirent à trembler. Cela dura un long moment jusqu'à ce qu'il parvînt à les calmer en les enfonçant profondément dans ses poches. Il serra les poings et ne bougea plus.

Il voyait rarement sa fille. Bien qu'ils prissent leurs repas en famille, il osait à peine lui parler car lorsqu'il s'y risquait et qu'elle lui répondait, Edith les coupait aussitôt en la reprenant sur son maintien ou sa façon de tenir sa fourchette. Sa voix était si cassante que Grace n'osait plus lever la tête et encore moins s'exprimer jusqu'à la fin du repas.

Elle qui était déjà mince se mit à maigrir encore et Edith se moquait gentiment de sa façon de « pousser en hauteur, mais pas en largeur ! » Son regard devint perçant, presque méfiant et son visage qui laissait voir autrefois une sorte de sérénité tranquille était à présent soit boudeur, soit au contraire, énervé, agité et au bord de l'hystérie. Elle ne souriait presque plus et il n'était pas rare qu'un fantôme lui effleurât les paupières en passant. Un jour, alors qu'Edith se trouvait à l'étage, William et sa fille se croisèrent dans le salon. Grace lui lança un petit sourire timide et instinctivement, sans l'avoir prémédité le moins du monde, il s'agenouilla à ses pieds et la serra fort dans ses bras. Il la sentit qui se raidissait tandis que ses yeux s'écarquillaient, perplexes et presque effrayés. Il s'écarta d'elle et se redressa lentement en prononçant quelques mots confus avant de s'enfuir dans son bureau.

Le jour suivant, son petit déjeuner avalé, il resta assis à table jusqu'à ce que Grace fût partie à l'école tout en sachant qu'il serait en retard pour son cours de neuf heures. Après l'avoir accompagnée jusqu'au seuil de la maison, Edith ne revint pas dans la salle à manger, il sut alors qu'elle cherchait à l'éviter. Il se rendit au salon où sa femme était assise sur le canapé en train de boire son café et de fumer une cigarette.

Sans prendre de gants, il annonça :

— Edith, je n'aime pas ce qui est en train d'arriver à Grace...

Aussitôt, et comme si elle n'avait attendu que cela, elle lui sauta à la gorge :

— Qu'est-ce que tu racontes ?!?

Il se laissa choir à l'autre bout du canapé et un grand sentiment d'impuissance lui tomba sur les épaules.

— Tu le sais très bien... Lâche-la un peu. Cesse de la harceler comme tu le fais.

Edith écrasa sa cigarette dans sa soucoupe :

— Grace n'a jamais été aussi heureuse. Maintenant elle a des amis et des tas d'activités. Je sais que tu es trop occupé pour remarquer tout cela, mais tu es bien obligé de reconnaître qu'elle est bien plus expansive aujourd'hui... Et puis elle rit. Elle ne riait jamais avant. Enfin, pratiquement jamais...

William la regarda abasourdi :

— Tu es convaincue de ce que tu dis, n'est-ce pas ?

— Évidemment que je le suis ! Je suis sa mère !

Et il réalisa qu'elle devait l'être en effet... Il secoua la tête.

— Je n'avais jamais eu le courage de me l'avouer, reprit-il avec une certaine bonhommie, mais... mais tu me hais vraiment... N'est-ce pas, Edith ?

— Pardon ? (Sa stupéfaction semblait sincère.) Oh, Willy ! (Et elle fut prise d'un rire magnifique, inextinguible.) Ne sois pas idiot... Bien sûr que non ! Tu es mon mari !

— Ne... ne te sers pas de cette enfant... (Il avait du mal à contrôler sa voix.) Tu n'as plus besoin de continuer ainsi et tu le sais très bien. Trouve autre chose à présent. N'importe quoi, mais autre chose. Si tu continues à te servir de Grace comme tu le fais, je...

Il en resta là.

Au bout d'un moment, elle demanda :

— Tu quoi ?

Elle avait parlé calmement et sans esprit de provocation. Elle continua :

— Tout ce que tu peux faire, c'est me quitter. Et tu ne ferais jamais ça, nous le savons tous les deux...

— Je suppose que tu as raison, soupira-t-il.

Il se leva et se dirigea vers son bureau en automate, attrapa son manteau dans sa penderie de fortune et, toujours à l'aveuglette, tendit le bras vers le sol pour attraper son cartable. Alors qu'il traversait le salon, Edith l'interpella de nouveau :

— Willy, je ne ferai pas de mal à Grace. C'est une chose dont tu dois être conscient. Je l'aime. Elle est ma petite fille chérie.

Et il savait que c'était vrai. Elle l'aimait. Et cette certitude lui donna presque envie de hurler. Il secoua la tête et s'éloigna dans le froid.

Quand il revint ce soir-là il constata qu'Edith, aidée d'un homme à tout faire qui sévissait dans le quartier, avait profité de son absence pour vider son bureau de toutes ses affaires. Sa table de travail et son canapé avaient été poussés dans un coin du salon et ses vêtements avaient été jetés pêle-mêle par-dessus avec ses papiers et tous ses livres.

*
* *

Comme elle allait être à la maison plus souvent elle avait décidé, lui expliqua-t-elle, de se remettre à la peinture et à la sculpture. Or son bureau, avec sa grande fenêtre au nord, était le seul endroit de la maison où la lumière était convenable. Elle savait que cela ne le dérangerait pas de migrer un peu et il pouvait s'installer dans la véranda derrière la maison. L'endroit était bien plus éloigné du salon que ne l'était cette pièce et il y serait plus au calme pour travailler.

Mais la véranda était si exiguë qu'il ne pouvait y ranger ses livres, et comme il n'avait de place ni pour son canapé ni pour son bureau, il avait dû les descendre à la cave. L'endroit serait difficile à chauffer en hiver quant à l'été ce n'était même pas la peine d'y songer, ce serait un four... Néanmoins, il y travailla pendant quelques mois. Il trouva une petite table où s'accouder et fit l'acquisition d'un radiateur électrique pour essayer de gagner quelques degrés, surtout le soir quand des courants d'air glacés s'infiltraient par les interstices du lambris. La nuit, il dormait enroulé dans une couverture sur le canapé du salon.

Après quelques mois d'une paix relative quoique inconfortable, il commença à trouver, quand il revenait de l'université, un tas de bricoles et d'objets au rebut entassés dans ce qui lui tenait lieu de « bureau ». Des lampes cassées, un tapis élimé, de vieilles caisses et des boîtes remplies de tout et n'importe quoi.

— C'est tellement humide dans la cave, gémit Edith... Ça ne t'ennuie pas si je les entrepose là quelques mois, n'est-ce pas ?

Un après-midi de printemps, il rentra sous un orage diluvien et découvrit qu'un des carreaux avait été, ou s'était, cassé. La pluie avait abîmé plusieurs de ses livres et beaucoup de ses notes étaient illisibles. Quelques semaines plus tard, il comprit, en arrivant dans son cagibi, que Grace et ses petits amis avaient été autorisés à y jouer et qu'un nombre plus grand encore de ses notes de travail ainsi que les premières pages de son manuscrit étaient déchirées et irrécupérables.

— Je ne leur ai permis d'y rester que quelques minutes. Il faut bien qu'ils jouent quelque part !

Mais je ne sais pas ce qui a bien pu se passer…
Tu devrais en parler avec Grace. Je lui ai dit pourtant combien ce travail était important pour toi…

Alors il renonça. Il emporta le plus de livres possible à l'université, dans le bureau qu'il partageait avec trois jeunes professeurs, et tout le temps qu'il passait à travailler chez lui autrefois, il le passa là. Il ne revenait tôt que lorsque sa fille lui manquait trop et que la perspective de l'apercevoir ou d'échanger quelques mots avec elle pouvait le consoler de tout le reste.

Mais dans cette salle de professeurs où il n'avait de place que pour quelques ouvrages, il avait du mal à avancer car il lui manquait toujours un texte ou une référence. Sans compter que l'un de ses collègues, un jeune garçon passionné, avait l'habitude de tenir salon avec ses étudiants et leurs messes basses jargonneuses le distrayaient au point qu'il avait souvent du mal à se concentrer. Peu à peu, il perdit goût à son travail ; ses recherches ralentirent puis furent suspendues. Au bout du compte, il réalisa que toute cette histoire d'écriture n'avait été qu'un refuge, un prétexte pour revenir à son bureau le soir. Alors il se remit à lire, à étudier et finit par y trouver une sorte de paix, de réconfort et même les réminiscences d'un bonheur ancien : ce temps béni où il se cultivait pour le seul plaisir d'apprendre…

Et puis Edith s'était calmée et ne harcelait plus sa fille pour un oui pour un non. Grace se remit à esquisser quelques sourires et semblait plus à l'aise quand elle lui adressait la parole. Aussi lui sembla-t-il possible de vivre, voire même d'être heureux, quelquefois.

IX

La présidence par intérim de la chaire de littérature anglaise assurée par Gordon Finch depuis
la mort d'Archer Sloane fut renouvelée chaque
année et tous les professeurs finirent par s'habituer à sa gestion pour le moins désinvolte des
emplois du temps, des programmes, des rendez-
vous, des réunions et de tous les autres points de
détail. Eh bien, soit, c'était l'anarchie, et une rentrée chassait l'autre... Il était admis par tous
qu'un « vrai » président prendrait sa place dès
qu'il lui serait possible d'être nommé doyen –
fonction qu'il assumait déjà officieusement à
défaut d'en avoir le titre. Seulement Josiah
Claremont menaçait de ne jamais mourir. Même
si on ne le voyait plus guère errer dans les couloirs...

Les enseignants poursuivaient donc leur petit
train-train, reprenaient leurs cours de l'année
précédente et se rendaient des visites de courtoisie quand ils avaient des trous dans leur emploi
du temps. La seule réunion digne de ce nom avait
lieu au début de chaque semestre : Gordon Finch
les convoquait tous à une espèce de concertation
de pure forme durant laquelle le grand doyen de
la faculté se rappelait à leur bon souvenir en leur
faisant passer des notes de service concernant les

épreuves, les oraux et les soutenances de thèses des étudiants en fin de cursus.

Pour William Stoner, ces passages d'examens étaient de plus en plus chronophages. À sa grande surprise, il commençait à apprécier la modeste popularité dont il jouissait en tant que professeur. Il avait été obligé de refuser des étudiants à son séminaire doctoral, *Tradition latine et littérature de la Renaissance*, et ses cours d'Introduction à la littérature destinés aux élèves un peu plus jeunes étaient toujours pleins. Plusieurs étudiants de doctorat lui demandèrent de diriger leur thèse et d'autres, de siéger dans leur jury.

À l'automne 1931, son séminaire était quasiment bouclé avant même le jour des inscriptions car beaucoup de jeunes gens avaient réservé leur place dès la fin de l'année précédente ou pendant l'été. Une semaine après la rentrée et alors qu'il avait déjà commencé ce programme, un étudiant vint le voir à son bureau pour lui demander la permission d'y assister aussi.

Stoner était justement assis devant la liste des élèves inscrits. Il essayait de déterminer quelle tâche attribuer à chacun et la sienne était assez compliquée dans la mesure où il ne connaissait qu'un petit nombre d'entre eux. La scène se déroulait pendant un après-midi du mois de septembre. La fenêtre près de son bureau était ouverte et l'ombre portée de leur grand bâtiment se découpait sur la pelouse en dessinant fidèlement ses contours, ses corniches, le demi-cercle de son dôme et sa ligne de toit qui assombrissait le vert du gazon avant d'aller ramper bien plus loin sur le campus et même au-delà. Et puis une petite brise apportait avec elle des nouvelles fraîches et piquantes de l'automne à venir...

On frappa. Il se tourna vers la porte qui était restée ouverte et pria son visiteur d'entrer.

Plongée dans la pénombre du couloir, une silhouette se coula jusqu'au seuil de son bureau en traînant les pieds. Encore tout groggy de travail et aveuglé par le soleil Stoner dut cligner les yeux pour le discerner. C'était un étudiant qu'il avait déjà remarqué dans les couloirs, mais qu'il ne connaissait pas. Sa jambe, tout comme son bras gauche, était raide et il avançait en la tirant après lui. Il était pâle, portait des lunettes rondes à monture d'écaille et ses cheveux fins et gominés, séparés par une raie bien nette sur le côté accentuaient encore la rondeur de son crâne et de son visage enfantin.

— Professeur Stoner ?

Il s'était exprimé distinctement d'une voix ténue, mais un peu sèche.

— Oui ? Vous voulez vous asseoir ?

Le jeune homme se laissa tomber sur la chaise près de son bureau. Sa jambe était tendue devant lui et sa main gauche, enroulée sur elle-même, gisait sur ses cuisses. Il lui sourit, secoua la tête et annonça sur un ton un peu curieux, comme s'il cherchait à se dénigrer :

— Vous ne devez pas me connaître, monsieur... Je m'appelle Charles Walker et je suis en deuxième année de doctorat. Je suis l'assistant du professeur Lomax.

— Soit, monsieur Walker, et que puis-je pour vous ?

— Eh bien... Je suis venu pour vous demander une faveur, monsieur, continua-t-il en souriant de nouveau, je sais que votre séminaire est plein, mais je souhaiterais vivement y être admis...

Il s'interrompit et reprit d'une voix plus assurée :

— Le professeur Lomax m'a suggéré de venir vous en parler directement.

— Je vois. Et quelle est votre sujet de thèse, monsieur Walker ?

— Les poètes romantiques. Et mon directeur sera le professeur Lomax justement...

Stoner acquiesça.

— Où en êtes-vous ?

— J'espère la terminer d'ici deux ans.

— Eh bien, voilà qui nous facilite les choses... Je propose ce séminaire à chaque rentrée et celui de cette année est tellement plein qu'il n'a de séminaire que le nom. Un élève de plus et ce serait un colloque ! Pourquoi n'attendez-vous pas celui de l'année prochaine ?

Walker lui répondit en regardant ailleurs :

— Pour tout vous dire (grand sourire), je suis victime d'un malentendu. Tout est de ma faute, bien sûr... Je n'avais pas réalisé qu'un doctorant devait suivre au moins quatre séminaires pour faire valider son année, or je ne me suis inscrit à aucun l'année dernière... Et vous savez bien que nous n'avons le droit d'en choisir qu'un par trimestre, donc si je veux avoir mon diplôme dans deux ans, je suis obligé d'en suivre un maintenant.

Stoner soupira.

— Je vois. En somme votre intérêt pour les influences de la tradition latine manque un peu de... spontanéité.

— Pas du tout, monsieur ! Pas du tout ! Au contraire, cela m'aiderait beaucoup pour ma thèse.

— Monsieur Walker, vous n'êtes pas sans savoir qu'il s'agit d'un cours assez exigeant et je n'encourage aucun de vos condisciples à le suivre à moins qu'il ne soit vraiment motivé.

— Je comprends, monsieur, et je vous assure que je suis très motivé.

Stoner opina.

— Quel est votre niveau de latin ?

Le jeune homme s'agita :

— Oh ! Il est très convenable. Je n'ai pas encore passé mon examen, mais je le lis très bien.

— Quelles autres langues ? Le français ? L'allemand ?

— Parfaitement, monsieur. Là, non plus, je n'ai pas encore passé mes examens. Je pense que je les passerai tous en même temps à la fin de l'année pour me débarrasser de cette corvée... Mais je lis ces deux langues parfaitement.

Il fit une pause et reprit :

— Le professeur Lomax prétend qu'il me croit tout à fait capable de suivre votre séminaire.

— Bien, soupira Stoner, il y aura beaucoup de textes en latin et quelques-uns en français et en allemand... Quoique vous puissiez vous débrouiller sans... Je vous donnerai une liste d'œuvres à étudier et nous parlerons de votre sujet de séminaire vendredi prochain dans l'après-midi...

Walker le remercia avec beaucoup d'effusion. Il eut du mal à se relever de sa chaise.

— Je vais les lire dès maintenant, assura-t-il, et je suis sûr, monsieur, que vous ne regretterez pas votre décision.

Stoner le regarda vaguement surpris et répondit sur un ton peu amène :

— Cela ne m'avait même pas effleuré, monsieur Walker... Je vous vois mercredi.

Le cours avait lieu dans une petite salle du sous-sol de l'aile droite de Jesse Hall. Une odeur d'humidité qui n'était pas désagréable suintait des murs en ciment et les bruits de pas sur le sol nu ressemblaient à de profonds soupirs. Une ampoule solitaire pendait au plafond de sorte que les élèves assis au centre avaient l'impression de travailler sous un projecteur. Les murs, en revanche, demeuraient désespérément ternes et les quatre coins de la pièce étaient plongés dans l'obscurité. C'était comme si la porosité du ciment brut aspirait toute la lumière.

Le mercredi suivant, pour son deuxième cours de séminaire, Stoner arriva avec quelques minutes de retard. Il adressa deux mots aux étudiants puis commença à disposer ses livres et ses notes sur le petit bureau en chêne teinté qui avait été installé devant le tableau noir. Il jeta un rapide coup d'œil au petit groupe d'élèves éparpillés devant lui. Il en reconnut certains. Il y avait là deux doctorants dont il supervisait la thèse et quatre étudiants de maîtrise qui avaient déjà suivi ses cours. Il repéra aussi trois autres thésards dont l'un, en philosophie, qui travaillait sur la scolastique. Il y avait aussi une femme d'une cinquantaine d'années, professeur de lycée, qui avait pris une année sabbatique pour passer sa maîtrise. Et une autre, enfin, plus jeune, brune, qui était une des nouvelles recrues du département de littérature. Elle avait déjà travaillé pendant deux ans tout en menant à bien une thèse entreprise du temps où elle était obligée d'assurer ses cours obligatoires pour le doctorat dans une université de la côte est. Elle avait demandé à Stoner la permission d'assister à son séminaire en auditeur libre et il n'avait trouvé aucune raison de lui refuser cette requête. Charles Walker ne se trouvait pas parmi eux. Stoner attendit encore quelques instants en farfouillant dans ses papiers puis s'éclaircit la voix et commença son cours.

— Lors de notre dernière rencontre, nous avons essayé de déterminer les objectifs de ce séminaire et avons décidé de limiter notre étude de la tradition latine à seulement trois des sept arts libéraux. À savoir : la grammaire, la rhétorique et la dialectique...

Il marqua une pause et observa tous ces visages attentifs et intrigués qui étaient braqués sur lui et semblaient suspendus à ses lèvres.

— ... Un tel cantonnement pourrait paraître aberrant et trop étriqué à certains d'entre vous, mais je ne doute pas qu'il y a là matière à nous tenir fort occupés, quand bien même nous ne ferions que survoler ces sciences du langage – ou *trivium* – depuis le Moyen Âge jusqu'au XVIe siècle... Ayez bien conscience que ces trois arts : rhétorique, grammaire et dialectique avaient une importance considérable aux yeux de l'homme du Moyen Âge ou du début de la Renaissance. Pour le comprendre aujourd'hui, nous sommes obligés de nous astreindre à un véritable effort d'imagination « historique »... Et encore, je ne suis pas sûr que nous puissions le concevoir à sa juste mesure... Pour un érudit de cette époque, la grammaire par exemple n'était pas seulement l'étude systématique des éléments constitutifs d'une langue au sens où nous l'entendons aujourd'hui... Depuis la fin de la période hellénistique jusqu'au Moyen Âge, son étude et sa pratique n'incluaient pas seulement l'art des belles-lettres cher à Platon et Aristote, elles comprenaient aussi – et cela devint crucial – l'étude de la poésie à travers ses magnifiques prouesses de langage, son exégèse – j'entends par là l'analyse interprétative de son fond et de sa forme qui ne sauraient être dissociés – et même la subtilité de son style... Sans aller, bien sûr, jusqu'à empiéter dans le domaine de la rhétorique...

Il sentait qu'il commençait à se laisser prendre par son sujet et il était conscient que plusieurs de ses étudiants se tenaient penchés en avant et avaient cessé de prendre des notes. Il continua :

— ... D'autre part, si l'on nous demandait à nous, nés au XXe siècle, lequel de ces trois arts nous semble le plus important, nous hésiterions peut-être entre la dialectique et la rhétorique, mais il est fort peu probable que nous choisissions la grammaire... Alors que les Romains lettrés, les érudits du Moyen Âge et tous leurs poètes n'auraient pas réfléchi une seule seconde, eux ! Oui, nous ne devons pas perdre de vue que...

Un bruit assourdissant l'interrompit. On avait ouvert la porte et Charles Walker fit son apparition. Tandis qu'il la refermait, tous les livres qu'il avait calés sous son bras inerte glissèrent et s'écrasèrent sur le sol. Il se pencha comme il put avec sa jambe gauche à l'oblique derrière lui et rassembla péniblement ses affaires. Ensuite, il se redressa d'un coup de hanche et s'avança en clopinant. Le bruit du raclement de ses pas sur le ciment résonnait dans toute la pièce comme une espèce de chuintement sépulcral. Il avisa une chaise au premier rang et s'y affala.

Quand il eut fini de s'installer et de ranger ses livres et ses documents sur son pupitre, Stoner reprit le cours de sa pensée :

— ... Nous ne devons donc pas perdre de vue que la conception médiévale de la grammaire était plus large encore que celle des Grecs et des Romains... Elle comprenait non seulement l'étude de la langue et l'art de l'exégèse, mais aussi les conceptions modernes de l'analogie, de l'étymologie, de la présentation et de la construction. Sans oublier un traité des règles et des exceptions d'une nouvelle licence poétique, et même l'art de la métaphore et des figures de style !

Tout en poursuivant son histoire de la grammaire, Stoner observait ses élèves à la dérobée. Il comprit qu'il les avait perdus depuis l'arrivée de Walker et qu'il lui faudrait un long moment avant de retrouver leur attention et de les élever de nouveau au-dessus des petites contingences d'une salle de classe. Ceci étant dit, il les comprenait. Ce garçon aimantait son regard et, lui aussi, ne pouvait pas s'empêcher de regarder dans sa direction. Après avoir pris des notes d'une manière presque compulsive, le « nouveau » s'était de moins en moins souvent penché en avant et avait fini par poser son stylo. Il s'était mis à fixer son professeur avec l'air perplexe de celui qui n'est pas d'accord avant de se décider à lever la main. Stoner termina sa phrase et lui donna la parole.

— Pardonnez-moi, monsieur, mais je ne comprends vraiment pas ce que…

Il s'interrompit et reprit en levant les yeux au ciel :

— … ce que la grammaire a à voir avec la poésie ? Fondamentalement, j'entends. Et je parle de la poésie pure.

Stoner répondit aimablement :

— Comme je l'expliquais avant que vous n'arriviez, monsieur Walker, le mot « grammaire », aussi bien pour les Romains que pour les rhétoriciens du Moyen Âge, avait un sens beaucoup plus large. Pour eux, il s'agissait…

Réalisant soudain qu'il était en train de répéter le début de son cours et que les autres étudiants commençaient à s'agiter, il s'interrompit.

— Je pense que ces liens entre la grammaire et la poésie vous apparaîtront plus clairement quand nous en serons un peu plus loin et que nous verrons combien les poètes et les dramaturges, et cela encore au milieu et à la fin de la Renaissance, se sentaient redevables des idées des grands rhétoriciens latins...

— Vraiment tous ? sourit Walker avant de partir en arrière pour s'adosser. Ne serait-ce pas Samuel Johnson qui aurait dit de Shakespeare qu'il ne connaissait pas le latin et encore moins le grec ?

Des rires fusèrent dans les rangs, Stoner eut pitié :

— Bien entendu, vous vouliez dire *Ben* Jonson...

Walker ôta ses lunettes, souffla dessus et les nettoya en clignant des yeux.

— Bien entendu. Ma langue a fourché.

Ensuite, et en dépit des nombreuses interruptions du même Walker, il réussit à terminer son cours sans se laisser déconcentrer. Il donna même une liste de sujets pour les premiers devoirs à rendre. Il libéra ses étudiants avec presque une demi-heure d'avance et se pressa lui aussi vers la sortie quand il aperçut Walker, un grand sourire crispé, boitiller dans sa direction. Stoner se hâta dans les escaliers en bois du sous-sol qui résonnèrent sous ses pas puis grimpa quatre à quatre les grandes marches en marbre jusqu'au premier étage. Il avait l'impression étrange que ce garçon le poursuivait en claudiquant et qu'il essayait désespérément de le rejoindre. Il se sentit vaguement honteux et ne fut pas très fier de lui.

Arrivé au second étage, il se rendit directement au bureau de Lomax. Celui-ci était en grande discussion avec un étudiant. Stoner entrouvrit la porte :

— Holly, est-ce que je peux te parler une minute quand tu auras fini ?

Lomax lui fit un signe :

— Viens, viens ! Nous n'en avons plus pour longtemps...

Stoner entra et fit mine de s'intéresser à la bibliothèque de son collègue pendant qu'il prenait congé de son visiteur. Quand celui-ci fut parti, Stoner prit sa chaise. Lomax lui lança un regard interrogateur.

— C'est à propos d'un élève : Charles Walker. D'après lui, c'est toi qui me l'aurais envoyé...

Lomax joignit ses mains et les observa en hochant la tête :

— En effet... Je crois bien lui avoir suggéré que ce serait une chance pour lui s'il pouvait suivre ton séminaire de... de quoi déjà ? sur la tradition latine ?

— Puis-je te dire deux mots à son sujet ?

Lomax leva les yeux et se mit à observer les détails du plafond. Il fit une petite grimace d'approbation.

— Un bon élément... Je dirais même un étudiant hors du commun... Il est en train d'écrire sa thèse sur Shelley et l'idéal grec et cela promet d'être brillant... Très, très brillant... Ce ne sera pas exactement ce que certains qualifieraient de...

Il fit une pause comme s'il cherchait le mot le plus approprié.

— ... *complaisant*, mais quelque chose au contraire de très habile... Tu... Tu avais une raison particulière de me parler de lui ?

— Oui, il s'est comporté d'une façon plutôt étrange à mon cours aujourd'hui. Pour ne pas dire stupide. Et je me demandais si je devais m'en formaliser...

L'affabilité dont Lomax avait fait preuve jusque-là s'évanouit et il retrouva son bon vieux masque aux arêtes si tranchantes :

— Ah, oui, fit-il dans un sourire glacial, la gaucherie et la stupidité de la jeunesse... Walker est, pour des raisons que tu peux comprendre, j'imagine, d'une timidité maladive et, de ce fait, il peut parfois sembler sur la défensive, voire un peu... péremptoire... Comme nous tous, il a ses problèmes, mais... rassure-moi : ses compétences scolaires et son esprit critique ne seront pas, j'espère, jugés à l'aune de ces faiblesses psychologiques, lesquelles sont, somme toute, bien compréhensibles, non ?

Il regarda Stoner droit dans les yeux et ajouta avec une espèce de cruauté amusée :

— Comme tu l'as peut-être remarqué, ce garçon est infirme...

— Il se peut que ce soit cela... songea Stoner à voix haute.

Il soupira et se leva.

— J'imagine qu'il est encore trop tôt pour m'en inquiéter. Je voulais juste t'en parler...

Lomax lui rétorqua d'une voix soudain exaspérée et secouée par les vibratos d'une colère difficilement contenue :

— Tu verras que c'est un étudiant hors du commun. Je t'assure que tu te rendras vite compte à quel point il est exceptionnel.

Stoner le dévisagea un moment l'air perplexe puis quitta son bureau.

*

* *

Le séminaire avait lieu toutes les semaines. Durant leurs premières réunions, Walker continua de se faire remarquer en posant des questions ou en émettant des commentaires tellement déplacés ou incongrus que Stoner ne savait plus vraiment comment réagir, mais, assez vite, ses saillies provoquèrent des rires moqueurs ou des grognements de protestation dans les rangs et il finit par ne plus parler du tout. Il restait assis sur sa chaise, interdit, raide et pétrifié d'indignation comme si son intégrité était bafouée tandis que les débats s'animaient sans lui. Cela aurait été amusant, pensait Stoner, s'il n'y avait pas eu quelque chose de si pathétique dans la rancœur et la mine perpétuellement exaspérée de ce jeune garçon.

Walker mis à part, ce fut un excellent séminaire et l'une des meilleures classes que Stoner eût jamais connues. Dès le début, le sujet qu'il leur avait proposé passionna les élèves et tous connurent cette espèce d'excitation joyeuse, ce vertige de l'orpailleur, qui vous vient quand vous subodorez que le motif sur lequel vous travaillez n'est que l'infime partie d'un canevas beaucoup plus vaste et qu'en approfondissant votre étude, vous serez probablement amené à... Impossible de le dire, justement... Des groupes de travail se mirent en place et les étudiants étaient si motivés que très vite, Stoner lui-même ne fut plus que l'un d'entre eux et menait ses recherches avec la même assiduité. Même cette jeune femme qui n'était à Columbia que provisoirement, le temps de finir sa thèse, et qui ne participait à ce cours qu'au titre d'auditeur libre, lui demanda si elle pouvait, elle aussi, bûcher sur l'un des thèmes proposés. Elle avait, pensait-elle, une petite idée qui pourrait peut-être intéresser les autres... Elle s'appelait Katherine Driscoll et n'avait pas trente ans. Stoner n'avait jamais vraiment fait attention à elle jusqu'à ce jour où, à la fin d'une session, elle vint lui parler du texte qu'elle avait envie d'écrire et lui demander par la même occasion s'il accepterait de lire sa thèse quand elle serait terminée. Il lui répondit qu'il se réjouissait de sa contribution et qu'il s'exécuterait bien volontiers.

Ces travaux devaient être présentés au cours du second semestre juste après les vacances de Noël. Celui de Walker, *Hellénisme et tradition latine du Moyen Âge*, avait été programmé plus tôt, mais ce dernier ne cessait de réclamer des délais supplémentaires, arguant qu'il avait des difficultés à se procurer les ouvrages dont il avait besoin car ils n'étaient pas répertoriés dans la bibliothèque de l'université.

Il avait été convenu que Miss Driscoll, en sa qualité de simple auditeur libre, ne leur exposerait son travail que lorsque tous les autres étudiants se seraient exprimés. Mais quand vint le jour de la date butoir de cette première série d'oraux, soit deux semaines avant la fin du semestre, Walker le supplia de nouveau : pouvait-on lui accorder une semaine supplémentaire ? Il avait été malade, ses yeux n'allaient pas bien et un livre de la plus haute importance qui devait lui être envoyé par le service de prêts interuniversités, n'était toujours pas arrivé... Aussi Miss Driscoll prit-elle sa place ce jour-là et s'avança devant le grand tableau noir.

Son exposé était intitulé *Aelius Donatus et la tragédie de la Renaissance*. Elle avait étudié la manière dont Shakespeare s'était servi de la tradition donatienne et plus particulièrement de son *Ars Grammatica* dont s'inspiraient nombre de grammaires et de manuels du Moyen Âge... À peine eut-elle commencé que Stoner sut que son intervention serait passionnante et il l'écouta avec une fébrilité qu'il n'avait pas ressentie depuis longtemps. Après le débat qui avait suivi, il la retint quelques instants pendant que les autres quittaient la pièce.

— Miss Driscoll, je tenais simplement à vous dire que...

Il s'arrêta. Il se sentit soudain très bête et terriblement gêné. Elle avait de grands yeux sombres et le regardait étonnée. Son visage semblait d'autant plus pâle qu'il était encadré de deux larges bandeaux de cheveux noirs qui se rejoignaient sur sa nuque en un petit chignon bien serti.

Il se reprit :

— Je voulais simplement vous dire que votre analyse était remarquable... La meilleure que j'aie jamais entendue sur ce sujet, et je... je vous remercie de... de l'avoir partagée avec nous...

Elle ne répondit rien. Son visage demeura impassible, mais ses yeux brillèrent d'un éclat féroce et Stoner crut un moment qu'elle était agacée. Puis elle devint rouge comme une pivoine, baissa brusquement la tête sans qu'il comprenne si c'était de colère ou de gratitude et le quitta à la hâte. Il sortit lentement de sa salle de classe, troublé, inquiet et maudissant sa maladresse : peut-être l'avait-il blessée...

Il avait rappelé à Walker le plus aimablement possible qu'il devait absolument rendre son devoir pour le mercredi suivant faute de quoi sa présence à ce séminaire ne serait pas validée. Comme il s'y attendait un peu, l'autre se cabra sous cette injonction et fut animé d'une colère obséquieuse et froide. Il lui répéta les raisons et toutes les difficultés qui l'avaient retardé et lui assura qu'il n'y avait pas lieu de s'inquiéter puisque son devoir était quasiment terminé.

Ce fameux mercredi, alors que le séminaire allait commencer, Stoner fut retenu par un jeune étudiant paniqué qui voulait être sûr qu'il aurait bien la moyenne à son cours de culture générale pour ne pas être blackboulé de son groupe de travail. Il régla ce problème, dévala les escaliers à toute vitesse et arriva dans sa classe du sous-sol un peu essoufflé. Charles Walker s'était installé à son bureau sur l'estrade. La mine sévère, il couvait ses condisciples d'un regard noir. Bref, il faisait son cirque. Il se retourna vers Stoner et le toisa avec l'air dédaigneux du professeur qui s'apprête à moucher un jeune effronté puis ses traits s'adoucirent et il annonça :

— Nous allions justement commencer sans vous...

Il laissa sa phrase en suspens, se mit à sourire tendrement, secoua la tête et ajouta pour que Stoner goûtât bien toute l'ironie de la situation :

— ... monsieur...

Ce dernier le dévisagea un moment avant de s'adresser à ses élèves :

— Je vous prie d'excuser mon retard. Comme vous le savez, monsieur Walker doit nous présenter aujourd'hui le compte rendu de son travail dont le sujet est *L'Hellénisme et la tradition latine médiévale*.

Et il avisa une place au premier rang, juste à côté de Katherine Driscoll.

Charles Walker fourgonna un moment dans le monceau de papiers posés devant lui. Il releva la tête. Il arborait de nouveau son air ténébreux de grand incompris. Il posa la main sur ses notes et se mit à regarder, comme s'il attendait quelque apparition, dans la direction diamétralement opposée à celle où Stoner et Katherine Driscoll étaient assis. Enfin, et sans omettre de jeter un cil de temps en temps à son fouillis de notes, il se lança :

— Confrontés que nous sommes au grand mystère de la littérature et à son indicible puissance, nous serions donc tenus de trouver la source et les raisons objectives d'une telle emprise... Mais, au bout du compte, cette quête ne serait-elle pas vouée à l'échec ? La littérature se drape d'un voile si épais que nous ne saurions le percer ! Nous ne sommes rien d'autre que ses adorateurs et nous demeurons impuissants et totalement désarmés face à ses sortilèges ! *Qui* aurait l'audace de lever un pan de ce voile ? De découvrir ce qui ne peut être découvert et de toucher du doigt ce qui n'est pas tangible ? Les plus hardis d'entre nous ne sont que de dérisoires avortons... Des coups de cymbales, de minables trompettes s'époumonant devant le Mystère Éternel...

Sa voix allait crescendo puis decrescendo, son bras droit était levé vers le ciel, les doigts déliés comme s'il le suppliait, tout son corps se balançait au rythme de ces envolées et ses yeux disparaissaient sous ses paupières comme s'il était en train de se livrer à quelque incantation. Il y avait quelque chose de pathétiquement grotesque dans ce qu'il était en train de faire et de dire et Stoner sut soudain de quoi il en retournait : c'était Hollis Lomax. Ou plutôt sa caricature grossière qui s'agitait là devant ses yeux et aux dépens, d'ailleurs, de celui qu'il mimait ainsi sans le savoir à travers une pantomime qui n'était ni du dédain ni de l'irrévérence, mais bien une forme de respect, et d'amour.

Son débit redevint normal et il s'adressait à présent au mur du fond d'une voix calme et posée :

— ... Nous avons eu l'occasion d'entendre très récemment un exposé qui, selon l'Académie, touchait à l'excellence... Les remarques qui vont suivre, je tiens à le préciser, n'auront rien de personnel et il faut les considérer comme une simple illustration de mon propos... Nous avons entendu – et je parle toujours de ce fameux exposé – une prétendue explication du mystère et du lyrisme sublime de l'art de William Shakespeare... Eh bien, je *vous* le dis...

Il pointait l'index vers son auditoire comme s'il voulait tous les empaler :

— Oui, je vous le dis : rien de tout cela n'était vrai !

Il s'adossa à sa chaise et consulta ses notes :

— On nous demande de croire qu'un certain Donatus... obscur *grammairien* du IVe siècle... On nous demande de croire, disais-je, que cet homme, ce pédant, aurait eu le pouvoir d'influencer, de conditionner même, l'œuvre de l'un des plus grands génies de toute l'histoire de l'art... Ne serions-nous pas en droit, face à une telle théorie – puisque c'en est une –, en droit, ou dans le devoir, d'émettre quelques doutes ?

Prenant le pas sur le maelström de sentiments qui l'agitaient depuis le début de cette affaire, une colère simple, sourde s'empara de William Stoner. Sa première réaction fut de se lever et de mettre un terme à la farce qui se jouait devant eux car s'il n'interrompait pas Walker maintenant, il serait obligé de le laisser continuer ainsi *ad nauseam*. Discrètement, il se tourna de biais pour apercevoir le visage de Katherine Driscoll.

Celui-ci était serein et ne manifestait aucune expression particulière si ce n'est une attention polie. Ses grands yeux noirs observaient Walker avec un désintérêt proche de l'ennui. Stoner l'observa ainsi à la dérobée pendant quelques instants. Il se surprit à se demander ce qu'elle ressentait et ce qu'elle aimerait qu'il fît... Quand il la quitta finalement du regard, il dut se rendre à l'évidence : il avait attendu trop longtemps pour pouvoir l'interrompre et l'autre était reparti de plus belle.

— ... de cet édifice monumental qu'est la littérature de la Renaissance et qui est aussi la pierre d'angle de toute la grande poésie du XIXe ! La question de la véracité à laquelle on ne peut couper dans nos cursus universitaires tellement assommants – et qu'il faut bien distinguer de la critique – est aussi, et nous le déplorons, cruellement absente... Quelle *preuve* avons-nous que Shakespeare ait seulement lu cet obscur grammairien romain ? Souvenons-nous que... Ben Jonson (il avait hésité une seconde) oui, Ben Jonson lui-même, contemporain et grand ami de Shakespeare, a affirmé que celui-ci connaissait mal le latin et encore moins le grec... En nous confiant cela, Jonson qui par ailleurs idolâtrait le poète, ne cherche pas à le dénigrer, il veut nous suggérer au contraire – comme je le fais à présent – que le divin lyrisme de Shakespeare n'était pas le fruit d'un travail laborieux, mais la marque d'un génie. D'un génie inné qui ne connut ni loi, ni règle, ni emprunt d'aucune nature ! À la différence de poètes moins brillants, Shakespeare n'est pas né pour s'émouvoir en rosissant ou pour galvauder sa tendresse dans le désert... et encore moins boire à cette eau de cure où se sont abreuvés nos poétaillons... Quel besoin ce barde immortel aurait-il eu de toutes ces règles débilitantes que l'on trouve dans la simple grammaire ? Et quand bien même l'aurait-il lu, que lui aurait apporté ce Donatus ? Car le Génie, le Génie Unique, le Génie qui est une Loi à soi seul, n'a que faire du soutien d'une telle « tradition » comme on nous l'aurait suggéré ici même. Qu'elle soit latine, donatienne ou que sais-je encore... Le Génie – sublime, céleste, et libre – doit...

La colère était toujours là, mais Stoner s'y était accoutumé et à présent, il ne pouvait s'empêcher de l'écouter avec une sorte de fascination malsaine. Car aussi fumeux et bouffi de prétention que fût son discours, son éloquence et ses talents de conteur demeuraient ahurissants. Et, tout grotesque qu'il parût, on ne pouvait lui nier une présence. Il y avait quelque chose de froid, de calculateur, d'animal dans son regard. Quelque chose de bêtement provocateur et d'extrêmement prudent à la fois. Stoner eut conscience qu'il se trouvait là en présence d'un bluff si colossal et tellement cynique qu'il n'était pas de taille à pouvoir lutter.

Car il était clair, même pour le plus inattentif des étudiants présents dans cette salle, que Walker s'adressait à eux sans filet et que, depuis sa première tirade, tout son abattage n'avait été que pure improvisation. Il se demandait même s'il avait seulement eu la moindre idée de ce qu'il allait dire à ses petits camarades avant de monter sur cette estrade pour les regarder de travers. Le fatras de papiers posés devant lui n'était qu'un fatras de papiers et plus il s'échauffait moins il prenait la peine de faire semblant de les consulter. D'ailleurs vers la fin, excité et fébrile comme il était, il les avait carrément repoussés d'un revers de la main.

Il parla pendant près d'une heure. Au bout d'un moment les autres commencèrent à se lancer des œillades inquiètes comme s'ils s'étaient sentis en danger et cherchaient les issues de secours... Bien sûr, ils prenaient bien soin de ne pas regarder dans la direction où Stoner et la jeune femme impassible étaient assis... Et puis soudain – peut-être avait-il senti cette impatience dans les rangs ? – il mit fin à son exposé. Il se cala en arrière sur sa chaise, leva la tête et se fendit d'un sourire triomphal.

Au moment même où il se tut, Stoner se leva d'un bond et annonça que le cours était terminé. Bien qu'il n'en fût pas conscient sur le moment, c'est un peu par charité qu'il avait agi de la sorte : il ne voulait pas laisser aux autres l'occasion de commenter ce qu'ils venaient d'entendre.

Il lui demanda s'il pouvait l'attendre quelques instants. Le jeune homme acquiesça distraitement comme s'il était déjà ailleurs depuis des lustres. Stoner tourna les talons et talonna les quelques étudiants qui se dispersaient dans le couloir. Il aperçut Katherine Driscoll qui s'éloignait, seule. Il l'appela, elle se figea et il pressa le pas pour venir à sa hauteur. Il se tenait devant elle à présent et se sentit de nouveau tout chose, comme la semaine précédente quand il l'avait complimentée à propos de son travail.

— Miss Driscoll, je... Je suis désolé... Tout cela était absolument injuste et je me sens responsable. Peut-être aurais-je dû y mettre un terme plus tôt...

Elle ne répondit rien et son visage resta de marbre. Elle le regardait comme elle avait regardé Walker quelques minutes plus tôt.

— En tout cas, reprit-il encore plus embarrassé, je... Je suis navré qu'il s'en soit pris à vous...

Alors elle lui sourit. Un petit sourire très lent naquit au coin de ses paupières puis lui chatouilla les lèvres jusqu'à ce que tout son visage s'embrasât. C'était une joie, immense, radieuse. Un feu de joie. Stoner aurait presque pu cligner des yeux devant tant de lumière.

— Oh, mais ce n'était pas moi ! rétorqua-t-elle d'une voix enjouée qui essayait, malgré tout, de garder un semblant de sérieux, ce n'est pas du tout de moi dont il était question ! C'est *vous* qu'il attaquait et je crois bien que je n'étais même pas en cause !

Tout à coup, il se sentit allégé d'un fardeau de craintes et de remords qu'il ignorait charrier et dont il ne mesura le poids qu'à cette seconde précise. Ce fut un soulagement presque physique. Ses pieds ne touchaient plus terre et sa tête lui tournait. Il se mit à rire.

— Bien sûr ! Vous avez entièrement raison !

Mais son sourire à elle s'était volatilisé. Elle le dévisagea gravement quelques secondes encore puis hocha la tête, se retourna et quitta le couloir à grands pas. Elle était mince, élégante et se déplaçait avec la grâce éclatante des gens discrets. Il resta là, à contempler le couloir vide, puis soupira et alla rejoindre Walker qui l'attendait.

Celui-ci n'avait pas quitté l'estrade. Il regarda fixement Stoner avant de lui sourire. C'était un rictus étrange où l'arrogance se mêlait à l'obséquiosité. Stoner reprit la place qu'il occupait et l'observa en silence.

Walker minauda :

— Monsieur ?

— Vous avez une explication ? lui demanda-t-il calmement.

Son poupin minois se décomposa. Il semblait surpris et blessé.

— Que voulez-vous dire ?

— Monsieur Walker, s'il vous plaît... continua Stoner soudain très las, la journée a été longue et nous sommes tous les deux bien fatigués... Avez-vous une explication à me fournir à propos de votre... performance de tout à l'heure ?

— Je vous assure, monsieur, je ne voulais offenser personne...

Il ôta ses lunettes, les nettoya fébrilement et cette fois encore, Stoner fut frappé par la vulnérabilité de son visage.

— Pourtant, reprit-il, j'ai bien précisé que mes remarques ne devaient pas être prises à titre personnel. Si je l'ai froissée, je me ferai une joie d'expliquer à cette jeune femme que...

— Monsieur Walker, le coupa-t-il, vous savez très bien que le problème n'est pas là.

— La jeune femme s'est-elle plainte ?

Il remit ses lunettes, ses mains tremblaient et, les ayant de nouveau sur le nez, il put se bricoler une expression indignée :

— Franchement, monsieur, les émois d'une étudiante outragée ne devraient pas...

— Monsieur Walker !

Stoner regretta aussitôt son emportement, il prit une longue goulée d'air :

— Ni cette jeune femme, ni moi, ni quoi que ce soit d'autre ne sont en cause. C'est de votre petit spectacle dont il est question, vous comprenez ? Et j'attends toujours votre explication...

— Alors j'ai bien peur de ne pas comprendre, monsieur... À moins que...

— À moins que quoi ?

— À moins que ce ne soit simplement une affaire de point de vue... J'imagine aisément que nous ne partageons pas les mêmes opinions, seulement j'ai toujours pensé qu'il était sain d'exprimer

195

ses désaccords... Et je croyais que vous aviez suffisamment d'expérience pour...

— Ne jouez pas au plus malin, monsieur Walker... l'interrompit-il d'une voix tout à fait calme. Maintenant, dites-moi... Dans le cadre de ce séminaire, quel sujet étiez-vous censé traiter ?

— Vous êtes en colère.

— Oui. Je le suis. Dans le cadre de ce séminaire, quel sujet deviez-vous traiter ?

Walker se redressa, il répondit sèchement et poliment :

— Mon sujet était *L'Hellénisme et la tradition latine médiévale*, monsieur.

— Et quand avez-vous terminé votre devoir, monsieur Walker ?

— Avant-hier. Comme je vous l'ai déjà dit, il était pratiquement bouclé depuis une quinzaine de jours, mais le livre que j'avais commandé à...

— Monsieur Walker, si votre exposé était *pratiquement* terminé depuis quinze jours, comment diable vous y êtes-vous pris pour le construire entièrement à partir de celui de Miss Driscoll dont vous ignoriez la teneur il y a encore une semaine ?

— J'ai effectué de nombreuses modifications au dernier moment, monsieur... J'ai eu, poursuivit-il avec ironie, la faiblesse de croire que ce n'était pas interdit et je me suis permis de prendre quelques libertés par rapport à mon texte... Comme j'ai entendu d'autres étudiants en faire autant, j'ai pensé que je pouvais, moi aussi, bénéficier d'une telle bienveillance...

Un méchant fou rire épuisé et nerveux le guettait et Stoner dut se mordre les joues pour ne pas y céder.

— Dites-moi, jeune homme, pouvez-vous simplement m'expliquer ce que votre attaque contre

Miss Driscoll a à voir avec les réminiscences de l'hellénisme dans la tradition latine du Moyen Âge ?

— Eh bien, j'ai abordé mon sujet de façon indirecte, monsieur. Je croyais que nous avions droit à une certaine liberté pour mener à bien le développement de nos idées...

Stoner se tut. Tout cela l'accablait. Au bout d'un moment, il lâcha :

— Monsieur Walker, il m'est toujours très pénible de recaler un étudiant de troisième cycle et plus encore de le recaler pour la seule raison qu'il n'est pas à la hauteur de ses prétentions.

— Monsieur ! fit Walker indigné.

— Mais vous me rendez la tâche très difficile, monsieur Walker. Et maintenant, vous ne me laissez plus beaucoup de choix... La dernière chose que je puisse faire pour vous, c'est encore de m'abstenir de sanctionner ce travail et d'attendre que vous m'en rendiez un autre d'ici trois semaines de plus convenable et qui réponde au sujet qui vous a été imposé.

— Mais... Je viens de vous rendre ce travail, monsieur. Si je me pliais à vos exigences, cela signifierait... Cela reviendrait à admettre que...

— Très bien. Alors donnez-moi votre travail. Celui dont vous vous êtes... inspiré tout à l'heure et je verrai ce qui peut être sauvé.

— Mais ! s'écria Walker, je ne suis pas du tout certain de vouloir vous le confier maintenant ! C'est un brouillon très sommaire...

Seulement William Stoner – pas très fier, mais tellement agacé – ne lâcha pas son os :

— Ça n'a aucune importance. Je saurai bien trouver ce que je cherche...

Walker lui jeta un regard sournois :

— Dites-moi, monsieur... Avez-vous déjà demandé à un autre de mes condisciples de vous confier ses notes ?

— Non.

— Eh bien ! rétorqua l'autre triomphalement et tout à son aise, par principe, je me vois dans l'obligation de vous refuser de vous donner mon manuscrit. À moins, bien sûr, que vous ne demandiez à tous les autres d'en faire autant...

Stoner le regarda sans ciller pendant un long moment.

— Parfait, monsieur Walker, vous avez pris votre décision. Vous pouvez disposer à présent.

— Que dois-je comprendre, monsieur ? Que suis-je en droit d'attendre de ce séminaire ?

Stoner eut un rire nerveux.

— Monsieur Walker, vous n'en finirez jamais de me surprendre... Ce que vous êtes en droit d'attendre ? Mais un zéro, bien entendu !

Walker essaya d'allonger le plus possible sa petite bouille ronde et répondit avec toute la douloureuse abnégation du saint martyr :

— Je vois... Très bien, monsieur... Chacun doit être prêt à souffrir pour ses convictions...

— Et pour sa paresse. Et pour sa malhonnêteté. Et pour son ignorance. Monsieur Walker... il me semble tout à fait superfétatoire de vous en parler ici, mais je vous conseille très vivement de reconsidérer votre présence parmi nous... Je me demande vraiment si vous avez légitimement votre place en cours de doctorat...

Pour la première fois depuis qu'il le connaissait, l'émotion de Walker sembla sincère et la colère qui l'ébranla lui conféra une sorte de dignité.

— Monsieur Stoner, vous allez trop loin ! Vous ne pouvez pas penser une chose pareille !

— Je peux. J'en suis même convaincu.

Walker demeura interdit un moment. Il regarda pensivement son professeur et murmura :

— J'étais prêt à accepter sans broncher la note que vous m'auriez attribuée, mais je ne peux accepter ceci. Vous mettez en doute mes compétences.

— Oui, monsieur Walker, répondit Stoner sur un ton très las avant de se lever. Maintenant si vous voulez bien m'excuser...

Et il se dirigea vers la porte.

Mais d'entendre son nom ainsi vociféré derrière son dos le stoppa net. Il se retourna. Le visage du garçon était cramoisi et si bouffi de colère que ses yeux, derrière les verres épais de ses lunettes, semblaient deux boutons de culotte.

— Monsieur Stoner ! hurla-t-il encore, vous n'avez pas fini d'en entendre parler ! Croyez-moi, vous n'avez pas fini d'en entendre parler !

Son professeur le regarda d'un air morne, hocha la tête distraitement, fit volte-face et regagna la sortie. Ses pieds lui semblèrent lourds et ils raclèrent, eux aussi, le sol en ciment.

Toutes ces émotions l'avaient lessivé. Il se sentit très vieux et très fatigué.

X

Il n'eut pas fini d'en entendre parler.

Le premier semestre s'achevant un vendredi, il rendit ses notes le lundi suivant. Comme c'était une part de son travail qui l'ennuyait, il veillait toujours à s'en débarrasser le plus rapidement possible. Il mit un zéro à Walker et n'y pensa plus. Pendant cette semaine charnière entre les deux semestres, il passa le plus clair de son temps à lire les premiers jets de deux thèses qu'il supervisait et qui devaient être soutenues au printemps. Elles n'étaient pas très heureuses et lui demandèrent beaucoup de travail et d'attention. Autant dire que l'incident Walker était loin.

Seulement, deux semaines plus tard, on le lui rappela. Un matin, il trouva dans son casier un petit mot de Gordon Finch lui demandant de passer le voir à son bureau quand il pourrait pour discuter un moment.

L'amitié de Gordon Finch et de William Stoner avait la patine et la simplicité des bonnes vieilles camaraderies d'antan. Décontractée et profonde, mais tellement pudique qu'elle en semblait presque impersonnelle. Ils se voyaient très rarement en dehors de l'université, bien que Caroline Finch se fendît toujours, à l'occasion, d'un petit coup de téléphone à Edith, et quand ils se parlaient, ils avaient toujours à l'esprit leurs années de jeunesse : chacun voyait toujours l'autre comme il était à vingt ans...

Arrivé à la quarantaine, Finch portait beau même s'il accusait les rondeurs de celui qui est sans cesse obligé de surveiller sa ligne. Ses joues commençaient à s'affaisser un peu et une série de petits bourrelets lui striait la nuque, mais son visage empâté n'était pas tellement ridé. En revanche, un début de calvitie l'obligeait à rabattre généreusement sur son crâne dégarni une mèche de cheveux fins de plus en plus longue... L'après-midi où Stoner passa à son bureau, ils échangèrent quelques nouvelles de leurs familles respectives. Par discrétion ou parce que c'était plus simple, Finch faisait toujours comme si tout allait pour le mieux dans le couple de son ami, quant à celui-ci, il ne manquait jamais de jouer les étonnés : Comment ? Caroline et toi avez déjà deux enfants ? Et le plus jeune est à la maternelle ? Et patati et oh là là.

Passé ce petit rituel domestique, Finch regarda distraitement par la fenêtre et dit :

— Bon... De quoi voulais-je te parler déjà... ? Ah, oui ! Sachant que nous sommes amis, le doyen du supérieur m'a chargé de te mettre au courant de... Oh, rien d'important, vraiment...

Il jeta un œil à une note posée sur son agenda :

— Juste un étudiant furieux qui pense qu'il a été saqué à l'un de tes cours le semestre dernier...

— Walker, répondit Stoner. Charles Walker.

Finch acquiesça :

— C'est bien lui. Qu'est-ce qui s'est passé ?

— Tout ce que je peux dire, reprit William en haussant les épaules, c'est qu'il n'a jamais lu aucun des textes imposés... Je te parle de mon séminaire sur la tradition latine... Ensuite il a essayé de me gruger avec son exposé et quand je lui ai donné une chance d'en recommencer un autre ou de me soumettre une copie de son travail, il a refusé tout net. Franchement, je n'avais pas d'autre choix que de le recaler...

— C'est bien ce que je pensais, soupira Finch. Dieu sait que j'aimerais ne pas perdre mon temps avec des histoires pareilles, mais bon... je suis obligé de mener ma petite enquête... Autant pour te couvrir que pour le reste d'ailleurs...

Stoner demanda :

— Mais... Il y a un problème ?

— Non, non, pas du tout... Juste une doléance... Tu sais bien comment ça se passe... Il se trouve que Walker avait déjà à peine la moyenne à son premier cursus et nous pourrions le virer du programme de doctorat dès maintenant si nous le voulions, seulement il a été convenu que nous le laisserions passer ses oraux préliminaires le mois prochain. Comme ça la sanction tombera d'elle-même. Je suis désolé d'avoir dû t'embêter avec ça...

Et ils parlèrent d'autre chose.

Mais au moment où Stoner allait prendre congé, Finch le retint encore un instant et lança sur un ton désinvolte :

— Au fait, j'ai oublié de te dire... Le grand chef et tout le conseil d'administration ont finalement décidé que ça ne pouvait plus durer comme ça avec le vieux Claremont... Donc, je pense que d'ici le début de l'année prochaine, je serai le doyen *officiel* des Arts et des Lettres...

— Magnifique ! Il était temps... !

— Ce qui signifie que nous devons trouver un nouveau président pour le département de littérature... Tu as des idées ?

— Non. Je n'y ai même jamais songé.

— Soit nous choisissons quelqu'un de l'extérieur, soit nous demandons à l'un des membres du département de prendre sa place... et ce que j'essaye de savoir, c'est... Au cas où nous déciderions de prendre quelqu'un d'ici, est-ce que... Eh bien, est-ce que le job t'intéresserait ?

Stoner prit le temps de la réflexion.

— Je n'y avais jamais pensé, mais... non. Je ne crois pas...

Son vieil ami Gordon manifesta son soulagement d'une façon si peu discrète qu'il ne put s'empêcher d'en sourire.

— Parfait ! C'est bien ce que je pensais de toute façon. C'est tellement d'emmerdements... Sans compter toutes les mondanités qu'il faut se cogner...

Il détourna son regard de Stoner et continua :

— Je savais bien que ce n'était pas ta tasse de thé, mais depuis que Sloane est mort et que Huggins et... comment il s'appelle déjà ? Cooper ont pris leur retraite l'année dernière, c'est toi le plus ancien... Mais bon, si tes dents ne rayent pas le parquet quand tu passes devant la porte du bureau de Claremont, alors...

— Absolument pas ! assura Stoner. Je serais probablement un président lamentable et ce n'est même pas la peine de me convoquer pour un éventuel entretien.

— Bien... Voilà qui simplifie grandement les choses...

Ils se saluèrent et, de nouveau, Stoner oublia complètement ce qui s'était dit entre ces murs.

*
* *

La première série d'oraux de Charles Walker était programmée pour la mi-mars et Stoner fut assez surpris de recevoir une note de Finch l'informant qu'il avait été désigné comme l'un des trois membres de son jury. Il alla le voir pour lui rappeler qu'il avait recalé ce garçon et que celui-ci l'avait pris comme une attaque personnelle ; il souhaitait donc être relevé de cette fonction.

— Le règlement, lui rétorqua-t-il en levant les yeux au ciel, tu sais bien comment ça se passe... Le jury doit être composé du directeur de thèse du candidat, d'un de ses professeurs de séminaires et d'un troisième larron qui n'ait rien à voir avec sa spécialité... Lomax est son directeur, toi tu es le seul qu'il ait jamais eu en séminaire et comme œil extérieur, j'ai choisi un petit nouveau : Jim Holland. Il y aura aussi Rutherford, le doyen du supérieur, et moi. Je ferai tout ce qui est en mon pouvoir pour que ça se passe sans accroc...

Seulement c'était une épreuve qui ne pouvait pas se dérouler sans accroc. Bien que Stoner fût bien décidé à poser le moins de questions possible, les règles qui régentaient tout oral préliminaire étaient inflexibles : chaque examinateur disposait de quarante-cinq minutes pour interroger le candidat sur des sujets de son choix et les deux autres avaient le droit d'intervenir.

Cet après-midi-là, il fit exprès d'arriver tard dans la grande salle de réunion située au troisième étage de Jesse Hall. Walker était assis tout au bout d'une longue table impeccablement cirée et, en face de lui, se tenaient déjà les quatre autres examinateurs : Finch, Lomax, le nouveau et Henry Rutherford. Stoner se coula jusqu'à eux et s'installa le plus loin possible du candidat. Finch et Holland le saluèrent d'un petit hochement de tête, Lomax, avachi sur son siège, regardait droit devant lui tandis que ses longs doigts pâles pianotaient sur la table. Walker, la nuque bien droite, soutenait leur regard à tous d'un air dédaigneux.

Rutherford s'éclaircit la voix :

— Ah ! Monsieur... (Il consulta ses notes)... Stoner.

C'était un homme mince aux épaules voûtées. Ses sourcils et ses paupières tombantes lui conféraient un air un peu doux et toujours accablé, et bien qu'il connût Stoner depuis de nombreuses années, il était incapable de retenir son nom. Il se racla de nouveau la gorge :

— Nous allions justement commencer...

Stoner hocha la tête. Il posa ses avant-bras sur la table, croisa ses mains et les contempla en écoutant Rutherford ânonner les préambules officiels de rigueur :

— Monsieur Walker allait être interrogé... (La voix de Rutherford s'était changée en une sorte de bourdonnement soporifique)... pour déterminer son aptitude à pouvoir continuer de suivre un programme de doctorat en littérature anglaise à l'université du Missouri...

C'était un examen auquel tous les candidats au doctorat étaient soumis et son but n'était pas seulement de juger ses compétences générales, mais aussi de déterminer ses points forts et ses faiblesses de façon à l'orienter le mieux possible pour les années à venir... Trois résultats étaient envisageables : passage accepté, passage sous condition ou échec.

Rutherford décrivit les termes de ces trois éventualités et, sans lever les yeux, procéda à la présentation habituelle des examinateurs et du candidat. Puis il poussa sa feuille de papier loin devant lui et adressa un regard morne à son entourage.

— Et selon la tradition, reprit-il faiblement, c'est au directeur de thèse du candidat de commencer. Ainsi, monsieur... (de nouveau ses notes)... Lomax, la parole est à vous...

Lomax sursauta vivement comme si on venait de le tirer de sa léthargie. Un petit sourire aux lèvres, il les regarda tous en clignant des yeux. Mais son regard était vif et parfaitement aiguisé...

— Monsieur Walker, vous avez décidé de vous intéresser à Shelley et l'idéal grec. J'imagine bien que vous n'êtes pas encore arrivé au bout de votre sujet, mais pourriez-vous d'ores et déjà nous parler de vos motivations ainsi que du contexte et des raisons qui ont présidé à ce choix en particulier ?

Walker hocha la tête et fonça bille en tête :

— Je me propose de montrer la façon dont Shelley a rejeté l'utilitarisme de Godwin pour un idéal, plus ou moins inspiré par Platon, dans *L'Hymne à la Beauté de l'Esprit* et de montrer comment il s'est servi – et avec quelle maturité – de cet idéal dans *Prométhée délié* pour en faire une synthèse absolue de ce qui était jusque-là son athéisme, son radicalisme, sa chrétienté et son utilitarisme scientifique puis de conclure en rendant compte du déclin de cet idéal dans un travail tardif comme *Hellas*. Il me semble que c'est un sujet très important pour trois raisons : premièrement, il montre la puissance intellectuelle de Shelley et nous aide ainsi à goûter mieux encore sa poésie. Deuxièmement, il nous expose les grands conflits philosophiques et littéraires du début du XIXe et nous permet par là même de mieux comprendre, et donc apprécier, la poésie romantique. Et troisièmement, c'est un sujet qui peut avoir une pertinence, je dirais même une résonance particulière aujourd'hui dans la mesure où nous sommes, nous aussi, confrontés aux mêmes crises morales et intellectuelles que Shelley et ses contemporains...

Stoner était attentif et son étonnement allait grandissant. Il n'arrivait pas à croire que l'homme qui s'exprimait à présent était le même que le trublion qui avait suivi son séminaire et qu'il croyait connaître. Sa présentation était limpide, lumineuse et intelligente ; brillante, même, à certains moments. Lomax avait raison : si cette thèse tenait ses promesses, elle ferait date. Espoir, chaleur et exaltation le piquèrent au vif et il se pencha en avant pour ne pas en perdre une miette.

Walker parla ainsi de son sujet pendant peut-être une dizaine de minutes puis s'interrompit sans crier gare. Lomax lui posa aussitôt une autre question à laquelle il répondit sur-le-champ. Gordon Finch attrapa le regard de Stoner pour lui signifier, discrètement, son étonnement. Stoner lui répondit par un petit sourire confus et haussa les épaules.

Quand Walker s'arrêta de nouveau, Jim Holland prit aussitôt la parole. C'était un jeune homme mince, intense et pâle avec des yeux clairs et légèrement globuleux. À dessein, il s'exprimait très lentement d'une voix hésitante comme s'il s'obligeait à une sorte de retenue.

— Monsieur Walker, vous avez mentionné un peu plus tôt l'utilitarisme de Godwin. Je me demandais si vous pouviez faire un lien entre cette philosophie et la théorie de la connaissance de John Locke ?

Stoner se souvint alors qu'il était un spécialiste, lui, du XVIIIe...

Silence. Walker se tourna dans sa direction, ôta ses petites lunettes rondes et se mit à les astiquer avec son mouchoir. Ses yeux papillotaient dans le vide. Il les remit sur son nez, cligna de nouveau et dit :

— Pourriez-vous répéter votre question, s'il vous plaît ?

Holland ouvrit la bouche, mais Lomax le coupa :

— Jim..., lui demanda-t-il d'une voix suave, me permets-tu d'étoffer quelque peu ta question ?

Sans attendre sa réponse, il se tourna vers Walker :

— Monsieur Walker, allons plus loin dans la question que vient de vous poser le professeur Holland et ce qu'elle sous-entend... À savoir que Godwin a validé la théorie de Locke quant à l'exceptionnelle nature de l'entendement humain – la théorie des idées innées, l'ardoise vierge et toutes ces choses... – mais que, comme ce dernier, il était convaincu que la connaissance et le libre arbitre – déformés, tronqués qu'ils étaient par les accidents de la passion et par une ignorance somme toute inévitable – pouvaient être corrigés par l'éducation... Étant donné ces implications, donc, pourriez-vous nous commenter le principe de la connaissance selon Shelley et plus particulièrement le principe de la beauté dont il est question dans les dernières strophes de son poème *Adonaïs* ?

Holland, perplexe, s'éloigna de la table en fronçant les sourcils et se cala dans son siège.

Walker embraya :

— Bien que les premières strophes d'*Adonaïs*, ce poème de Shelley écrit en hommage à son ami et pair John Keats après sa mort, soient d'une facture plutôt convenue avec ses allusions à la figure de la Mère, des Heures, d'Uranie, etc., et toute sa litanie d'invocations, le vrai classicisme au sens noble du mot n'apparaît que dans les dernières strophes. Lesquelles sont en effet un hymne sublime au Principe Éternel de la Beauté. D'ailleurs, attardons-nous un instant sur ces quelques vers incontournables :

> *Life, like a dome of many-colored glass,*
> *Stains the white radiance of eternity,*
> *Until Death tramples it to fragments.*[1]

Le symbolisme sous-jacent dans ces vers ne devient clair que lorsqu'on les replace dans leur contexte. L'Unique « *demeure* » écrit Shelley quelques lignes plus haut alors que le Multiple « *change et passe* »... Nous viennent alors à l'esprit les vers tout aussi célèbres du grand Keats :

> *Beauty is truth, truth Beauty – that is all*
> *Ye know on earth, and all ye need to know.*[2]

Le fondement de tout serait alors la Beauté, mais la beauté... c'est aussi la connaissance... Concept qui prend ses racines dans...

---

1. *La Vie, tel un dôme fait de vitraux multicolores,*
Souille l'éclat blanc de l'éternité,
Jusqu'à ce que la Mort la réduise en mille morceaux.
2. *Ode à une urne grecque :*
La Beauté est Vérité, la Vérité est Beauté
C'est tout ce que tu apprends sur terre et il n'y a rien d'autre à savoir.

La voix de Walker continuait ainsi, maîtrisée et limpide. Ses lèvres remuaient et les mots lui venaient promptement, aisément. C'était presque comme si... Stoner s'interdit d'aller au bout de sa pensée et l'enthousiasme qu'il venait de ressentir disparut aussi vite qu'il était né. L'espace d'un instant, il se sentit physiquement indisposé. Il baissa la tête, regarda la table et aperçut entre ses coudes le reflet de son visage sur le beau poli du plateau en noyer. L'image était sombre et il était méconnaissable, mais c'était comme s'il voyait là, défiant la matière, la figure d'un spectre venu le saluer.

Lomax mit un terme à son interrogatoire pour laisser son tour à Holland et ce fut, Stoner l'admettait bien volontiers, un grand morceau de bravoure... Discrètement, avec beaucoup de charme et de bonne humeur, Lomax tira toutes les ficelles. Parfois, quand Holland demandait quelque chose, il feignait un désarroi bon enfant et exigeait une clarification. D'autres fois, et tout en s'excusant d'être aussi enthousiaste, il exploitait une autre de ses questions avec des spéculations de son cru pour amener Walker dans la discussion de façon à ce que celui-ci donnât l'illusion d'en être aussi. Il reformulait les questions (toujours en s'excusant platement) en les modifiant de manière à ce que leurs intentions premières fussent justement noyées dans leurs éclaircissements. Il engageait Walker sur des terrains qui semblaient être des raisonnements théoriques très élaborés et finissait par se charger de toute leur argumentation. Enfin, et toujours en se confondant en excuses, il se débrouilla pour glisser dans l'interrogatoire de Holland des tas de petites questions impromptues qui permirent à Walker d'aller exactement là où il voulait qu'il aille...

Pendant tout ce temps, Stoner ne prononça pas le moindre mot. Il écoutait ce flot de paroles qui tourbillonnaient autour de lui. Il contemplait le visage de Finch devenu aussi lourd et figé qu'un masque de pierre. Il observait Rutherford assis là-bas, les yeux fermés, qui opinait du chef avec la régularité d'un métronome. Et il regardait James Holland, ce jeune collègue que le dédain courtois de Walker et l'entrain fiévreux de Lomax plongeaient dans des abîmes de perplexité. Il attendait de faire ce qu'il savait devoir faire et il attendait ce moment avec une terreur, une colère et un chagrin qui allaient grandissant à mesure que les minutes s'écoulaient. Il fut soulagé qu'aucun de leurs regards ne croisât le sien tandis qu'il les dévisageait ainsi.

Enfin, le temps imparti à Holland fut écoulé. Comme si, d'une certaine manière, il participait à l'effroi de Stoner, Finch regarda sa montre en hochant la tête, mais ne souffla pas un mot.

Stoner prit sa respiration. Lentement. Tête baissée et le regard toujours braqué vers son fantôme de visage, il annonça, impassible :

— Monsieur Walker, je vais vous poser quelques questions sur la littérature anglaise. Ce seront des questions simples qui ne nécessiteront pas de réponses compliquées. Je vais vous interroger en suivant un ordre chronologique et je vais continuer ainsi jusqu'à la fin du temps qui m'est imparti. Pourriez-vous, s'il vous plaît, commencer par me décrire les grands principes de la versification anglo-saxonne ?

— Oui, monsieur, répondit Walker, le visage soudain très crispé. Pour commencer je dirais que les poètes anglo-saxons du Moyen Âge ne bénéficiaient pas de la sensibilité dont feront preuve plus tard les autres poètes de la tradition anglaise. J'ajouterais même que leur poésie était caractérisée par un certain... primitivisme. Cependant, à l'intérieur même de ce primitivisme, il y a, en germe, l'idée – peut-être difficile à percevoir pour certains – l'idée, disais-je, d'une subtilité de sentiment que caractérise...

— Monsieur Walker, le coupa Stoner, je vous ai interrogé sur les principes de versification. Pouvez-vous me les donner ?

— Eh bien, monsieur, ils sont assez frustes et encore flous. Euh... je parle de ces principes, bien sûr...

— Et c'est là tout ce dont vous pouvez m'en dire ?

— Monsieur Walker, intervint Lomax à brûle-pourpoint (et même un peu paniqué, pensa Stoner), cette âpreté que vous venez d'évoquer... pourriez-vous l'illustrer en nous citant...

— Non, rétorqua fermement Stoner sans lever les yeux. Tout ce que je veux, c'est une réponse à ma question. Est-ce là tout ce que vous pouvez nous dire au sujet de la versification anglo-saxonne ?

— C'est-à-dire que...

Le sourire, le rictus plutôt, de Walker se transforma en une sorte de ricanement nerveux.

— ... pour vous parler franchement, je n'ai pas encore suivi le cours de littérature anglo-saxonne au programme et j'hésite à m'aventurer sur un sujet que je maîtrise encore mal...

— Très bien. Laissons de côté la littérature anglo-saxonne. Pouvez-vous me citer une pièce de théâtre du Moyen Âge qui ait influencé l'avènement du théâtre de la Renaissance ?

— Bien sûr, acquiesça Walker. Toutes les pièces du Moyen Âge ont, à leur façon, conduit à ce magnifique accomplissement qu'est la Renaissance. Il est difficile de réaliser que, de ce sol aride allait fleurir quelques années plus tard le théâtre de Shakespeare et...

— Monsieur Walker, je vous pose des questions simples et, j'insiste, j'attends que vous y répondiez le plus brièvement possible. D'ailleurs, je vais vous les simplifier encore : citez-moi trois pièces du Moyen Âge.

— Du début ou de la fin ? demanda l'autre en retirant ses lunettes et en s'acharnant de nouveau sur leurs verres.

— N'importe lesquelles. Juste trois.

— Il y en a tellement, c'est difficile de... Il y a *Everyman*...

— Pouvez-vous m'en citer d'autres ?

— Non, monsieur. Je dois confesser une certaine faiblesse dans ces périodes que vous...

— Pouvez-vous me citer d'autres titres ? Les titres me suffisent... De n'importe quelle œuvre littéraire du Moyen Âge ?

Les mains de Walker tremblaient.

— Comme je viens de vous le dire, monsieur, je dois avouer que c'est une période qui...

— Bon... Passons à la Renaissance. Dans quel genre vous sentez-vous le plus à l'aise dans cette période-ci, monsieur Walker ?

— Le...

Walker hésitait et jeta malgré lui un regard suppliant à Lomax.

— ... la poésie, monsieur. Ou... Le théâtre. Oui, le théâtre, peut-être...

— Va pour le théâtre. Quelle est la première tragédie anglaise écrite en vers non rimés, monsieur Walker ?

— La première ? répéta-t-il en humectant ses lèvres. C'est là une question qui divise encore les spécialistes, monsieur, et j'hésiterais donc à...

— Pouvez-vous me donner le titre de n'importe quelle pièce écrite avant Shakespeare ?

— Certainement. Il y a Marlowe, dont Ben Jonson a loué la « ligne puissante » et...

— Citez-moi des pièces de cet auteur.

Walker fit un grand effort pour se ressaisir :

— Il y a bien sûr le célèbre *Docteur Faustus* et... et le... *Le Juif de Malfe*.

— *La Tragique Histoire du Docteur Faust* et *Le Juif de Malte*, oui... Pouvez-vous m'en citer d'autres ?

— Franchement, monsieur, ce sont là les deux seules pièces que j'ai eu l'occasion de relire récemment donc je préférerais ne pas...

— Très bien. Dans ce cas, parlez-moi du *Juif de Malte*.

— Monsieur Stoner ! s'écria Lomax, si je puis me permettre d'élargir votre question et si vous pou...

— Non, fit Stoner sans le regarder, tout ce que je veux ce sont des réponses simples. Monsieur Walker ?

À l'agonie, celui-ci murmura :

— La ligne puissante de Marlowe, disais-je...

— Oublions cette... ligne puissante, le coupa Stoner d'une voix lasse, dites-moi seulement de quoi parle la pièce.

— Eh bien, reprit Walker extrêmement fébrile, Marlowe aborde le problème de l'antisémitisme qui a commencé à sévir au début du XVIe. La compassion, je dirais même la profonde compassion que...

— Peu importe, monsieur Walker, continuez à...

Lomax sortit de ses gonds :

— Mais laissez le candidat répondre à la question ! Donnez-lui au moins le temps de répondre !

— Parfait, répondit doucement Stoner, voulez-vous développer votre réponse, monsieur Walker ?

L'autre hésita un moment.

— Nnn... non, monsieur.

Sans ciller, William Stoner poursuivit son interrogatoire. Et ce qui avait été de la colère ou de l'indignation à l'encontre de Walker et de Lomax se transforma en une sorte de pitié et d'écœurement. Au bout d'un moment, il eut l'impression d'être sorti de lui-même. Il était là sans y être et écoutait cette voix, la sienne, qui continuait et insistait encore et encore. Tranquille et implacable.

Enfin, il s'entendit déclarer :

— Très bien, monsieur Walker. Votre période de prédilection est le XIXᵉ. Manifestement vous ne savez pas grand-chose sur toute la littérature qui précède, mais peut-être vous sentirez-vous plus à votre aise en compagnie des poètes romantiques...

Il essaya de ne pas le regarder, mais il ne pouvait s'empêcher de lever les yeux de temps à autre vers cette face poupine et hébétée qui le fixait avec une sorte de malveillance haineuse.

Walker opina.

— Vous connaissez bien les poèmes les plus importants de Lord Byron, n'est-ce pas ?

— Évidemment.

— Alors auriez-vous la gentillesse de nous dire quelques mots à propos de *Bardes anglais et critiques écossais*[1] ?

---

1. *Bardes anglais et critiques écossais* est un poème satirique de Lord Byron publié anonymement en 1809. C'était sa réponse, sous forme de pamphlet, à une très mauvaise critique parue dans *The Edinburgh Review* à propos de son premier recueil de poèmes *Hours of Idleness* (« Heures d'oisiveté »). *(N.d.T.)*

Walker leva la tête, le regarda de travers pendant quelques secondes puis se fendit d'un grand sourire :

— Ah ! s'exclama-t-il en secouant la tête, je vois... Oui, maintenant je vois... Vous essayez de me feinter ! Bien sûr ! *Bardes anglais et critiques écossais* n'est pas du tout de Byron. C'est la fameuse réponse de John Keats aux journalistes qui avaient voulu ruiner sa réputation de poète après la publication de ses premiers poèmes ! Oh, très fort, monsieur... Très très fort...

— Ce sera tout, monsieur Walker, conclut Stoner d'une voix lasse. Je n'ai pas d'autres questions.

Silence dans l'assemblée.

Enfin Rutherford s'éclaircit la voix, farfouilla dans ses papiers et leva la tête :

— Merci, monsieur Walker. Pouvez-vous sortir quelques instants ? Le jury va maintenant délibérer et vous fera part de sa décision...

Walker avait profité de cet intermède pour se ressaisir. Il se leva, posa sa main inerte sur la table et les gratifia tous d'un sourire un peu condescendant :

— Messieurs, je vous remercie. Ce fut une expérience tout à fait intéressante.

Il quitta les lieux en boitillant et referma la porte.

— Eh bien, messieurs... soupira Rutherford, qu'avez-vous à dire ?

Silence de nouveau.

Et je ne chanterais pas, de peur peut-être que des critiques écossaises/M'adoubent écrivaillon et dénoncent ma muse ?/Préparez-vous à entendre des rimes que je vais publier, à tort ou à raison/Les imbéciles me servent de thème et la satire de cadence.

— Pour ce qui me concerne, dit Lomax, je trouve qu'il s'en est plutôt bien tiré... Il a aussi été assez convaincant avec vous, Holland, mais je dois bien admettre que je suis déçu par la façon dont s'est déroulée la dernière partie de l'interrogatoire. Enfin... j'imagine qu'il commençait à accuser une certaine fatigue à ce moment-là... Ce garçon est un très bon étudiant, mais il perd tous ses moyens quand il se sent sous pression or...

Lomax se tourna vers Stoner et lui lança un petit rictus peiné.

— ... or tu n'y es pas allé de mainmorte, Will, tu ne peux pas le nier... Je vote pour.

— Monsieur euh... Holland ? continua Rutherford.

Holland regarda Lomax puis Stoner. Il fronçait les sourcils et semblait tout à fait dérouté.

— C'est-à-dire que... le candidat me paraît extrêmement faible... Je ne sais que dire... articula-t-il lentement, c'est la première fois que je fais passer un oral et je ne sais pas exactement quels sont vos critères, mais... mais enfin, il me semble vraiment faible, quoi... Pouvez-vous me laisser une minute de réflexion ?

Rutherford acquiesça.

— Et vous, monsieur euh... Stoner ?

— Recalé. C'est un échec, indéniablement.

— Allons, William ! tempêta Lomax, tu es un peu dur avec ce garçon, non ?

— Non, répliqua-t-il calmement en continuant de regarder droit devant lui. Je ne le suis pas et tu le sais parfaitement, Holly...

— Qu'est-ce que tu sous-entends par là ? l'apostropha Lomax en montant d'un ton pour donner à sa voix quelque résonance mélodramatique. Dis-nous ce que tu sous-entends !

— Je t'en prie, Holly... Ce garçon est nul et il n'y a rien à redire là-dessus. Mes questions étaient celles que j'aurais pu poser au premier bizut venu et il a été incapable de donner une réponse satisfaisante à la moindre d'entre elles. Il est paresseux et malhonnête. Au cours de mon séminaire, il...

— Ton séminaire ! s'esclaffa l'autre méchamment, oui, j'en ai entendu parler ! De toute façon, ce n'est pas le propos. Ce qui nous importe, c'est ce qu'il a fait aujourd'hui et il est clair que... (Ses yeux se plissèrent.) Il est clair qu'il s'est plutôt bien débrouillé jusqu'à ce que tu commences à t'acharner sur lui.

— Non. Je lui ai juste posé des questions. Les plus simples qui me soient venues à l'esprit. Et j'étais tout à fait disposé à lui laisser toutes ses chances.

Il fit une pause puis reprit avec bienveillance :

— Tu es son directeur de thèse, vous avez eu souvent l'occasion d'aborder son sujet ensemble et, fatalement, il a été capable de répondre parfaitement à toutes tes questions, mais sitôt qu'on s'éloignait un peu de...

Lomax s'étrangla :

— Mais qu'est-ce que tu sous-entends encore ? ! Serais-tu en train d'insinuer que je... Qu'il y ait eu la moindre...

— Je n'insinue rien du tout. Je dis simplement que de mon point de vue, ce candidat n'a pas été à la hauteur et que je ne peux donc pas valider sa prestation d'aujourd'hui...

— Écoute, se radoucit Lomax en essayant de lui sourire, je suis tout à fait conscient que, connaissant son travail, il m'est plus facile à moi de lui faire confiance qu'à toi... Il a suivi plusieurs de mes cours et... enfin... peu importe. Je suis prêt à transiger, je suis prêt à lui accorder un passage sous condition. Ce qui signifierait qu'il serait obligé de bûcher encore quelques semestres et ensuite il...

— En effet, déclara Holland soulagé, cela me semblerait plus logique que de lui donner son passage définitif. Je ne connais pas ce garçon personnellement, mais il est évident qu'il n'est pas prêt à...

— Parfait, fit Lomax en décochant un grand sourire à son jeune collègue, l'affaire est donc classée. Nous le...

— Non, le coupa Stoner. Je vote contre.

— Mais bon Dieu, s'égosilla Lomax, est-ce que tu réalises ce que tu es en train de faire, Stoner ? Est-ce que tu réalises ce que tu es en train de faire à ce garçon ?

— Oui, répondit-il calmement, et je suis désolé pour lui. Je suis en train de l'empêcher d'obtenir cet examen et d'aller enseigner dans un lycée ou une faculté. Ce qui est exactement mon objectif. Faire de lui un professeur serait... désastreux.

Lomax se raidit.

— C'est là ton dernier mot ? lui demanda-t-il sur un ton glacé.

— Oui.

— Eh bien, répliqua Lomax en secouant la tête, laissez-moi vous prévenir, professeur Stoner, je n'ai pas l'intention d'en rester là. Vous avez... Vous avez laissé entendre certaines accusations aujourd'hui qui... Vous avez causé un préjudice qui... que...

— Messieurs, s'il vous plaît... les supplia Rutherford qui semblait au bord des larmes, ne perdons pas de vue l'affaire qui nous occupe. Comme vous le savez, le candidat ne peut être reçu qu'à l'unanimité. N'y aurait-il vraiment aucune manière de régler ce différend ?

Aucune réponse.

Le doyen poussa un long soupir :

— Bon, eh bien je n'ai pas d'autre choix que de déclarer ce candidat...

— Une minute...

C'était Gordon Finch. Il avait été tellement discret jusque-là que tous avaient fini par oublier sa présence. Il se redressa légèrement et, sans quitter la table des yeux, annonça d'une voix lasse mais déterminée :

— En ma qualité de président en fonction de ce département, je tiens à vous faire une recommandation... une suggestion plutôt, et j'ai bon espoir d'être entendu. Je vous suggère de laisser passer deux jours avant de vous prononcer de manière définitive. Cela nous laissera le temps de prendre un peu de recul et d'en discuter plus calmement.

— Il n'y a rien à discuter, pesta Lomax, si Stoner veut le...

— J'ai parlé, le coupa Finch sans la moindre animosité, et je tiens à être écouté. Monsieur le doyen Rutherford, je vous propose de prévenir le candidat que notre décision est reportée à une date ultérieure...

Ils trouvèrent Walker assis dans le couloir. Nonchalant. Il fumait une cigarette et regardait le plafond d'un air distrait. Il s'ennuyait.

— Monsieur Walker ! appela Lomax en clopinant dans sa direction.

Il se leva. Ayant quelques centimètres de plus que son professeur, il dut baisser les yeux.

— Monsieur Walker, on m'a prié de vous informer que le jury n'a pas été en mesure de statuer sur votre cas aujourd'hui et que vous aurez sa réponse définitive seulement après-demain.

Cependant, je vous assure que – il éleva la voix – que vous n'avez aucune raison de vous inquiéter... Aucune raison !

Walker demeura interdit un moment puis les dévisagea tous les uns après les autres avant d'ajouter tranquillement :

— Je vous remercie de nouveau, messieurs, de... de votre considération...

Disant cela il attrapa le regard de Stoner et une ébauche de sourire lui frisotta les lèvres.

Gordon Finch s'enfuit sans ajouter un mot, Stoner, Rutherford et Holland s'éloignèrent en bavardant et Lomax et Walker fermaient le ban. Le grand professeur entretenait déjà son poulain de sujets autrement plus nobles...

— Eh bien, ajouta Rutherford qui se tenait entre Holland et Stoner, c'est là un des côtés de notre métier qui n'est vraiment pas plaisant... de quelque côté que nous nous situions, il n'y a rien à dire, la tâche est ingrate...

— Elle l'est, rétorqua Stoner avant de leur fausser compagnie.

Il descendit l'escalier en marbre. Ses pas devinrent plus rapides à mesure qu'il approchait le rez-de-chaussée et il se précipita au-dehors. Il aspira l'air embrumé à pleins poumons et en reprit une autre grande goulée comme un nageur qui serait resté trop longtemps en apnée, puis il regagna lentement sa maison.

*
* *

Tôt le lendemain après-midi, à l'heure où il aurait pu ou dû déjeuner, il reçut un coup de téléphone de la secrétaire de Gordon Finch. Celui-ci voulait le voir immédiatement.

Il semblait nerveux. À peine Stoner eut-il franchi la porte qu'il se leva et lui indiqua le fauteuil qu'il avait déplacé exprès à côté de son bureau.

— C'est à propos de l'affaire Walker ?

— En un sens, oui... soupira Gordon. Lomax a demandé à nous voir tous les deux pour essayer d'arranger les choses et ce ne sera pas une partie de plaisir... Je voulais te parler seul à seul quelques minutes avant de le faire entrer.

Il reprit place dans son gros fauteuil pivotant et se balança un moment d'avant en arrière en dévisageant son hôte. Enfin, il annonça tout à trac :

— Lomax est quelqu'un de bien.

— Je sais. Je pense même que, d'une certaine façon, c'est le meilleur de...

Comme s'il ne l'avait pas entendu, Finch poursuivit :

— Il a ses faiblesses, mais il les garde pour lui et quand il y a des problèmes, eh bien, en général il arrive à les surmonter... C'est vraiment ennuyeux que toute cette histoire tombe maintenant... On ne pouvait pas trouver pire moment. Une scission au sein du département en ce moment, c'est...

Finch secoua la tête.

— Gordon, s'inquiéta Stoner, j'espère que tu n'es pas en train de...

L'autre leva la main :

— Attends. J'aurais préféré te le dire plus tôt, mais bon, ce n'était pas censé sortir maintenant et il n'y a rien d'officiel... D'ailleurs je te parle à titre confidentiel... Tu... tu te souviens de notre conversation à propos d'un nouveau président, il y a quelques semaines ?

Stoner acquiesça.

— Eh bien, c'est Lomax. Enfin ce sera lui. Le nouveau président. L'affaire est réglée. La suggestion est venue d'en haut, mais je dois t'avouer que j'étais d'accord... (petit rire) bon... je n'avais pas tellement le choix, je crois ! Mais quand bien même l'aurais-je eu que j'aurais donné mon accord. Mais, maintenant, je... je ne sais plus...

— Je vois, murmura Stoner.

Il resta pensif un moment puis ajouta :

— Je suis content que tu ne me l'aies pas dit plus tôt. Je ne pense pas que cela aurait fait la moindre différence, mais au moins ça n'a pas brouillé la donne...

— Mais bon sang, Will ! Il faut que tu comprennes ! Je me fous totalement de ce Walker, de Lomax ou même de... Mais *toi*, toi tu es un ami ! Écoute, je pense que c'est toi qui as raison... Enfin, non, je sais que c'est toi qui as raison, seulement soyons un peu réalistes : Lomax prend tout ça très à cœur et il n'est pas près de lâcher le morceau. Si cette histoire s'envenime, ça va être l'enfer. Le bonhomme peut être mauvais et très rancunier et tu le sais aussi bien que moi. Il ne pourra pas te virer, mais te gâcher l'existence, ça oui... Et jusqu'à un certain point, eh bien, je serai obligé de le suivre...

Il rit de nouveau, mais un peu plus jaune.

— Bon sang, non, pas jusqu'à un certain point, jusqu'au bout ! Si un doyen commence à revenir sur les décisions de l'un de ses présidents, il faut qu'il le vire... Maintenant, si Lomax dépasse les bornes, je peux toujours m'opposer à sa prise de fonction. Je peux essayer du moins... J'ai peut-être même une chance d'être entendu... Ou peut-être pas... Mais même si j'essaye, il y aura du grabuge dans le département. Voire plus haut. Et ça fera du bruit...

Finch se sentit soudain très embarrassé, il ajouta :

— Je suis obligé de prendre tout ça en compte...

Puis regardant Stoner droit dans les yeux :

— Tu comprends ce que j'essaye de te dire là, ou pas ?

Stoner fut pris d'une grande bouffée d'affection et de profond respect pour son vieux camarade, il lui sourit :

— Bien sûr, Gordon, bien sûr. Est-ce que tu pensais le contraire ?

— Parfait, soupira Finch. Une chose encore... Ne me demande pas comment c'est possible, mais Lomax tient le grand patron par le bout du nez et il en fait ce qu'il veut, donc ça peut être encore plus sanglant que tu n'imagines... Écoute, Will, tout ce que tu as à faire, c'est de dire que tu es revenu sur ta décision. Tu peux même te défausser sur moi si tu veux. Tu n'as qu'à dire que c'est moi qui t'ai...

— Le problème n'est pas de perdre la face, Gordon...

— Je sais. Je me suis mal exprimé. Vois-le plutôt de cette façon : que nous importe ce Walker ? Oui, je sais, c'est une question de principe. Mais il y en a bien d'autres des principes et tu dois tous les prendre en compte...

— Non, ce n'est pas une question de principe. C'est juste ce Walker. Ce serait une catastrophe de lâcher ce type dans une salle de classe...

— Mais bon Dieu... gémit Finch, s'il ne l'obtient pas ici, il ira ailleurs et il l'aura son foutu examen ! Et il peut même le décrocher chez nous en plus ! Quoi que tu fasses, tu peux perdre sur ce coup-là et tu le sais. On ne peut pas se débarrasser de tous les Walker...

— Peut-être pas, en effet. Mais on peut essayer.

Finch demeura longtemps silencieux puis il poussa un profond soupir :

— Très bien... Ce n'est pas la peine de faire attendre Lomax plus longtemps. Autant nous débarrasser de tout ce merdier au plus vite...

Il se leva et se dirigea vers la porte qui donnait sur l'antichambre, mais, alors qu'il passait devant Stoner, celui-ci posa sa main sur son bras et le retint un instant :

— Gordon, tu te souviens de ce que Dave Masters nous avait dit un jour ?

L'autre leva les yeux au ciel :

— Mais qu'est-ce que Dave Masters vient faire ici ?

Le regard de Stoner se perdit à travers la pièce. Et bien au-delà... Il regardait par la fenêtre. Il essayait de se souvenir.

— Nous étions tous les trois et il a dit quelque chose à propos de l'université... Que c'était un asile, un refuge. Un refuge contre le monde extérieur pour les indigents et les infirmes. Bien sûr, il ne pensait pas à Walker... Pour Dave, Walker était « le monde » justement, et c'est pour ça que nous ne pouvons pas le laisser entrer ici. Car si nous cédons, alors nous aussi nous devenons ce monde... Aussi absurde, aussi... Le seul espoir qu'il nous reste, c'est de le laisser dehors.

Finch le dévisagea un moment puis se fendit d'un grand sourire.

— Mon salaud, jubila-t-il. Allez... à Lomax, maintenant...

Il ouvrit la porte, fit un signe et l'autre les rejoignit.

Il était si guindé et avançait avec tant de componction que la raideur de sa jambe passait pratiquement inaperçue. Son élégant visage semblait de marbre et son menton était dressé si haut que ses longs cheveux crantés touchaient presque sa bosse. Il ne leur jeta pas le moindre regard, avisa la chaise qui se trouvait de l'autre côté du bureau et s'assit en se tenant le plus droit possible. Il fixa l'espace vide entre les deux hommes puis tourna très légèrement la tête dans la direction de son doyen :

— J'ai souhaité que nous nous rencontrions tous les trois pour une seule raison : je voudrais savoir si le professeur Stoner est revenu sur sa fâcheuse décision d'hier après-midi.

— Monsieur Stoner et moi étions justement en train de discuter de ce problème et j'ai bien peur que nous n'ayons pas trouvé le moindre compromis...

Lomax se tourna alors vers Stoner et le regarda fixement. L'iris de ses yeux pâles s'était terni comme s'ils s'étaient couverts d'un voile opaque.

— Si tel était le cas, vous m'obligeriez, j'en ai bien peur, à porter sur la place publique certaines accusations assez ennuyeuses...

— Des accusations ? s'étonna Finch qui commençait à s'irriter, mais tu n'avais jamais rien mentionné de la sorte et...

— Je suis confus, mais je n'ai plus le choix.

Il s'adressa à Stoner :

— La première fois que vous avez vu Charles Walker, c'est lorsqu'il est venu vous demander d'être admis à votre séminaire, n'est-ce pas ?

— C'est exact.

— Et vous vous êtes montré très réticent, n'est-ce pas ?

— Oui. J'avais déjà douze étudiants inscrits.

Lomax jeta un coup d'œil aux notes qu'il tenait dans sa main droite :

— Et quand cet étudiant vous a avoué qu'il devait y participer, vous avez, de mauvaise grâce, concédé à le prendre tout en lui disant que sa présence pourrait gâcher votre séminaire, je ne me trompe pas ?

— Pas exactement. Si je me souviens bien, je lui ai dit qu'avec un étudiant supplémentaire, ce ne serait plus un...

— Peu importe, le coupa Lomax en levant la main, je suis simplement en train de resituer cette affaire dans son contexte... Maintenant, durant cette première entrevue, n'avez-vous pas mis en doute ses compétences quant à sa place éventuelle dans ce séminaire ?

— Holly... soupira Finch l'air accablé, où est-ce que tout ça peut bien nous mener ? Pourquoi tant de...

— S'il te plaît, reprit l'autre, j'ai dit que j'avais des accusations à porter sur ce dossier et tu dois me laisser les exposer. Alors ? N'avez-vous pas mis en doute ses compétences ?

— En effet, répondit calmement Stoner, je lui ai posé quelques questions pour savoir s'il était capable d'effectuer le travail requis pour un tel cours...

— Et avez-vous été rassuré sur ce point ?

— Il me semble que non, je crois... C'est si loin, j'ai du mal à m'en souvenir.

Lomax se tourna vers Finch :

— Voilà donc la confirmation que : premièrement, le professeur Stoner ici présent était réticent à l'idée d'admettre monsieur Walker à son séminaire. Deuxièmement que sa réticence était si profonde qu'il l'a menacé d'être à l'origine du fiasco annoncé dudit séminaire. Troisièmement qu'il était au mieux réservé quant aux aptitudes de ce jeune homme à faire le travail qui serait exigé de lui. Et quatrièmement qu'en dépit de ses doutes et de ses mauvaises dispositions à son encontre, il l'a tout de même accepté...

Finch secoua la tête l'air accablé :

— Holly, tout ça n'a aucun sens...

— Attends ! s'écria Lomax avant de fourrager dans ses papiers et de lui lancer un regard implacable. J'ai bien d'autres points à soulever et je pourrais les exposer sous forme de... contre-interrogatoire (il avait prononcé ce mot avec ironie), seulement je ne suis pas un procureur, *moi*... Mais je vous assure que je suis prêt à dégainer tout le reste si cela s'avérait nécessaire...

Il fit une pause comme s'il essayait de rassembler ses munitions.

— Je suis prêt à donner la preuve que le professeur Stoner a accepté monsieur Walker dans son séminaire alors même qu'il avait déjà certains préjugés le concernant. Je suis prêt à donner la preuve que ces préjugés n'ont fait qu'empirer à mesure que se déroulait son séminaire. Qu'ils ont permis des conflits de personnalité et de sensibilité et que cette animosité générale a été nourrie par monsieur Stoner lui-même dans la mesure où il a permis, et même encouragé parfois, ses autres élèves à se moquer de monsieur Walker et de le tourner en ridicule. Je suis prêt à donner la preuve qu'à plus d'une occasion, ce parti pris s'est manifesté par des déclarations du même professeur Stoner auprès de ses élèves, voire auprès de gens qui n'avaient rien à voir avec son séminaire. Qu'il a accusé monsieur Walker d'avoir « attaqué » l'une de ses condisciples alors que celui-ci ne faisait qu'exprimer une opinion divergente. Qu'il a reconnu un certain emportement à propos de cette soi-disant « attaque ». Qu'il s'est, en outre, permis quelques propos pour le moins relâchés en affirmant un jour que monsieur Walker se comportait « d'une façon étrange pour ne pas dire stupide ». Je suis aussi prêt à donner la preuve que le professeur Stoner, sans avoir été provoqué le moins du monde et à cause, toujours, de ses préjugés, a accusé monsieur Walker de paresse, d'ignorance et de malhonnêteté. Et enfin, que monsieur Walker a été *le seul* parmi les treize élèves que compte ce séminaire, le seul dont le travail ait été remis en cause et que lui seul a été contraint de rendre le texte de son exposé oral... Et maintenant je mets au défi le professeur Stoner de nier ces accusations, que ce soit une par une ou en bloc.

Stoner secoua la tête. C'était si beau... Il en était presque admiratif.

— Mon Dieu... dit-il, comme tout cela est biaisé... Bien sûr, tout ce que tu affirmes pourrait être avéré, seulement rien n'est vrai... En tout cas pas de la manière dont tu le présentes...

Lomax opina du bonnet comme s'il s'était attendu à cette réponse.

— Je suis prêt à donner la preuve que tout ce que je viens d'avancer est rigoureusement exact. Il suffirait, si toutefois nous devions en arriver là, de convoquer les membres de ce séminaire et de les interroger les uns après les autres.

— Ça suffit ! fulmina Stoner. C'est bien la chose la plus offensante que vous ayez jamais dite ! Je ne veux pas et je ne permettrai jamais que mes autres étudiants soient mêlés à tout ce tapage !

— Vous pourriez ne pas avoir le choix, lui répondit doucement Lomax. Vous pourriez même n'avoir aucun choix...

Gordon Finch le regarda et demanda d'une voix tranquille :

— Où veux-tu en venir, exactement ?

Lomax l'ignora. Il s'adressa de nouveau à Stoner :

— Monsieur Walker m'a fait savoir que bien que ce soit contre ses principes, il consent à présent à vous confier ce devoir au sujet duquel vous avez émis tant de doutes indignes... Et qu'il est prêt à accepter votre décision ainsi que celle des deux autres examinateurs quelle qu'elle soit et si une majorité parmi vous trois décidait de donner la moyenne à son devoir, il aurait, de ce fait, la moyenne à votre séminaire et serait donc autorisé à poursuivre ses études au sein de cette faculté...

Stoner se frotta les paupières. Il n'arrivait même plus à le regarder.

— Monsieur Lomax, vous savez parfaitement que je ne peux pas accepter une chose pareille...

— Très bien... Je répugne à agir de la sorte, mais si vous ne revenez pas sur votre décision d'hier, je serai contraint de donner une suite plus officielle à mes griefs...

— Tu seras contraint de faire quoi ? s'étrangla Finch.

— Le règlement de l'université du Missouri, reprit-il imperturbable, autorise « *n'importe lequel de ses membres titularisés à porter plainte contre un autre de ses membres titularisés au motif que celui-ci serait soupçonné d'incompétence, de non-respect à la déontologie ou de manquement à ses devoirs selon l'éthique du code en vigueur* », section III, article 6. Ces accusations « *ainsi que les motifs et les preuves qui les corroborent seront entendus par l'ensemble de la faculté au cours d'un procès à la fin duquel celle-ci devra se prononcer pour les confirmer par un vote aux deux tiers ou bien les rejeter* ».

Gordon Finch, la bouche grande ouverte, tomba en arrière dans son fauteuil et secouait la tête l'air totalement sonné.

— Bon, écoute... cette affaire prend des proportions complètement délirantes. Ne me dis pas que tu parles sérieusement, Holly...

— Je te certifie que si. Il s'agit d'une affaire grave. C'est une question de principe et puis mon... mon intégrité a été mise en cause. C'est mon droit le plus strict de porter plainte si j'en vois la nécessité.

— Ça ne tiendra pas debout.

— Peut-être, mais c'est mon droit de porter plainte.

Finch resta un long moment à le dévisager puis, calmement et sur un ton presque affable, il annonça :

— Il n'y aura aucune plainte. Je ne sais pas encore comment tout cela va rentrer dans l'ordre et pour tout dire ça ne m'intéresse pas tellement, mais aucune plainte ne sera déposée. Nous allons tous sortir de ce bureau pendant quelques minutes et nous allons essayer d'oublier la plupart des choses qui viennent d'y être dites. Du moins nous allons faire comme si. Je ne veux pas mettre mon département et toute la faculté sens dessus dessous. Il n'y aura aucune plainte de déposée pour la bonne raison que s'il y en avait une, précisa-t-il sur un ton charmant en regardant Hollis Lomax droit dans les yeux, je te promets que je ferai tout ce qui est en mon pouvoir pour te démolir. Et rien ne m'arrêtera, tu m'entends ? J'userai de la moindre parcelle de mon influence, je mentirai et je monterai même une cabale contre toi si c'était nécessaire. Voilà. C'est dit. Et je vais de ce pas informer le doyen Rutherford que la décision concernant monsieur Walker est maintenue. Maintenant si tu veux continuer ton… ton combat, tu peux aller le reprendre chez lui, ou chez le grand patron, ou même avec Dieu si ça te chante, mais les murs de ce bureau ont eu leur compte et je ne veux plus jamais entendre parler de cette histoire.

Tandis que Gordon Finch s'exprimait ainsi, Lomax se détendit, devint songeur et quand il eut fini, il acquiesça avec une certaine désinvolture. Il se leva, regarda dans la direction de Stoner, traversa la pièce en clopinant et sortit.

Les deux autres restèrent un long moment cois puis Finch brisa le silence :

— Je me demande ce qu'il y a entre Walker et lui…

— Ce n'est pas ce que tu penses, répondit Stoner en secouant la tête. Je ne sais pas exactement ce que c'est et je ne crois pas que j'aie envie de le savoir…

*
* *

Dix jours après, on annonça la nomination d'Hollis Lomax au poste de président du département de littérature et, deux semaines plus tard, les emplois du temps de tous les enseignants leur furent distribués. Stoner ne fut pas surpris de découvrir qu'on lui avait assigné trois classes de composition avec des élèves de première année et un cours de littérature pour ceux de deuxième année, et ceci pour les deux semestres entiers que comptait l'année universitaire à venir. Ses programmes de lecture de littérature médiévale en doctorat et son séminaire avaient disparu du programme. C'était, songea-t-il, le genre d'emploi du temps d'un enseignant débutant et c'était même pire puisque le sien était ainsi fait que ses cours ne se suivaient jamais, avaient lieu à des heures très malcommodes et s'étendaient sur six journées par semaine. Il n'émit aucune protestation et décida qu'il continuerait d'enseigner l'année suivante comme si de rien n'était.

Cependant et pour la première fois depuis le début de sa carrière, il commença à envisager l'idée qu'il pouvait quitter cet endroit et aller enseigner ailleurs. Il s'en ouvrit à Edith. Elle le regarda comme s'il venait de la frapper :

— Je ne pourrais pas, gémit-elle. Oh, non... Je ne pourrais pas.

Soudain consciente qu'elle venait de se trahir en avouant ainsi sa faiblesse, elle sortit ses griffes :

— Mais... Qu'est-ce que tu as dans la tête ? ! Notre maison... Notre maison chérie ? Et nos amis ? Et l'école de Grace ? Ce n'est pas bon pour un enfant d'être ainsi ballotté d'école en école !

— Il se pourrait que ce soit inéluctable...

Il ne lui avait jamais parlé de l'affaire Walker et du rôle que Lomax y avait joué, mais ne mettra pas longtemps à comprendre qu'elle avait été, elle aussi, bien informée...

— Ridicule... rétorqua-t-elle. Tout ça n'a aucun sens...

Mais sa colère semblait lui échapper pour laisser place à une sorte d'exaspération convenue. Ses yeux bleus papillonnaient entre son mari et les objets qui l'entouraient comme si elle cherchait à se rassurer en vérifiant que tout était encore à sa place. Ses mains fines, parsemées de pâles taches de rousseur, ne cessaient de s'agiter.

— Oh ! Mais je sais tout de tes problèmes ! Je ne me suis jamais mêlée de ta carrière, mais... franchement, on peut dire que tu es vraiment borné... Je ne sais pas si tu t'en rends compte, mais Grace et moi sommes dans le même bateau et tu ne peux pas nous demander de plier bagage et ficher le camp simplement parce que tu t'es mis dans le pétrin !

— Mais c'est en partie pour Grace et toi que j'y ai songé… Il est peu probable à présent que je… que j'aie le moindre avenir dans ce département si je reste ici.

— Oh, répliqua Edith distraitement et en plombant sa voix d'amertume, mais ça ce n'est pas important… Nous avons toujours été pauvres… Il n'y a pas de raison que nous ne puissions pas continuer…

Silence.

— Vraiment, tu aurais dû penser à tout cela avant.

Elle fit une petite mimique avant d'ajouter :

— Un boiteux…

Soudain sa voix changea et elle se mit à rire avec indulgence, tendrement presque.

— Tu prends tout tellement à cœur… Mais quelle différence ça peut faire, hein ? Quelle différence ?

Elle ne voulut plus entendre parler de quitter Columbia. S'il devait en arriver là, assura-t-elle, Grace et elle pourraient toujours aller vivre chez sa tante Emma. Elle devenait très faible et serait bien heureuse de les accueillir.

Ainsi, à peine eut-il envisagé cette idée qu'il y renonça aussitôt. Il devait enseigner cet été-là et, parmi tous ses cours, deux l'intéressaient particulièrement. Ils avaient été programmés avant la nomination de Lomax et il décida de leur consacrer toute son attention car il savait qu'il risquait de s'écouler bien des années avant qu'il n'ait de nouveau l'occasion de les honorer.

XI

Quelques semaines après la rentrée de cet automne 1932, William Stoner comprit que son combat pour évincer Charles Walker des cours de doctorat de littérature avait été vain. Sitôt les vacances d'été terminées, celui-ci revint sur le campus tel un gladiateur triomphant dans une arène et quand il lui arrivait de croiser son ancien professeur de séminaire dans les couloirs de Jesse Hall, il inclinait respectueusement la tête et lui décochait un affreux petit sourire. Stoner avait appris de la bouche de Jim Holland que le doyen Rutherford avait tardé à valider leur vote de l'année précédente, qu'il avait été finalement convenu que Walker serait autorisé à repasser ses oraux préliminaires et que ses examinateurs seraient, cette fois, désignés par le président du département.

La bataille était donc perdue et Stoner était prêt à admettre sa défaite, seulement le combat, lui, avait l'air de continuer… Quand il lui arrivait de croiser Lomax dans les couloirs, la salle des professeurs, au cours de réunions du département ou de cérémonies plus officielles, il s'adressait à lui comme il le faisait autrefois, c'est-à-dire comme si rien de tout cela n'était arrivé, mais ce dernier ne répondait plus à ses saluts. Il le regardait froidement puis tournait ostensiblement la tête comme pour lui signifier qu'il n'avait pas l'intention de passer l'éponge.

Vers la fin du mois de novembre, Stoner entra tranquillement dans le bureau de Lomax et attendit quelques minutes que celui-ci daignât lever la tête. Ses lèvres étaient pincées et son regard mauvais.

Quand il réalisa enfin que Lomax n'avait pas l'intention d'émettre le moindre son, il lui dit gentiment :

— Écoute Holly, c'est fini et c'est loin à présent... Est-ce que nous ne pourrions pas passer à autre chose ?

L'autre le tenait toujours en joue.

— Bon, nous avons eu un différend, continuat-il, mais ce sont des choses qui arrivent de temps en temps... Nous étions amis et je ne vois pas pourqu...

— Nous n'avons jamais été amis, le coupa-t-il en détachant bien chaque syllabe.

— Très bien, mais nous nous entendions un peu, du moins... Nous pouvons garder nos désaccords pour nous... Pour l'amour de Dieu, nous ne sommes pas obligés d'en faire état. Même les étudiants commencent à se douter de quelque chose...

— Et ils ont bien raison... grinça Lomax. Puisque l'un d'entre eux a vu sa carrière brisée par vos soins. Un garçon brillant dont le seul crime fut d'avoir trop de talent. Un feu sacré et une intégrité morale qui ne lui ont pas laissé d'autre choix que d'entrer en conflit avec vous... Et aussi, car hélas vous me voyez obligé d'y faire allusion, une détresse liée à une défaillance physique propre à inspirer, me semblait-il, plus de compassion de la part d'un autre être humain...

De sa main valide, Lomax tenait un crayon et celui-ci tremblait devant lui. Stoner, épouvanté, réalisa que son collègue était désespérément et absolument sincère.

— Non ! poursuivit Lomax avec rage, de tout cela, je ne pourrai jamais vous pardonner...

William fit un effort pour rester calme :

— Ce n'est pas une question de pardonner, c'est simplement une question de nous comporter dignement l'un envers l'autre. Par respect pour nos collègues et pour tous les étudiants.

— Je vais être très franc avec vous, Stoner...

Il semblait apaisé et sa voix était calme, placide :

— ... je ne pense pas que vous soyez fait pour enseigner. D'ailleurs aucun homme permettant ainsi à ses préjugés de prendre le pas sur ses capacités et son érudition ne serait digne de le faire... Je devrais probablement vous renvoyer si j'en avais le pouvoir. Seulement, je ne l'ai pas comme nous le savons vous et moi... Vous êtes protégé par votre statut de titularisé et je dois me faire une raison, mais je ne suis pas obligé de jouer les hypocrites pour autant : je ne veux rien avoir à faire avec vous. Jamais. Et je ne ferai jamais semblant de prétendre le contraire.

Stoner le dévisagea pendant de longues secondes puis il secoua la tête et dit, soudain extrêmement las :

— Très bien, Holly...

Au moment où il allait partir, l'autre le rappela :

— Encore une chose...

Il se retourna. Son président fixait intensément un tas de papiers posé sur son bureau. Il était cramoisi et semblait en proie à une vive lutte intérieure. Stoner réalisa alors que ce qu'il avait pris pour de la colère n'était autre que de la honte.

— À partir de maintenant, si vous voulez me voir pour des raisons liées à la bonne marche de ce département, vous serez bien aimable de prendre rendez-vous avec ma secrétaire.

Bien que son ancien collègue demeurât encore un long moment immobile à l'observer en silence, Lomax ne releva pas la tête. Son visage tressaillit comme s'il avait été secoué par quelque tic nerveux puis redevint impassible.

Stoner quitta ce bureau et, pendant les vingt années qui allaient suivre, aucun de ces deux hommes n'adressera la parole à l'autre.

*
* *

Il était inévitable, et il le réalisera plus tard, que les élèves ne fussent pas affectés par tout cela. Même s'il avait réussi à convaincre Lomax de prendre sur lui pour sauver les apparences, il ne pouvait pas, à long terme, les empêcher d'être conscients de leur rivalité.

Ses anciens élèves et, parmi eux, certains qu'il avait assez bien connus, commencèrent à le saluer ou à lui adresser la parole avec une certaine gêne pour ne pas dire furtivement. D'autres au contraire se montrèrent ostensiblement chaleureux, faisant même parfois un détour pour le saluer ou être vus en train de flâner avec lui dans les couloirs. Mais il n'eut plus jamais avec eux les mêmes rapports qu'autrefois… Il était devenu un personnage, et être vu – ou pas – en sa compagnie n'avait plus rien d'anodin.

Sa présence, finit-il par comprendre, était devenue une source d'embarras à la fois pour ses amis et ses ennemis, il devint donc de plus en plus solitaire.

Une sorte de torpeur descendit sur lui. Il continuait d'enseigner avec foi, seulement l'implacable routine de tous ces cours réservés aux élèves de première et de deuxième années épuisait son enthousiasme et le laissait exsangue à la fin de la journée. Il essaya alors d'occuper à bon escient les longues heures creuses qui grevaient son emploi du temps en convoquant ses étudiants à des entretiens. Il revenait sur leurs travaux qu'il commentait ligne par ligne et les retenait auprès de lui jusqu'à ce qu'ils commençassent à manifester des signes d'impatience.

Le temps s'étirait, s'étiolait, autour de lui. Il essaya de consacrer cette oisiveté forcée à sa femme et à sa fille en demeurant davantage auprès d'elles, mais ses horaires étaient tellement décousus qu'ils ne lui permettaient jamais de prévoir quand et combien de temps il serait à la maison. Ce qui contrariait beaucoup Edith et son sens de l'organisation. Il découvrit (sans le découvrir vraiment) que sa présence régulière lui était si pénible qu'elle s'en trouvait nerveuse, silencieuse, voire, quelquefois, physiquement incommodée. Quant à Grace, il n'en profitait pas tellement. Sa mère planifiait ses journées dans les moindres détails, son seul « temps libre » était réservé aux soirées et comme il avait cours jusque tard quatre soirs par semaine, elle était souvent déjà couchée quand il rentrait.

Aussi continua-t-il d'apercevoir sa fille le matin à l'heure du petit déjeuner et leurs seuls moments d'intimité se réduisaient aux quelques minutes pendant lesquelles Edith débarrassait la table et emportait leurs tasses dans la cuisine pour les mettre à tremper. Il observait son corps s'allonger.

Ses bras et ses jambes avaient une sorte de grâce encore un peu gauche et l'intelligence qui se lisait dans ses yeux calmes et son visage si attentif ne cessait de l'émouvoir. Parfois il lui semblait qu'une sorte de complicité avait subsisté entre eux deux. Une intimité que ni l'un ni l'autre ne pouvait se permettre de laisser poindre.

De guerre lasse, il décida de retrouver ses vieilles habitudes et de passer le plus clair de son temps libre entre les quatre murs de son bureau de Jesse Hall. Il se disait qu'il devait se sentir privilégié de pouvoir lire ainsi, tranquillement, sans les angoisses et les contraintes de cours exigeants à préparer et sans but précis. Il essaya de se plonger, dans le désordre et pour son seul plaisir, dans tous les livres qui l'attendaient depuis de nombreuses années. Mais voilà, sa tête ne suivait pas. Son esprit divaguait, il était incapable de se concentrer sur ce qui était imprimé et il lui arrivait de plus en plus souvent de se surprendre à fixer le vide. C'était comme si son esprit se déchargeait, oubliait tout ce qu'il avait appris et que sa volonté se trouvait réduite à néant. Il avait l'impression d'être devenu une espèce de légume et espérait de tout son cœur que quelque chose, n'importe quoi, une douleur même, le saignât et le ramenât à la vie.

Il était arrivé à ce moment de son existence où il se trouvait confronté, et cela devenait de plus en plus obsédant, à une question d'une simplicité tellement effarante qu'il ne se sentait pas les moyens d'y faire face : il se surprenait à se demander si sa vie était digne d'être vécue et si même elle l'avait jamais été... C'était une question, pressentait-il, que tout homme devait se poser à un moment ou à un autre, mais il se demandait si elle leur apparaissait avec la même indifférence et la même véhémence qu'à lui. Cette interrogation charriait avec elle une très grande tristesse, seulement c'était un chagrin vague et indéterminé qui (du moins le ressentait-il ainsi) n'avait pas grand-chose à voir avec sa petite personne ou son destin en particulier. Il n'était même pas sûr qu'elle eût un lien direct avec ce qui semblait être les causes les plus immédiates et les plus flagrantes de son marasme actuel. C'était un découragement, croyait-il plutôt, qui venait de beaucoup plus loin… De l'accumulation des années vécues, des séquelles du hasard et des circonstances et de tout ce qu'il avait dû traverser pour essayer d'y voir un peu clair… Il prenait une sorte de plaisir amer et jouissif à ressasser que le peu de connaissances qu'il avait réussi à acquérir jusque-là l'avait mené à cette seule et unique certitude : en définitive, tout, toute chose, et même ce magnifique savoir qui lui permettait de cogiter ainsi, était futile et vain et finirait par se dissoudre dans un néant qu'il avait été incapable ne serait-ce que d'égratigner.

Un soir tard, après son dernier cours, il retourna à son bureau pour lire un peu. C'était l'hiver. Il avait neigé pendant la journée et tout le paysage s'était dueté de blanc. Comme son bureau était surchauffé, il alla ouvrir une fenêtre pour y faire entrer un peu d'air frais. Il respira profondément et laissa son regard flâner tranquillement le long des parterres immaculés du campus. Puis il éteignit la lumière et resta là, protégé par cet îlot tiède et la tête penchée au-dehors pour remplir ses poumons de bon air frais. Il écoutait le silence de cette nuit d'hiver et il lui semblait entendre, comprendre même, comment les sons alentour se laissaient happer par la structure si délicate et tellement complexe de ces milliards de cristaux de givre. Le blanc avait tout scellé, rien ne bougeait, et ce tableau figé, cette nature morte, semblait l'attirer, l'aspirer, happer sa conscience comme elle absorbait tous les bruits de la nuit avant de les enterrer sous son moelleux édredon mortel. Il se sentit aimanté par cette blancheur qui s'étendait aussi loin que portait son regard et dont l'obscurité servait d'écrin. Il se sentait appelé par cette douceur infinie – assoupie sous un ciel pur et clair qui n'avait plus ni contours ni horizon. L'espace d'un instant, il sentit qu'il s'extrayait de sa pauvre carcasse assise immobile devant la fenêtre et, tandis qu'il se sentait glisser ainsi, tout ce qu'il voyait, la neige, les arbres, les grandes colonnes, la nuit et les étoiles au loin, lui semblèrent soudain minuscules et à peine distincts. Tout rapetissait à l'infini… Un radiateur cliqueta dans son dos, il sursauta et la scène redevint normale. Soulagé, contrarié, il ralluma la lampe de son bureau, rassembla quelques papiers, prit un livre, sortit de la pièce, longea les longs couloirs sombres et laissa la grosse porte de derrière à double battant se refermer sur lui.

Il rentra lentement en guettant le son de ses pas dans la neige poudreuse. Ce petit craquement si doux et si sec à la fois.

XII

Cette année-là, et surtout pendant les mois d'hiver, il se surprit à retourner se perdre de plus en plus souvent dans cet étrange état d'apesanteur. Sitôt qu'il en ressentait l'envie ou le besoin, il pouvait dessertir sa conscience du corps qui l'enchâssait et il observait alors, d'assez loin, cet homme, cet étranger curieusement familier en train de vaquer à des activités étranges et familières. C'était une dissociation qu'il n'avait jamais connue auparavant et il savait qu'il devait s'en inquiéter. Seulement il était trop engourdi et ne parvenait plus à se convaincre que cela pouvait avoir la moindre importance.

Il avait quarante-deux ans. Il n'y avait rien devant qui le motivât encore et si peu derrière dont il aimait se souvenir...

Dans sa quarante-troisième année, le corps de William Stoner était quasiment aussi sec et mince que du temps de sa jeunesse, c'était la même silhouette qui, un jour, avait foulé pour la première fois le campus de Jesse Hall et avait connu ce sentiment de respect craintif et émerveillé dont il ne s'était jamais vraiment départi depuis... Les années avaient passé, ses épaules avaient continué de se voûter et il avait appris à ralentir ses mouvements pour que la maladresse de ses grandes mains et de ses longues jambes de garçon de ferme semblât une attitude plutôt qu'une péquenauderie de naissance.

Son long visage s'était adouci avec les années. Sa peau avait toujours cet aspect de cuir tanné, mais elle n'était plus si douloureusement tendue à la saillie des pommettes. Les milliers de virgules, de guillemets et de parenthèses que le temps avait imprimés autour de ses yeux et de sa bouche avaient fini par l'assouplir... Ses yeux gris, toujours aussi vifs et lumineux, s'étaient enfoncés dans leur orbite de sorte que leur diligence, sans avoir rien perdu de sa perspicacité, était devenue plus discrète. Ses cheveux autrefois châtains avaient foncé avec l'âge, même si ses tempes commençaient à grisonner un peu. Le sablier du temps lui était indifférent et il ne lui serait pas venu à l'idée de s'en plaindre, mais quand il se croisait dans un miroir ou qu'il apercevait son reflet sur les portes vitrées devant Jesse Hall, il ne pouvait s'empêcher de ressentir un léger choc.

C'était au tout début du printemps. L'après-midi était déjà bien avancé et il était assis seul à son bureau. Une pile de copies d'élèves de première année s'étalait devant lui. Le coude posé sur sa table de travail, il en tenait une, mais ne la regardait pas. Comme il en avait pris l'habitude ces derniers temps, il contemplait la partie du campus que l'on apercevait de sa fenêtre. Le soleil brillait et il avait guetté l'ombre portée de Jesse Hall ramper pratiquement jusqu'aux pieds des cinq grandes colonnes qui se dressaient, superbes et solitaires au milieu de la cour d'honneur. La partie ombragée de cette cour était d'un brun gris très profond et, au-dessus de cet ourlet sombre, le gazon avait troqué son vieux paletot roux de l'hiver dernier contre un léger trench vert tendre. Sous leurs arachnéennes arabesques de vigne vierge nue, les colonnes de marbre brillaient d'un blanc éclatant, mais ce ne serait pas long avant que l'ombre vînt les prendre d'assaut, elles aussi… D'abord furtivement puis de plus en plus rapidement jusqu'à ce que… Il eut soudain conscience que quelqu'un se tenait debout derrière lui.

Il se déhancha et leva les yeux. C'était Katherine Driscoll. Le jeune professeur qui avait suivi son séminaire l'année précédente. Depuis cette époque et bien qu'ils se soient déjà salués dans les couloirs, ils n'avaient jamais vraiment eu l'occasion de se reparler. Cette visite, et il le comprit à l'instant même où il croisa son regard, le contrariait un peu. Comme tout ce qui lui rappelait ce séminaire et ce qui s'en était suivi d'ailleurs… Il recula son fauteuil et se redressa en s'emberlificotant dans ses grandes jambes.

— Miss Driscoll, l'accueillit-il gravement tout en l'invitant à s'asseoir en face de lui.

Ses grands yeux noirs le dévisagèrent un moment et il fut frappé par la pâleur de son visage. Elle hocha la tête d'une manière assez brusque, recula d'un pas et prit place sur le siège qu'il lui avait vaguement indiqué.

Stoner se rassit à son tour et la fixa un moment sans vraiment la voir. Puis, conscient que sa torpeur pouvait être prise pour de l'impolitesse, il essaya de lui sourire et murmura une question sans intérêt à propos de ses cours.

Elle ne l'avait pas entendue et dit tout à trac :

— Vous… vous m'avez dit un jour que vous accepteriez de jeter un œil à ma thèse quand elle serait déjà bien avancée.

— Oui, opina-t-il, je crois bien vous l'avoir dit, en effet...

Et c'est seulement à ce moment-là qu'il remarqua le paquet de feuilles posées sur ses genoux. Elle ne le tenait pas, elle s'y cramponnait.

— Bien sûr, si vous êtes trop occupé... avança-t-elle timidement.

— Pas du tout !

Il essayait de mettre un peu d'enthousiasme dans sa voix :

— Je suis confus, j'ai l'air distrait, mais...

Elle hésita puis lui tendit son dossier. Il le saisit, le soupesa et plaisanta :

— J'aurais pensé que vous en seriez plus loin...

— Je l'étais, mais j'ai tout recommencé. J'ai choisi un nouvel angle d'attaque et je... je vous serais reconnaissante si vous me disiez ce que vous en pensez...

Il acquiesça en lui souriant de nouveau. Il ne savait plus quoi dire et ils demeurèrent ainsi, embarrassés et silencieux.

Finalement il demanda :

— Quand voulez-vous que je vous le rende ?

— Quand vous voudrez, fit-elle en secouant la tête. Quand vous aurez eu le temps de la parcourir.

— Oh, mais je ne veux pas vous en priver ! Vendredi prochain ? Cela vous irait ? Ainsi j'aurais vraiment tout mon temps... Vers trois heures ?

Elle se leva aussi brusquement qu'elle s'était assise.

— Merci. Je ne veux pas être une corvée, je... merci.

L'instant d'après elle tournait les talons et une silhouette mince et très droite s'esquivait hors de son bureau.

Il tint son dossier entre ses mains un moment puis le reposa à côté de lui et retourna à ses copies.

Elle était venue le lui confier un mardi et pendant les deux jours qui suivirent son manuscrit resta ainsi, ignoré, sur un coin de son bureau. Pour des raisons qui lui résistaient, il ne parvenait pas à l'ouvrir et à lire ces pages – perspective qui, il y a quelques mois encore, l'aurait enchanté. Il observait ce dossier bleu avec défiance comme si c'était un ennemi qui essayait de l'attirer de force dans une guerre à laquelle il avait renoncé depuis longtemps déjà.

Et puis le vendredi arriva. Une fois encore, il l'aperçut ce matin-là au milieu de son fatras tandis qu'il rassemblait ses livres et ses notes pour son cours de huit heures, qui lui jetait un regard accusateur. Et quand il revint une heure plus tard, il décida de passer par la salle des professeurs et de glisser un petit mot dans le casier de Miss Driscoll pour la prier de le lui laisser une semaine de plus. Au dernier moment il changea d'avis : il le lirait en diagonale pendant sa pause et se fendrait d'un petit commentaire courtois quand elle viendrait le voir en début d'après-midi. Mais non, à cela non plus il ne put se résoudre et juste avant de quitter son bureau pour assurer son dernier cours de la journée, il l'attrapa, le fourra dans son cartable et traversa le campus au pas de course pour retrouver sa salle de classe.

Il fut retenu par plusieurs élèves et il était donc déjà une heure passée quand il put enfin se libérer. Il se dirigea vers la bibliothèque en serrant les dents. Il avait l'intention de trouver un coin tranquille et de consacrer un minimum de temps à ce fichu manuscrit avant leur rendez-vous.

Seulement même là, dans la pénombre de ce havre rassurant et bien installé dans un compartiment de travail caché tout au bout des rayonnages, il répugna encore à se plonger dans le paquet de feuilles qu'il avait trimbalées avec lui. Il ouvrit d'autres ouvrages, les feuilleta, lut des paragraphes au hasard puis les reposa. Il ferma les yeux et respira le parfum des vieux livres. Cette odeur apaisante de cuir et de bon savoir enfermé... Enfin il soupira. Il n'avait plus le choix. Il ouvrit le dossier et survola les premières pages.

Au début, il le parcourut du bout des cils, mais peu à peu les mots s'imposèrent. Il fronça les sourcils, ralentit sa lecture et, soudain, il fut pris. Il revint en arrière. Mais oui, se disait-il, mais oui, c'était bien sûr ! Il y avait là de nombreux éléments de l'exposé qu'elle leur avait présenté en fin de séminaire, mais l'ensemble était plus clair, mieux agencé et ouvrait des perspectives que lui n'avait fait qu'effleurer. Mon Dieu... s'émerveilla-t-il en silence, et ses doigts tremblaient d'excitation tandis qu'il tournait les pages.

Arrivé au dernier feuillet, il tomba en arrière, épuisé et heureux. Il s'adossa à son siège et contempla le grand mur gris. Bien qu'il eût l'impression de s'être plongé dans sa lecture à peine quelques minutes auparavant, il jeta un coup d'œil à sa montre. Il était presque quatre heures et demie. Il bondit sur ses pieds, rassembla à la hâte les pages éparpillées devant lui et fila. Il savait qu'il était trop tard, il le savait, mais il ne put s'empêcher de traverser tout le campus au pas de course.

Alors qu'il passait devant la porte entrouverte du bureau principal pour rejoindre le sien, on appela son nom. Il s'immobilisa et passa la tête par l'entrebâillement. La secrétaire – une nouvelle que

Lomax venait d'embaucher – lui annonça sur un ton courroucé et presque insolent :

— Miss Driscoll avait rendez-vous avec vous à trois heures... Elle a attendu presque une heure...

Il opina, la remercia et s'éloigna en marchant plus lentement. Il essaya alors de se convaincre que ce n'était pas grave et qu'il pouvait très bien lui rendre son manuscrit le lundi suivant en implorant sa clémence. Oui, mais que resterait-il alors de cette fébrilité joyeuse qui fut la sienne il y avait quelques minutes encore ? Tourmenté, il se mit à faire les cent pas dans son bureau s'arrêtant seulement de temps à autre pour se hocher la tête à lui-même. Finalement il se dirigea vers ses étagères et les fouilla du regard avant de trouver ce qu'il cherchait. C'était un fin carnet à la couverture tachée : *Annuaire du corps enseignant et des membres de l'administration, Université du Missouri*. Il trouva le nom de Katherine Driscoll. Elle n'avait pas de téléphone. Il recopia son adresse et remit un peu d'ordre dans son manuscrit.

À quelques centaines de mètres du campus en direction du centre-ville, des promoteurs immobiliers avaient reconverti un ensemble de grosses maisons anciennes en appartements. Vivaient là des étudiants en fin de parcours, de jeunes professeurs, des salariés de l'université et une poignée de citadins. La maison dans laquelle logeait Katherine Driscoll se situait au milieu de cette enfilade. C'était une énorme bâtisse de trois étages en pierre de taille grise qui comptait une variété étonnante de porches, de portes et de tourelles, sans parler des terrasses et des balcons qui saillaient ou au contraire formaient des renfoncements le long de toutes les façades. Stoner finit par trouver son nom sur une boîte aux lettres accrochée au diable près d'une volée de marches en ciment qui conduisaient à une porte en entre-sol. Il hésita un moment puis frappa.

Quand Katherine Driscoll lui ouvrit, c'est tout juste s'il la reconnut. Elle avait noué ses cheveux à la va-vite en une couette haute qui laissait voir ses oreilles diaphanes et portait des lunettes cerclées de noir derrière lesquelles une paire de grands yeux sombres le regardaient écarquillés. Elle portait une chemise d'homme déboutonnée et un pantalon foncé. Elle lui parut encore plus mince et plus gracieuse que dans son souvenir.

— Je... je suis confus, j'ai raté notre rendez-vous, balbutia-t-il.

Il lui tendit son dossier :

— J'ai pensé que vous pourriez en avoir besoin pour le week-end...

Silencieuse, elle le regarda un moment tout en se mordillant la lèvre inférieure puis recula d'un pas.

— Vous n'entrez pas ?

Il la suivit à travers un petit couloir très étroit qui menait à une pièce minuscule, plutôt sombre et basse de plafond. Il y avait là un lit également petit et étroit qui servait aussi de canapé, une table, un fauteuil, un petit bureau, une chaise et une bibliothèque remplie de livres. Quelques-uns, ouverts, traînaient sur le sol et le canapé, et la table était couverte de feuilles de papier.

— C'est très petit, dit-elle en ramassant des livres, mais je n'ai pas besoin de beaucoup de place...

Et pendant qu'il s'installait dans le fauteuil en cuir en face du canapé, elle lui proposa une tasse de café. Elle disparut dans la pièce d'à côté et, bercé par les bruits rassurants qui montaient de la cuisine, il commença à se détendre.

Elle revint avec un plateau laqué noir où fumaient deux délicates tasses de porcelaine blanche. Elle le posa sur la table basse et ils se mirent à siroter leur café tout en se forçant à papoter un peu puis Stoner, n'y tenant plus, lui parla de ce qu'il avait lu et lui raconta l'enthousiasme qui avait été le sien quelques heures plus tôt dans la grande bibliothèque. Penché en avant, il s'exprimait avec une grande émotion.

Ainsi, et sous couvert de littérature, furent-ils capables de converser à bâtons rompus pendant de longues minutes. Katherine Driscoll était assise tout au bord de son canapé et ses longues mains fines, qu'elle ne cessait de libérer puis de rattraper, voletaient au-dessus de la table basse. William Stoner avait rapproché son fauteuil et se penchait toujours plus en avant de sorte qu'il aurait presque pu la toucher.

Ils évoquèrent toutes les pistes que soulevaient les premiers chapitres de sa thèse, des perspectives qu'ils ouvraient et de l'importance des thèmes qu'elle avait abordés.

— Vous ne devez pas abandonner, lâcha-t-il et sa voix avait des airs de supplique dont il fut le premier surpris, peu importent les difficultés, peu importe le découragement qui risquent d'être les vôtres quelquefois, vous ne devez pas abandonner. Parce que c'est un excellent travail et cela ne fait aucun doute, vous comprenez ?

Elle ne réagit pas et, pendant un moment, son visage sembla s'assombrir. Enfin elle partit en arrière, le quitta du regard et murmura rêveuse :

— Le séminaire... Certaines des choses que vous avez dites... Cela m'a beaucoup aidée...

Il secoua la tête en souriant :

— Non, non... Vous n'aviez nullement besoin de ce séminaire ! Mais je suis heureux que vous y ayez participé... C'était une bonne année, du moins ai-je la faiblesse de le penser...

— Oh, c'est honteux ! explosa-t-elle. Le séminaire... Vous... vous étiez... Après ça, j'ai été obligée de tout recommencer à partir de zéro. C'est une honte qu'ils vous aient...

La rage et l'amertume l'empêchèrent d'aller plus loin. Elle se leva et se dirigea vers son bureau en portant sa main à son visage.

Stoner, que cette sortie avait pris de court, resta un moment interdit. Puis il lui dit à voix basse :

— Vous ne devriez pas prendre tout cela si à cœur... Ce sont des choses qui arrivent et tout ça finira bien par s'arranger un jour. Vraiment... Ce n'est pas important...

Et soudain, ce ne fut plus important. Vraiment.

L'espace d'une seconde, il éprouva la vérité, la véracité de ce qu'il venait de verbaliser et pour la première fois depuis des mois, il se sentit soulagé d'un poids dont il avait à peine conscience, mais qui, il le réalisait à l'instant, avait été accablant : celui du désespoir.

Comme étourdi et riant presque, il répéta ces mots :

— Non ! Vraiment ! Ce n'est pas important !

Seulement une espèce de malaise s'était instauré entre eux deux et ils furent incapables de retrouver la liberté de ton qui avait été la leur à peine quelques minutes auparavant. Assez vite, Stoner se leva, la remercia pour le café et la salua. Elle le raccompagna jusqu'à la porte et lui souhaita bonne nuit d'une voix un peu cassante.

Le jour s'en était allé. Une petite brise de printemps fouaillait l'air du soir. Il respira profondément et sentit le froid lui picoter tout le corps. Par-delà les contours tarabiscotés des maisons, les lumières de la ville vacillaient sous un fin molleton de brouillard. À un carrefour, un réverbère essayait vainement de s'imposer dans l'obscurité. Sous son semblant de halo, un rire déchira le silence puis l'effilocha un peu avant de s'évanouir. La brume retenait dans ses nuées une odeur de déchets en train de brûler au fond d'un jardin et, tandis qu'il marchait lentement en respirant les parfums de la nuit et en sentant le piquant de sa bise sur sa langue, il lui sembla que cet instant précis suffisait à son bonheur et qu'il n'aurait jamais besoin de beaucoup plus.

Et il eut, comme un autre, son histoire d'amour.

Il mit un certain temps à comprendre et accepter la nature de ses sentiments pour Katherine Driscoll. Il se surprenait à trouver des prétextes pour aller lui rendre visite chez elle certains après-midi. Le titre d'un livre ou d'un article lui revenait à l'esprit, il le notait consciencieusement puis prenait bien soin de l'éviter dans les couloirs de Jesse Hall pour avoir l'occasion de passer chez elle et lui faire part de sa trouvaille en bavardant autour d'une tasse de café. Un jour, même, il passa presque une demi-journée enfermé dans la bibliothèque à la recherche d'un ouvrage qui pouvait – peut-être – étayer un point qui lui avait paru un peu faible dans son second chapitre... Une autre fois, il recopia, et avec quelle application, un long extrait d'un obscur manuscrit rédigé en latin dont la bibliothèque possédait un photostat. Ce qui l'autorisa donc à passer de

nombreuses heures en sa compagnie pour l'aider
à le traduire...

Katherine Driscoll se montrait courtoise, chaleureuse et réservée. Sans en faire trop, elle ne
manquait jamais de lui exprimer sa gratitude
pour le temps et l'intérêt qu'il consacrait à son
travail et s'inquiétait de savoir si elle ne l'empêchait pas de vaquer à des occupations plus
importantes.

Jamais l'idée qu'elle aurait pu le considérer
autrement que comme un professeur précieux,
intéressé par son travail et dont l'aide, même
amicale, outrepassait un peu les fonctions, ne
l'avait effleuré. Il se voyait comme un homme
un peu pathétique. Le genre de bon garçon que
l'on salue bien volontiers, mais de loin... Et à partir de la minute même où il comprit la nature de
son trouble, il veilla très scrupuleusement à ne
jamais prendre le moindre risque de le lui laisser
deviner.

Pendant plus d'un mois, il passa la voir deux
ou trois fois par semaine tout en veillant à ne
jamais rester plus de deux heures d'affilée de
peur de l'ennuyer et, pour cette même raison, il
ne passait que s'il était sûr de pouvoir lui être
réellement utile dans son travail de thèse. Avec
une sorte d'amusement un peu affligé, il réalisa
qu'il préparait ces visites avec autant de soin et
de conscience professionnelle que ses propres
cours puis finit par se l'avouer un jour : ce peu,
ces miettes de vie lui suffisaient et il serait heureux de la voir et de bavarder avec elle aussi longtemps qu'elle supporterait sa présence...

Mais malgré ses précautions et tous ses efforts,
ces après-midi de travail devinrent de plus en
plus laborieux. Pendant de longs moments ils se
retrouvaient bêtement à ne plus savoir que dire,

sirotaient leur café en regardant ailleurs et finissaient par lâcher un « Bon... » d'une voix mal assurée, voire un peu méfiante, tout en trouvant de bonnes raisons pour se lever et partir à l'autre bout de la pièce. Le plus loin possible de l'autre.

Avec un chagrin auquel il ne s'était pas attendu et qui le bouleversa, il finit par se dire que ses visites commençaient à lui peser et que seule sa gentillesse et sa bonne éducation l'empêchaient de le lui signifier. Il prit donc la décision qui n'avait jamais cessé de le hanter depuis le tout premier jour : il allait se détacher d'elle peu à peu et prendre ses distances. Ainsi elle ne se rendrait pas compte qu'il avait remarqué sa nervosité et comprendrait qu'il l'avait aidée du mieux possible et qu'il n'y avait plus rien qu'il puisse encore faire pour elle...

Il ne passa la voir qu'une seule fois la semaine suivante puis ne vint plus du tout. Là encore, il fut abasourdi par la violence du combat qu'il dut se livrer à lui-même. L'après-midi, il était assis à son bureau et devait se retenir presque physiquement de se lever de son siège pour se précipiter dehors et courir jusqu'à son appartement. Une fois ou deux, il l'aperçut de loin dans un couloir, qui sortait ou rejoignait l'une de ses salles de classe à vive allure, et avait alors pris la direction opposée pour être sûr de ne pas la croiser.

Au bout d'un moment, il sombra dans une sorte de léthargie. Il se disait que cela passerait, que d'ici quelques jours il serait de nouveau capable de la croiser sans défaillir, de la saluer, de lui sourire et – qui sait – peut-être même de la retenir un instant pour lui demander des nouvelles de son travail.

Et puis, un après-midi qu'il se trouvait dans la salle des professeurs à ramasser son courrier, il entendit un jeune collègue annoncer à son voisin que Katherine Driscoll était souffrante et qu'elle n'avait pas assuré ses cours depuis le début de la semaine. La torpeur dans laquelle il se dissolvait depuis des jours s'évanouit aussitôt. C'était comme s'il venait de prendre un violent coup de poing dans la poitrine. Sa volonté et toutes ses bonnes résolutions s'en trouvèrent balayées. Il rejoignit son bureau en automate, inspecta sa bibliothèque avec une sorte de désespoir et attrapa un livre. Quand il arriva enfin devant sa porte il resta un moment immobile, le temps de retrouver son souffle et ses esprits puis se composa un sourire, veilla à ce que celui-ci parût le plus naturel possible, l'accrocha bien haut et frappa.

Elle était encore plus pâle que d'habitude, deux grandes auréoles bistre lui mangeaient le visage, elle portait une robe de chambre bleu foncé et ses cheveux étaient sévèrement tirés en arrière.

Stoner fut conscient de dire n'importe quoi n'importe comment, mais il ne pouvait stopper cette hémorragie de mots insensés :

— Bonjour j'ai entendu dire tout à fait par hasard que vous étiez malade alors par hasard j'ai pensé que je pouvais passer pour prendre de vos nouvelles il se trouve que j'ai là un livre qui pourrait peut-être vous être utile mais je... vous... Vous allez bien car je ne voudrais pas vous...

Il entendait tous ces sons forcer son sourire d'amidon avant de dégringoler par terre et ne pouvait s'empêcher de scruter son visage comme un dément.

Quand il se tut enfin, elle fit un pas en arrière et lui dit calmement :

— Entrez.

Une fois à l'intérieur, son agitation retomba. Il s'installa dans le fauteuil en face du lit, se calma et sentit son cœur se remettre à battre normalement au moment même où elle vint s'asseoir en face de lui. Ils demeurèrent silencieux.

Elle demanda :

— Vous voulez du café ?

— Il ne faut pas que cela vous embête...

— Cela ne m'embête pas, répondit-elle du tac au tac et sa voix eut de nouveau cette espèce de dureté qu'il lui connaissait déjà. Il y en a... Je n'ai qu'à le réchauffer...

Elle disparut dans la cuisine. Livré à lui-même, il observa la table basse d'un air sombre. Il se disait qu'il n'aurait pas dû venir et songeait à cette faiblesse des hommes qui les conduisait à faire malgré eux des choses tellement imbéciles...

Katherine Driscoll revint et ils restèrent ainsi, immobiles, plongés dans la contemplation de ces arabesques qui se déhanchaient au-dessus de leurs tasses de café. Elle attrapa un paquet de cigarettes tout froissé, en alluma une et recracha d'autres volutes autrement plus nerveuses. Stoner se souvint du livre qu'il avait apporté et auquel il se retenait toujours. Il le posa sur la table entre eux deux.

— Peut-être que ce n'est pas le moment et que vous n'aurez pas envie de vous y plonger, mais il y a là certaines choses qui pourraient vous être utiles et j'ai pen...

— Je ne vous ai pas vu depuis presque quinze jours, le coupa-t-elle en écrasant rageusement sa cigarette dans le cendrier.

Décontenancé, il bafouilla :

— Je... j'ai été assez occupé... Il y avait tant de choses que je...

— Ça n'a aucune importance, l'interrompit-elle encore. Aucune. Je n'aurais pas dû...

Elle posa son front sur sa paume.

Elle doit être fiévreuse, se dit-il en la regardant inquiet.

— Je suis désolé de vous savoir malade. Y a-t-il quelque chose que je puisse faire pour...

— Je ne suis pas malade.

Et elle ajouta d'une voix songeuse et déroutée :

— Je suis désespérément désespérément malheureuse.

Il ne comprit toujours pas et le caractère inexorable, douloureux, impudique même, de cet aveu le fendit par le milieu. Il s'écarta un peu et bredouilla :

— Vous... vous m'en voyez désolé. Pouvez-vous m'en parler ? S'il y a quelque chose que je...

Elle releva la tête. Son visage était dur, mais ses yeux brillaient. Et pour cause, ils étaient pleins de larmes.

— Je ne veux pas vous embêter. Je suis confuse. Vous devez me trouver tout à fait stupide...

— Non, dit-il en observant de nouveau ce visage si pâle qui semblait lutter de toutes ses forces pour brider ses émotions.

Puis son regard se posa sur ses grandes mains osseuses qu'il avait repliées autour de l'un de ses genoux. Ses doigts étaient épais et carrés et ses articulations formaient un chapelet de boutons blancs sur sa peau mate.

Enfin, il murmura, lentement et posément :

— D'une certaine manière et même de toutes les manières possibles, je crois... je suis un ignorant. C'est moi qui suis stupide, pas vous. Je ne venais plus parce que je pensais... ou plutôt j'avais l'impression que je commençais à vous peser... Mais peut-être n'était-ce pas le cas...

— Non, répondit-elle, non. Ce n'était pas le cas.

Toujours en prenant soin de ne pas croiser son regard, il ajouta :

— Et je ne voulais pas vous mettre dans la situation embarrassante d'avoir à... de... d'être confrontée à mes sentiments à votre égard, lesquels seraient tôt ou tard devenus évidents si j'avais continué à venir vous...

Elle ne bougea pas. Deux grosses larmes s'échappèrent de ses cils et roulèrent le long de ses joues.

— Peut-être ai-je été égoïste... Il me semblait que tout cela ne mènerait à rien si ce n'est une gêne pénible pour vous et, pour moi, la certitude de... du malheur... Vous connaissez mes... ma situation familiale et il ne me semblait pas envisageable que vous puissiez... Que vous n'ayez pour moi rien d'autre qu'une sorte de...

— Tais-toi, lui ordonna-t-elle d'une voix douce. Oh, mon cœur, tais-toi et viens par ici...

Il se mit à trembler, contourna la table basse, aussi penaud qu'un petit garçon, et vint s'asseoir auprès d'elle.

Timides, hésitantes, leurs mains se tendirent puis ils s'enlacèrent maladroitement et restèrent ainsi pendant un très long moment, scellés, figés dans cette étreinte fragile, comme si le moindre de leur mouvement aurait pu laisser échapper cette chose étrange et redoutable qu'ils venaient tout juste de circonscrire en refermant leurs bras.

*
* *

Ses yeux, qu'il avait vus brun sombre ou noirs étaient en réalité d'un violet très profond. Leur éclat s'irisait lorsqu'ils accrochaient le faible halo de la lampe et comme ils changeaient sans cesse de nuance selon l'angle sous lequel il les regardait, même fixes ils vivaient encore. Quant à son teint qui, de loin, semblait si pâle, il cachait sous son masque d'albâtre une carnation d'un rose intense et délicat. On avait l'impression qu'un rai de lumière traversait un verre dépoli. Et comme c'était toujours le cas avec ces peaux si fines, la maîtrise, le calme et la réserve qui, avait-il cru, trahissaient sa nature profonde masquaient en réalité une gaieté et une ardeur dont l'intensité était d'autant plus vive qu'elle était ainsi tenue secrète.

Au cours de sa quarante-troisième année, William Stoner apprit ce que d'autres, bien plus jeunes, avaient compris avant lui : que la personne que l'on aime en premier n'est pas celle que l'on aime en dernier et que l'amour n'est pas une fin en soi, mais un cheminement grâce auquel un être humain apprend à en connaître un autre.

Très timides tous les deux, ils s'apprivoisèrent lentement et avec circonspection. Se rapprochant, s'éloignant, se touchant puis s'écartant tour à tour, chacun prenant bien garde de ne rien imposer à l'autre qui n'aurait pas été bienvenu. Les écailles de pudeur qui les protégeaient tombèrent une à une de sorte qu'à la fin, ils se retrouvèrent, comme tous les grands timides, nus, offerts l'un à l'autre, et parfaitement en confiance.

Presque tous les après-midi il se rendait chez elle après ses heures de cours. Ils faisaient l'amour, parlaient et s'aimaient de nouveau. Ils étaient comme ces enfants que leurs jeux ne lassent ni n'épuisent jamais.

C'était le printemps, les jours ne cessaient de s'allonger et ils attendaient l'été avec impatience.

XIII

Quand il était très jeune William Stoner pensait que l'amour était une sorte d'absolu auquel on avait accès si l'on avait de la chance. En vieillissant il avait décidé que c'était plutôt la terre promise d'une fausse religion qu'il était de bon ton de considérer avec un scepticisme amusé ou un mépris indulgent, voire une mélancolie un peu douloureuse. Mais maintenant qu'il était arrivé à mi-parcours, il commençait à comprendre que ce n'était ni une chimère ni un état de grâce, mais un acte humain, humblement humain, par lequel on devenait ce que l'on était. Une disposition de l'esprit, une manière d'être que l'intelligence, le cœur et la volonté ne cessaient de nuancer et de réinventer jour après jour.

Les longues heures d'oisiveté qu'il avait passées à sa table de travail à regarder par la fenêtre un paysage en mouvement – flamboyant puis s'éteignant peu à peu devant ses pauvres yeux qui ne distinguaient plus rien –, il les passait à présent avec Katherine. Très tôt chaque matin, il se rendait à son bureau, s'asseyait dans son fauteuil, ne tenait pas en place pendant un quart d'heure puis, décidément incapable de se concentrer, quittait Jesse Hall, traversait le campus et se rendait à la bibliothèque où il errait parmi les rayonnages pendant encore vingt bonnes minutes. Enfin – et comme si c'était un petit jeu dont il avait dicté les règles et qu'il s'imposait à lui-même – il se libérait de ce suspense, se faufilait par une porte dérobée et empruntait la route qui menait chez elle.

Elle travaillait souvent très tard et lorsqu'il arrivait certains matins, il la trouvait à peine éveillée, encore chaude et toute gorgée de sommeil, nue sous le peignoir bleu marine qu'elle avait passé à la hâte pour venir lui ouvrir. Ces matins-là, ils marchaient à reculons jusqu'à son petit lit tiède et faisaient l'amour avant même d'avoir échangé la moindre parole.

Son corps était long, délicat et d'une ardeur voluptueuse. Quand il le caressait, sa main, toute intimidée, semblait revenir à la vie. Quelquefois il le contemplait comme un incroyable trésor dont on lui aurait confié la garde. Il laissait alors ses gros doigts carrés courir sur l'incarnat pâle et légèrement moite de ses cuisses et de son ventre et s'émerveillait de la beauté à la fois si simple et si émouvante de ses petits seins.

Il réalisa qu'il n'avait jamais connu le corps de quelqu'un d'autre et songea ensuite que c'était probablement la raison pour laquelle il avait toujours, chez les autres comme en lui-même, séparé l'esprit de cette enveloppe charnelle qui le contenait. Plus tard encore, il comprit enfin, pour l'avoir éprouvé, qu'il n'avait jamais connu intimement un être humain avec lequel il se soit ainsi senti en confiance, ce qui revenait à dire qu'il n'avait jamais connu personne.

Comme tous les gens qui s'aiment, ils se racontèrent beaucoup l'un à l'autre. Comme si, ce faisant, ils pouvaient enfin comprendre le monde qui les avait réunis.

— Mon Dieu, comme j'ai pu te désirer... lui avoua-t-elle un jour. Je te voyais, là, à ce séminaire, debout devant nous, si grand, si beau et si plein de pudeur... Et j'avais tellement envie de toi... Tu ne t'en es jamais rendu compte, n'est-ce pas ?

— Non, avait-il grimacé, non. Je pensais que tu étais une petite jeune femme tout ce qu'il y a de plus convenable...

Elle s'était mise à rire, enchantée :

— Convenable, c'est le mot !

Puis elle s'était ressaisie et avait ajouté l'air songeur :

— Je suppose que j'avais l'impression de l'être aussi... Oh, comme nous nous croyons vertueux quand nous n'avons aucune raison de nous connaître... Mais il faut être amoureux pour savoir qui l'on est ! Parfois, quand je suis avec toi, j'ai l'impression d'être la plus grande putain du monde... La plus fidèle et la plus enragée... Cela te semble-t-il convenir à une jeune femme convenable ?

— Absolument pas, répondit-il en lui souriant. Mais viens plutôt par là...

William apprit qu'elle avait eu un autre amoureux. Une histoire qui datait de ses années de fac et qui s'était terminée dans les larmes, les reproches et la trahison.

— La plupart des histoires finissent mal... avait-elle murmuré, et un nuage sombre était passé au-dessus de leurs têtes. Lentement.

William fut choqué de découvrir à quel point cet « autre » le contrariait. Il avait eu la faiblesse de croire, de commencer à croire, que ni lui ni elle n'avait vraiment existé avant eux.

— Il était tellement timide... Un peu comme toi, j'imagine... Sauf que lui était plein d'amertume et toujours angoissé. Je n'ai jamais su pourquoi... Il m'attendait sous un grand arbre au bout de l'allée qui menait aux dortoirs parce qu'il était trop timide pour venir s'aventurer au milieu des autres et nous marchions pendant des kilomètres et des kilomètres à travers la campagne jusqu'à ce que nous soyons sûrs de ne plus croiser personne. Mais nous... Nous n'avons jamais vraiment été ensemble... même quand nous faisions l'amour...

Stoner pouvait presque l'apercevoir, cette silhouette furtive qui n'avait ni nom ni visage, et sa jalousie se mua en tristesse. Il se sentit soudain très proche de ce jeune homme sombre et taciturne dont les indicibles tourments l'avaient privé de ce que lui possédait à présent.

Quelquefois, pendant ce demi-sommeil qui suit l'amour, il se trouvait pris dans un flot délicieux de sensations et d'indolentes rêveries. Ainsi ballotté, il ne savait jamais vraiment s'il les exprimait à voix haute ou s'il se contentait d'aligner devant ses yeux mi-clos les mots qui les circonvenaient.

Il rêvait de perfection, de plénitude, de mondes dans lesquels ils auraient pu être ensemble pour l'éternité et se prenait presque à croire à la viabilité de ses vagabondages. Il prononçait des mots comme : « Et si nous... » ou « Imagine que... » et continuait ainsi sur sa lancée à tisser un cocon à peine plus doux que celui dans lequel ils se lovaient déjà. C'était une certitude tacitement partagée : cet avenir enchanté qu'ils élaboraient et se racontaient à longueur de baisers ne serait que gestes tendres et célébration perpétuelle de la vie qui était la leur aujourd'hui.

Vie qu'ils auraient été bien en peine d'imaginer, l'un et l'autre... Ils évoluèrent ainsi de la passion au désir et du désir à une sensualité bien plus profonde qui se renouvelait sans cesse, à chaque instant.

Un jour, elle lui dit :

— Plaisir du corps et vie de l'esprit... Finalement il n'y a que ça qui compte, n'est-ce pas ?

Et il sembla à Stoner que oui, c'était tout à fait ça, et que c'était là une des choses qu'il avait apprises auprès d'elle.

Car les moments qu'ils partagèrent cet été-là ne se résumèrent pas à son lit et à leurs longs palabres. Ils apprirent à vivre ensemble en silence et à partager de grands moments de quiétude. Il rapporta tant de livres qu'ils finirent par installer une nouvelle étagère rien que pour eux et il en profita pour reprendre les recherches qu'il avait totalement abandonnées. Katherine, elle, continuait de travailler à un essai qui serait aussi son mémoire de thèse. Extrêmement concentrée, elle pouvait rester assise des heures durant à son minuscule bureau, face au mur, la tête penchée sur ses notes, et la nuque – qu'elle avait de si gracieuse – inclinée, dodelinant au-dessus du col châle de son peignoir bleu. Stoner, affalé dans l'unique fauteuil ou étendu sur le lit, était aussi studieux qu'elle.

De temps en temps, ils levaient les yeux et se souriaient avant de retourner à leurs lectures. Parfois William s'échappait de son livre et son regard se perdait dans la contemplation de l'arrondi de son dos ou des osselets de sa nuque sur laquelle une petite mèche de cheveux s'amusait toujours à tenir en équilibre, alors le désir montait en lui. Doucement. Tranquillement. Il se levait, venait derrière elle et plaçait ses mains sur ses épaules. Elle se redressait, posait sa tête contre son ventre et sentait ses mains se faufiler sous son col pour venir lui caresser les seins. Ils s'aimaient, restaient étendus un moment puis reprenaient leur travail là où ils l'avaient laissé comme si l'amour et l'apprentissage n'étaient qu'une seule et même inclinaison de l'âme.

Voilà encore l'une des curiosités de ce qu'ils appelaient les « opinions établies » apprise cet été-là... Ils avaient tous deux été élevés selon une tradition qui leur avait martelé, d'une manière ou d'une autre, que la vie de l'esprit et celle des sens étaient séparées et qu'elles étaient – c'était le moins que l'on puisse dire – en assez mauvais termes. Ils avaient donc été convaincus, sans y avoir jamais vraiment réfléchi, qu'il leur faudrait un jour choisir l'une d'entre elles au détriment de l'autre. Que la première pût magnifier la seconde et que la seconde fût la gloire de la première ne leur était jamais venu à l'esprit. Et comme la réalité d'une vérité surgit toujours avant sa conceptualisation, cette découverte extraordinaire leur sembla n'appartenir qu'à eux seuls.

Ils commencèrent à collectionner les curiosités de ces « opinions établies » et les amassèrent comme autant de petits trésors. Cela les aidait à rester isolés de ceux qui justement, les établissaient, et à les conforter dans leur manière d'être à eux. Intime, infime certes, mais tellement profonde...

Il y avait une autre bizarrerie dont Stoner prit conscience et qu'il garda pour lui. Elle concernait ses relations avec sa femme et sa fille.

Relations qui selon l'« opinion établie » auraient dû empirer à mesure que sa (terme approuvé par l'o.e.) « petite aventure » poursuivait son cours. Pourtant ce ne fut absolument pas le cas. Ses absences répétées et de plus en plus longues loin de ce qu'il appelait encore son « foyer » semblèrent au contraire le rapprocher d'Edith et de Grace, et leur vie commune fut bien plus douce qu'elle ne l'avait jamais été depuis des années. Il commença à éprouver pour la première une sorte d'amicalité curieuse qui était proche de l'affection et ils se mirent même à bavarder ensemble, comme ça, à l'occasion, de tout et de rien. Cet été-là, elle nettoya la véranda qui lui tenait lieu de bureau, la restaura et y installa un lit d'appoint pour qu'il n'ait plus à dormir sur le canapé du salon.

Pendant les week-ends, elle sortait quelquefois chez des voisins et laissait Grace seule avec son père. Un jour, même, elle fut absente assez long-temps pour qu'ils puissent aller se promener tous les deux dans la campagne environnante. Loin de la maison, la réserve farouche et parfois un peu agressive de sa fille s'évanouissait et il lui arrivait de sourire avec une douceur et un charme qu'il avait presque oubliés. Elle avait beaucoup grandi ces dernières années et était très mince, pour ne pas dire maigre.

Il lui fallait vraiment faire un effort de volonté pour se souvenir qu'il trompait Edith. Les deux parties de sa vie étaient aussi cloisonnées que peuvent l'être deux vies dans une seule et bien qu'il sût parfaitement que ses facultés d'intros-pection étaient quasi nulles et qu'il était fort capable de s'illusionner, il n'arrivait pas à se per-suader qu'il blessait quiconque vis-à-vis duquel il se sentît une responsabilité.

Il n'avait aucune espèce de talent pour la dissi-mulation et l'idée de nier son histoire d'amour avec Katherine Driscoll ne lui était même jamais venue à l'esprit. Pas plus que celle de s'en ouvrir d'ailleurs... Il lui semblait inenvisageable que d'autres, ceux du monde extérieur, pussent en être conscients et encore moins qu'ils y trouvassent le moindre intérêt.

Il tomba donc des nues – quoique, cela lui fût un peu égal... – quand il découvrit à la fin de l'été qu'Edith était au courant de sa liaison et cela pratiquement depuis le début.

Elle y fit allusion un matin alors qu'il s'attardait devant sa tasse de café en discutant avec Grace. Elle s'était raidie, avait reproché à sa fille de traînasser et lui avait rappelé qu'elle devait travailler son piano pendant une heure avant de songer à perdre ainsi son temps. William observa la silhouette hiératique et gracile de sa fille quitter la salle à manger et attendit distraitement qu'une première salve d'arpèges s'élevât du vieux piano.

— Eh bien ! fit Edith un peu sèchement, tu es un peu en retard ce matin, non ?

Il se tourna vers elle, l'air étonné mais toujours aussi impassible.

— Est-ce que ta petite camarade ne va pas être agacée si tu la fais ainsi attendre ?

Il sentit ses lèvres se pétrifier :

— Pardon ? De... de quoi parles-tu ?

— Oh, Willy... rétorqua-t-elle en riant tendrement, tu pensais que je n'étais pas au courant de ce... de ton petit flirt ? Mais je l'ai toujours su ! Comment s'appelle-t-elle déjà ? On me l'a dit, mais j'ai oublié...

Sous le choc et totalement pris de court, son esprit n'avait retenu qu'un seul mot et quand il put enfin réagir, sa voix était méconnaissable :

— Tu n'y es pas du tout. Il n'y a pas de... de « flirt » comme tu dis, c'est...

— Oh ! Mon Willy ! l'interrompit-elle en riant plus tendrement encore, tu as l'air tellement bouleversé... Mais tu sais, je ne suis pas née de la dernière pluie ! Un homme de ton âge et tout ce que ça sous-entend... C'est normal, je suppose ! Du moins, c'est ce que tout le monde dit...

Il demeura un moment silencieux puis ajouta à contrecœur :

— Edith... si tu veux que nous parlions de tout cela...

— Non ! s'écria-t-elle, une pointe d'angoisse dans la voix, non. Il n'y a rien à dire. Rien du tout !

Et ils n'abordèrent jamais ce sujet. Ni ce jour-là ni plus tard. La plupart du temps elle maintenait les apparences selon lesquelles c'était son travail qui le retenait loin de la maison, même si elle ne pouvait s'empêcher de lui rappeler comme ça, de temps en temps, mais assez souvent quand même, qu'elle savait...

Parfois elle le taquinait avec une sorte d'affection indulgente, parfois elle en parlait sans la moindre émotion comme si c'était le sujet de conversation le plus banal qu'elle eût pu trouver et parfois elle évoquait cette affaire sur un ton un peu exaspéré car tant de banalité, ma foi, la contrariait vraiment.

— Oh... soupira-t-elle un jour, je sais bien ce qui se passe quand un homme atteint la quarantaine... Mais, quand même, Willy, tu pourrais être son père, non ?

Il n'y avait jamais songé. Il ne s'était jamais préoccupé de l'image qu'il pouvait donner de lui et, l'espace d'un instant, il se vit comme les autres, comme le monde devait le voir... Les paroles d'Edith résonnaient encore à ses oreilles tandis qu'il entrevoyait ce triste personnage qui alimentait les cancans des fumoirs et remplissait les pages des romans de gare... Un pauvre type qui commençait à prendre du ventre, à perdre ses cheveux, qui était incompris de sa femme et cherchait à se prouver quelque chose en séduisant des filles bien plus jeunes que lui. Donnant, payant, quémandant pour retrouver une jeunesse que lui n'aurait jamais plus. Ce pantin ridicule habillé de façon grotesque, dont on riait un peu jaune et qui inspirait une espèce de pitié teintée de mépris... Il examina cet homme le plus honnêtement possible, seulement plus il le regardait, moins il se reconnaissait.

Ce n'était pas lui, ce pauvre bougre, et il comprit du même coup que ça n'était personne.

Pourtant, il était lucide. Il se rendait compte que « le monde » s'avançait en rampant. Jusqu'à lui, jusqu'à Katherine et jusqu'à ce petit refuge qu'ils avaient cru inviolable. Il guetta ces manœuvres avec une tristesse à ce point mutilante qu'il fut incapable de s'en ouvrir, même à elle.

*
* *

La rentrée de ce mois de septembre se déroula sous un ciel magnifique et l'été indien était venu tout embraser juste après les premières gelées. Stoner reprit ses cours avec une énergie qu'il n'avait pas ressentie depuis longtemps. Même la perspective d'affronter une centaine de visages d'étudiants en première année n'entama pas son bel enthousiasme.

Sa vie avec Katherine continua comme avant, à la différence près que le retour des élèves et de bon nombre de leurs collègues l'obligeait à davantage de prudence. Comme la vieille maison où elle logeait était désertée pendant l'été, ils avaient pu vivre dans un état d'isolement quasi complet sans jamais craindre de se faire remarquer, mais, à présent, il était obligé d'employer des ruses de Sioux quand il venait la voir l'après-midi. Il se surprit à jeter des coups d'œil inquiets à la ronde quand il arrivait dans sa rue et à descendre furtivement, comme un voleur, les marches en contrebas qui menaient à son appartement.

Ils songèrent à oser certaines bravades et parlèrent de rébellion. Ils avaient le vertige du scandale : tout dire, ne plus jamais se cacher et s'aimer au grand jour. Mais ils ne firent rien de tout cela car en vérité, ils n'en avaient cure. La seule chose qui leur importait, c'était d'être ensemble, d'être en paix et d'être eux-mêmes. Or, cette seule exigence les condamnait à n'être jamais en paix et – ils ne se faisaient aucune illusion – à ne plus avoir tellement l'occasion d'être eux-mêmes non plus... Ils étaient persuadés d'être très discrets et il ne leur était jamais vraiment venu à l'esprit que leur histoire aurait pu s'ébruiter. Ils prenaient bien garde de ne jamais se croiser à l'université et quand ils ne pouvaient faire autrement que de se rencontrer en public, ils se saluaient l'un l'autre avec une froideur dont l'ironie ne leur avait jamais paru manifeste.

Mais l'affaire se répandit. Elle se répandit même comme une traînée de poudre dès le début du semestre. Une découverte probablement due à cette terrible acuité dont font preuve les braves gens dès qu'il s'agit de ce genre de caquetages car ni l'un ni l'autre ne s'était épanché ni n'avait jamais rien laissé filtrer de sa vie privée. Ou alors, peut-être, quelqu'un avait-il fait une petite allusion en passant, laquelle était tombée dans une oreille déjà suspicieuse, d'où une étude plus approfondie des faits et gestes de nos deux protagonistes qui avait donné lieu à... Spéculations vaines, ces intrigants le savaient bien, mais ils n'aimaient rien tant que de s'en repaître...

À certains signes, ils surent qu'ils avaient été percés à jour. Un matin, alors qu'il marchait derrière deux étudiants en licence, Stoner entendit l'un d'eux qui disait à l'autre sur un ton où le mépris se mêlait à l'admiration : « Le vieux Stoner... Bon Dieu, mais qui aurait pu imaginer ça ? » puis il les vit secouer la tête, tout perplexes et goguenards qu'ils étaient face à cette pauvre condition humaine. Quant à Katherine, certaines de ses collègues firent des petites allusions en coin à William et commencèrent à lui raconter leurs vies sentimentales alors qu'elle ne leur avait rien demandé.

Ce qui les surprit le plus tous les deux, c'est que rien de tout cela ne s'envenima. Personne ne les battit froid ni ne leur lança le moindre regard noir, et ces « autres » tant redoutés, n'avaient, semblait-il, pas l'intention de les faire souffrir. Ils commencèrent à croire qu'il serait possible de vivre dans ce monde qu'ils avaient cru hostile, et même d'y vivre en paix et la tête haute.

Edith avait décidé d'emmener Grace voir sa mère à Saint-Louis pendant les vacances de Noël et pour la première fois depuis qu'ils se connaissaient Katherine et William eurent l'occasion de passer plusieurs jours ensemble.

Chacun de leur côté et de façon assez désinvolte, ils laissèrent entendre qu'ils ne seraient pas sur le campus au moment des fêtes. Katherine était censée retourner auprès de sa famille sur la côte est et William irait travailler au centre bibliographique de Kansas City. Ils prirent deux bus distincts à des heures différentes et se retrouvèrent à Lake Ozark, un village de vacances situé au pied des monts Ozark.

Ils étaient les uniques occupants du seul chalet ouvert toute l'année et ils avaient dix jours devant eux.

Comme il avait beaucoup neigé avant leur arrivée et qu'il neigea encore, la chaîne de collines qui faisait le gros dos à l'horizon garda son pelage blanc tout le temps que dura leur séjour.

Leur chalet comprenait une chambre, un salon et une petite cuisine. Il était assez éloigné et donnait sur un lac qui était pris dans la glace pendant l'hiver. Tous les matins, ils se réveillaient l'un près de l'autre, bien au chaud et voluptueusement emmêlés sous leur gros édredon. Ils tentaient alors une percée vers le monde extérieur, sortaient la tête, observaient leur souffle se transformer en volutes de buée, riaient comme des enfants, rabattaient vite les couvertures et se serraient encore plus fort. Certains jours ils faisaient l'amour et restaient couchés toute la matinée en bavardant et en attendant que le soleil vienne les toquer au carreau, d'autres fois Stoner sautait du lit sitôt réveillé, tirait les draps, admirait son corps nu et riait en l'entendant hurler tandis qu'il ranimait le feu. Ensuite, ils se pressaient l'un contre l'autre devant la grande cheminée enroulés dans une même couverture et attendaient que les flammes et leurs baisers les réchauffassent.

Malgré le froid ils se promenèrent presque tous les jours dans les bois. Les grands pins, d'un vert presque noir, se dressaient majestueusement vers un ciel d'azur très pâle. De temps à autre, une branche, en s'ébrouant, laissait choir une lourde masse de neige et le silence n'en était que plus solennel. De même, le bavardage impromptu d'un oiseau solitaire accentuait encore l'isolement dans lequel ils progressaient. Un jour, ils aperçurent un cerf qui s'était aventuré loin des montagnes en quête de nourriture. Non, c'était une biche, ce point mordoré qui se détachait devant l'austère rideau des sous-bois au milieu d'un blanc immaculé. À moins de cinquante mètres, elle s'immobilisa face à eux, l'antérieur droit délicatement relevé au-dessus de la neige. Ses fines oreilles pointaient en avant et ses grands yeux bruns, parfaitement ronds, étaient d'une incroyable douceur. Personne ne bougea. Étonnée mais polie, elle inclina sa jolie tête pour les saluer puis se retourna et s'éloigna. Rassurée, gracieuse, en levant ses pattes bien haut et en les reposant avec précision dans un infime craquement de flocons.

Chaque après-midi ils se rendaient au bureau d'accueil du village qui faisait aussi office d'épicerie-bazar et de restaurant. Ils prenaient un café, discutaient avec le premier venu et achetaient deux-trois bricoles pour leur dîner qu'ils prenaient toujours au chalet.

Il leur arrivait, dans la soirée, d'allumer une lampe à huile et de lire, mais le plus souvent ils s'asseyaient sur des couvertures repliées devant le feu. Ils bavardaient, ils se taisaient, ils essayaient de suivre les sarabandes compliquées des flammes sur les bûches et admiraient leurs reflets vaciller sur le visage de l'être aimé.

Un des derniers soirs – de leurs derniers soirs – Katherine murmura d'une voix songeuse :

— William, si nous n'avons jamais rien d'autre, eh bien, nous aurons eu cette semaine. Est-ce que... Est-ce que ça sonne un peu gnangnan ce que je raconte, là ?

— Peu importe la façon dont ça sonne, répondit-il en hochant la tête, c'est la vérité.

276

— Alors je te le redis : nous aurons eu cette semaine...

Le dernier matin, elle remit de l'ordre et nettoya l'endroit avec beaucoup de soin puis retira l'anneau qu'elle portait et l'enfonça dans une fissure entre le mur et la cheminée.

— J'avais envie, avoua-t-elle dans un sourire un peu gêné, de laisser quelque chose qui nous appartienne... Une chose qui se souviendrait de notre passage et puis avoir la certitude qu'elle resterait ici aussi longtemps que cet endroit tiendra debout... Peut-être que c'est ridicule...

Stoner ne put lui répondre. Il la prit par le bras et ils sortirent du chalet.

Ils avancèrent péniblement dans la neige jusqu'au point de rencontre où un autocar devait passer les prendre pour les ramener à Columbia.

*
* *

Un après-midi du mois de février, quelques jours seulement après le début du second semestre, Stoner reçut un coup de téléphone de la secrétaire de Gordon Finch. Celle-ci lui annonça que monsieur le doyen souhaitait le voir et lui demanda s'il pouvait passer dès maintenant ou le lendemain matin. Il raccrocha, resta un moment interdit, la main toujours posée sur le combiné, puis soupira. Il secoua la tête et descendit un étage.

Gordon Finch, en manches de chemise, la cravate dénouée et les deux mains derrière la tête, était affalé au fond de son grand fauteuil pivotant. Il accueillit Stoner par un grand sourire et lui indiqua le confortable siège en cuir placé à côté de son bureau.

— Mets-toi à l'aise, Will. Comment vas-tu ?

— Très bien.

— Beaucoup de travail, non ?

— Je ne me plains pas, répliqua-t-il un peu sèchement, j'ai un emploi du temps bien rempli.

— Je sais… soupira Finch en secouant la tête, et je ne peux rien faire à ce niveau-là, tu le sais bien… Mais vraiment… C'est lamentable…

— Il n'y a aucun problème, le coupa Stoner avec une pointe d'impatience dans la voix.

L'autre se redressa, s'accouda à son bureau et joignit ses mains :

— Bon, cette petite entrevue n'a rien d'officiel, Will… Je voulais simplement bavarder avec toi…

Il y eut un long silence.

— De quoi s'agit-il, Gordon ? lui demanda-t-il doucement.

L'autre soupira et lâcha tout à trac :

— OK. Bon, écoute… et c'est l'ami qui te parle, là… Ça chuchote beaucoup dans les couloirs… En tant que doyen, tout cela ne me regarde pas. Du moins pas encore, mais… parfois il arrive que je sois obligé d'écouter certains cancans et… et j'ai pensé que je devais t'en parler. En ami. Fais attention. Fais attention avant que tout ça ne tourne au vinaigre.

Stoner acquiesça.

— Quel genre de chuchotements exactement ?

— Bon Dieu, Will ! Mais toi et la petite Driscoll ! Tu sais bien…

— Oui. Je le sais. Je voulais simplement savoir jusqu'où ça allait.

— Rien de très méchant pour le moment. Des remarques, des insinuations, des petites mesquineries de ce genre…

— Je vois, mais… qu'y puis-je ?

Finch se mit à plier une feuille de papier.

— C'est sérieux, Will ?

Stoner hocha la tête et regarda par la fenêtre :

— J'en ai bien peur...

— Et qu'as-tu l'intention de faire ?

— Je ne sais pas.

Pris d'une colère soudaine, Finch froissa la feuille qu'il venait de plier soigneusement, en fit une boulette et l'envoya dinguer dans la corbeille.

— En théorie, grinça-t-il, ta vie t'appartient et tu en fais ce que tu veux. En théorie, tu devrais avoir le droit de baiser qui tu veux et faire tout ce qui te passe par la tête sans que personne n'y trouve à redire du moment que ça n'a pas d'incidence sur ta façon d'enseigner. Mais bon sang... ta vie *ne t'appartient pas*, c'est... oh, et puis merde, tu sais très bien de quoi je parle...

— Oui, je crois que oui, hélas, sourit Stoner.

— C'est vraiment la chienlit... Et Edith dans tout ça ?

— Eh bien, il semblerait qu'elle prenne toute cette affaire beaucoup moins au sérieux que nous tous... Et le plus cocasse, Gordon, c'est que je ne crois pas que nous nous soyons si bien entendus depuis des années...

Finch ricana :

— Ah ! On ne peut jamais rien prévoir, pas vrai ? Mais ce que je voulais dire, c'est... Vous allez divorcer ou quelque chose dans ce goût-là ?

— Je ne sais pas. Peut-être... Seulement Edith va prendre les armes et ce sera un carnage...

— Et Grace ?

Stoner sursauta, à peine, mais il sut que son visage trahissait sa douleur.

— Là, c'est... C'est autre chose, bien sûr... Franchement, je ne sais pas, Gordon...

Finch, lui, reprit sur un ton tout à fait détaché comme s'ils étaient en train de discuter d'un tiers :

— On doit pouvoir survivre à un divorce si… si ça ne se passe pas trop mal. Ce doit être dur, mais on s'en remet, j'imagine… Et si ce… cette affaire avec la petite Driscoll n'était pas si grave, si c'était juste une partie de jambes en l'air, eh bien, je pense que ça devrait pouvoir s'arranger aussi, mais là, tu cherches les ennuis, Will… Tu les cherches vraiment…

— Oui, je suppose que oui…

Un ange passa.

— J'ai vraiment un boulot de merde, ajouta Finch à voix basse. Il m'arrive parfois de penser que je n'étais pas du tout fait pour ça…

Son ami lui sourit :

— Dave Masters a dit un jour que tu n'étais pas un assez beau fils de pute pour réussir vraiment dans la vie…

— Peut-être… Peut-être qu'il avait raison, soupira-t-il, pourtant j'ai bien souvent l'impression d'en être un…

— Ne t'inquiète pas pour toute cette histoire, Gordon. Je comprends ta position et si je pouvais te faciliter les choses, je…

Il s'interrompit et secoua brusquement la tête.

— Mais là, je ne peux rien faire. Il faut laisser passer un peu de temps. De toute façon, et que ce soit d'une manière ou d'une autre, eh bien…

Finch opina, mais il ne le regardait plus. Il fixait le sous-main de son bureau comme si c'était un gouffre où ils finiraient tous par être précipités un jour. Stoner attendit encore quelques instants, mais son supérieur n'avait rien à ajouter, alors il se déplia, se redressa, et sortit.

Cette conversation avec Gordon Finch l'avait retardé. Il se rendit directement chez Katherine, marcha droit devant lui sans s'inquiéter d'être vu et entra sans frapper. Elle l'attendait. Elle portait toujours son tailleur strict de professeur et se tenait très droite sur le bord de son canapé. Un animal aux abois.

— Tu es en retard, annonça-t-elle.

— Pardon. J'ai été retenu.

Elle alluma une cigarette. Sa main tremblait légèrement. Elle observa la flamme quelques secondes puis l'étouffa sous un crachat de fumée.

— Une de mes petites collègues s'est fait un point d'honneur à venir me prévenir que le doyen t'avait convoqué cet après-midi...

— Oui. C'est justement ce qui m'a retenu.

— C'était à propos de nous deux ?

Stoner acquiesça :

— Il a entendu deux-trois petites choses...

— Je m'en doutais. Ma petite camarade semblait en savoir plus que ce qu'elle ne voulait m'en dire. Oh, mon Dieu, Will...

— Non, ce n'est pas du tout ce que tu crois. Gordon est un vieil ami, je pense vraiment qu'il veut nous protéger et je sais qu'il le fera si c'est en son pouvoir.

Katherine demeura silencieuse un long moment. Elle envoya valser ses chaussures, s'étendit, puis murmura, les yeux rivés vers le plafond :

— Voilà. Ça commence... C'était sûrement trop demander que de croire qu'ils allaient nous laisser tranquilles... Et j'imagine que nous le savions depuis le début d'ailleurs...

— Si ça tourne trop mal, nous pouvons partir. Nous pouvons envisager autre chose.

— Oh, Will ! reprit-elle en s'étranglant dans son sourire, tu es le plus merveilleux de tous les hommes. Le plus doux, le plus tendre... Jamais je ne les laisserai nous tourmenter, jamais !

Et, pendant les semaines qui suivirent, ils continuèrent de se voir plus ou moins comme avant. Se soumettant à une stratégie qu'ils auraient été bien incapables de mettre au point un an auparavant et avec une force d'âme qu'ils ne se soupçonnaient pas, ils devinrent les rois de l'évasion, de la feinte et du repli. Ils menèrent le combat avec la force et la détermination de deux généraux, certes fort habiles, mais obligés de survivre avec très peu de moyens. Pour le coup, ils devinrent vraiment méfiants et prudents, et tirèrent un plaisir bien amer de toutes ces grandes manœuvres. Stoner ne venait chez elle qu'à la nuit tombée, lorsque personne ne pouvait le voir pousser sa porte et Katherine se débrouillait, quand elle n'avait pas cours, pour être vue dans des cafés avec de jeunes collègues, mâles de préférence...

Les heures qu'ils passaient ensemble, pour avoir été si durement gagnées, n'en étaient que plus belles. Ils essayèrent de se convaincre et de convaincre l'autre qu'ils ne s'étaient jamais sentis aussi proches et finirent par réaliser, ô éblouissement, que c'était la vérité. Que tous ces mots auxquels ils avaient eu recours pour se réconforter mutuellement n'étaient pas que des mots. Bataillant ainsi, ils sauvèrent leur intimité et se vouèrent totalement l'un à l'autre.

Et ce monde en clair-obscur qui fut désormais le leur et auquel ils réservaient la meilleure part d'eux-mêmes fut bientôt leur seule réalité. L'autre, celui dans lequel les gens marchaient, parlaient, où tout n'était qu'agitation et mouvements incessants, n'était plus qu'un décor, une toile de fond. Et puisqu'ils n'avaient d'autre choix que de scinder leur vie en deux, il leur sembla tout naturel de mener une double vie.

Pendant les derniers mois de l'hiver et jusqu'au début du printemps, ils furent en paix et vécurent même dans un état de quiétude tel qu'ils n'en avaient jamais connu auparavant. Plus le monde extérieur se refermait sur eux, moins ils y prê-taient attention. Et leur bonheur était si complet qu'ils n'éprouvèrent jamais le besoin d'évoquer cette menace ou même simplement d'y songer. Dans le petit appartement sombre de Katherine – ce terrier caché sous une bonne grosse maison bien solide – ils avaient l'impression de vivre hors du temps et de se mouvoir dans un univers qu'ils avaient découvert et qui n'appartenait qu'à eux seuls.

Et puis un jour, vers la fin du mois d'avril, Gordon Finch le convoqua de nouveau. Stoner se dirigea vers son bureau à l'aveugle et dans un état de sidération. Il savait. Il savait ce qu'il refusait d'admettre.

Ce qui se passait à présent était simple comme bonjour. Quelque chose qu'il aurait dû prévoir depuis le début... Seulement voilà, il n'y avait même pas songé...

— C'est Lomax, annonça Gordon de but en blanc. Ne me demande pas comment, mais ce salopard a eu vent de l'affaire et il ne va pas lâcher le morceau.

— J'aurais dû y penser. J'aurais dû m'en douter... Et tu penses que ça pourrait calmer le jeu si j'allais lui parler ?

Finch secoua la tête, traversa la pièce et se planta devant la fenêtre. C'était le début de l'après-midi, il faisait beau, son visage inondé de soleil était brillant de sueur, il lâcha :

— Tu ne comprends pas, Will... Il est beaucoup plus tordu que ça... Ton nom n'a même pas été évoqué... C'est à la petite Driscoll qu'il va s'en prendre.

— Il quoi ? demanda Stoner abasourdi.

— On pourrait presque applaudir l'artiste... Il savait foutrement bien que j'étais au courant de toute cette histoire et il est venu me voir hier comme si de rien n'était pour m'annoncer qu'il allait être obligé de virer la jeune Driscoll. Et pour me prévenir qu'il pourrait y avoir du grabuge...

— Non, fit Stoner, non. Et ses mains étaient tellement crispées sur les deux accoudoirs en cuir qu'elles lui faisaient mal.

Finch continua :

— D'après Lomax, on se serait plaint. Des étudiants surtout, mais aussi des gens de la ville... Il semblerait que des hommes aient été aperçus allant et sortant de chez elle à n'importe quelle heure du jour et de la nuit – comportement des plus inacceptables – et tout un tas d'autres petits détails du plus mauvais effet. Oh, avait-il ajouté magnanime, lui n'avait aucun reproche à lui faire et il avait même une grande estime pour cette jeune femme, mais il était de son devoir de protéger la réputation du département et de l'université tout entière car, avait-il continué, « quand bien même nous souffrons tous ici des diktats de la petite bourgeoisie – alors que la vocation d'une communauté comme la nôtre serait justement d'être un havre autant qu'un lieu de résistance contre la tyrannie de cette morale protestante –, il fallait se rendre à l'évidence : nous en étions dépendants et n'avions, concrètement, aucun moyen de nous en affranchir… » Il a terminé en ajoutant qu'il aurait vraiment préféré attendre la fin du semestre pour régler toute cette triste affaire, mais doutait que cela fût possible. Et tout le temps que dura son putain de sermon, ce salopard savait parfaitement que lui et moi, nous nous comprenions parfaitement.

Quelque chose s'était coincé dans sa gorge et Stoner fut incapable d'émettre un son. Il déglutit plusieurs fois avant de tester sa voix : elle tenait bon.

— Ce qu'il veut est tout à fait clair…

— J'en ai bien peur, soupira Finch.

— Je savais qu'il me haïssait, reprit-il songeur, mais je n'avais jamais réalisé… Je n'aurais jamais pu imaginer qu'il…

— Moi non plus.

Finch retourna à son bureau et se laissa tomber dans son fauteuil.

— Et je ne peux rien faire, Will. Je suis impuissant, là… Si Lomax veut des plaignants, il en trouvera, et s'il veut des témoins, ils se manifesteront aussi, car il a le bras long tu sais… Et si tout ça remonte jusqu'au président…

Il secoua la tête en signe de dénégation. La chose était impensable.

— Et à ton avis, que va-t-il se passer si je refuse de démissionner ? Si nous refusons tout bonnement de nous laisser intimider ?

— Ce qui se passera ? Eh bien, il la crucifiera, répondit-il calmement. Il l'écrasera sous son talon et se débrouillera pour que tu trinques avec elle. Il n'y a aucun doute là-dessus.

— Alors il semblerait qu'il n'y ait rien à faire…

— Will… rétorqua son ami.

Mais il se tut. Il était fatigué. Il ferma les yeux et murmura en se massant les paupières :

— Il y a encore une chance. Juste une. Je pense que je peux sauver ta peau si... Si la petite Driscoll prenait sur elle de...

— Non, Gordon, non. Je ne crois pas que je puisse accepter ça. Je-ne-peux-simplement-pas.

— Mais bon sang... se désola Finch. Il le sait ! Il le sait très bien ! Réfléchis deux minutes maintenant... Que ferais-tu ? Nous sommes en avril, presque en mai, quel genre de boulot pourrais-tu trouver à cette époque de l'année ? Si tant est que tu puisses en trouver un d'ailleurs...

— Je ne sais pas. Quelque chose.

— Et Edith ? Tu penses qu'elle va marcher dans la combine ? Qu'elle va accepter le divorce sans se battre ? Et Grace ? Qu'est-ce qu'elle va devenir, toute seule ici, si tu fiches le camp comme ça ? Et Katherine ? Qu'est-ce que ce sera votre vie ? Et comment crois-tu que vous allez surmonter tout ça ?

Stoner ne répondit rien. C'était comme si quelqu'un avait ouvert une bonde dans son dos. Déjà il ployait l'échine, déjà il se fanait. Il finit par articuler :

— Est-ce que tu peux me laisser une semaine ? J'ai besoin de réfléchir. Juste une semaine...

Finch acquiesça :

— Oui. Je pense que je peux encore le retenir un peu. Mais pas beaucoup plus, hein ? Je suis désolé, Will... Tu le sais, n'est-ce pas ?

— Oui.

Il se releva, resta un moment immobile, le temps de s'assurer que ses deux jambes étaient encore capables de le soutenir puis murmura :

— Je te tiens au courant. Je te tiens au courant dès que je peux.

Il sortit de ce bureau, se retrouva plongé dans l'obscurité d'un grand couloir, visa la sortie, sentit un souffle d'air tiède contre sa joue et continua d'avancer ainsi, lentement, pesamment, dans ce monde grand ouvert qui était devenu sa prison.

*
* *

Bien des années plus tard, à ses moments perdus, il songerait à ces quelques jours qui avaient suivi sa conversation avec Gordon Finch et serait infichu de se rappeler le moindre détail. C'était un homme mort, un fantôme qui devait à la seule docilité d'une volonté opiniâtre le pouvoir de donner encore le change. Pourtant il développa pendant cette période une espèce d'acuité étrange de lui-même, des autres, des endroits et des événements auxquels il dut faire face, et rien dans son attitude, il le savait, ne pouvait laisser deviner le marasme dans lequel il se débattait. Il donna ses cours, salua ses collègues, se rendit aux réunions qu'il devait honorer et personne, parmi tous les gens qu'il put croiser alors, ne réalisa que quelque chose n'allait pas.

Mais, à l'instant même où il sortit du bureau de Gordon Finch, il sut, à cette espèce d'engourdissement qui le pétrifiait de l'intérieur, qu'un pan de sa vie était enterré et qu'une partie de lui était désormais si proche de la mort qu'il pouvait envisager la sienne et la voir approcher sans émotion particulière. Il fut vaguement conscient de traverser le campus sous un insolent soleil de début de printemps, il sut que les cornouillers, le long des allées et dans les jardins, étaient en pleine floraison, qu'ils tremblaient à son passage comme autant de gros nuages, doux, translucides et fragiles, et que l'entêtant parfum des fleurs de lilas en train de mourir saturait l'air de cette fin d'après-midi.

Et quand il arriva enfin à l'appartement de Katherine, il se trouvait dans un état de gaieté fébrile. Fiévreuse même. D'un geste, il balaya toutes les questions qu'elle aurait voulu lui poser à propos de sa dernière rencontre avec le doyen, il la força à rire et observa, avec une tristesse incommensurable, leurs derniers efforts d'allégresse. Ce pied de nez, cet ultime entrechat que la vie dansait sur ce tas de cendres.

Mais le moment arriva où ils furent obligés de se parler. Et les mots qu'ils prononcèrent alors étaient comme l'unique représentation d'une scène qu'ils avaient maintes et maintes fois répétée dans leur for intérieur. Ils s'approchèrent du gouffre en se retenant aux nuances de la conjugaison, chancelèrent du passé composé « Nous avons été heureux, n'est-ce pas ? » à l'imparfait « Nous étions heureux... plus heureux que n'importe qui d'autre, je pense... » et finirent par tomber dedans. Ce qui devait être dit fut entendu.

Quelques jours après sa conversation avec Finch et dans un moment d'accalmie qui tranchait sur l'espèce de pseudo-gaieté qu'ils s'étaient tacitement choisie comme planche de salut pour pouvoir profiter de leurs derniers instants ensemble, Katherine demanda :

— Nous n'avons plus beaucoup de temps, n'est-ce pas ?

— Non, répondit calmement Stoner.

— Encore combien ?

— Quelques jours... Deux ou trois.

Elle acquiesça.

— J'ai toujours cru que je serais incapable de l'endurer, mais je... je suis juste sonnée. Je ne sens plus rien.

— Je sais. Je connais ça.

Silence.

— Tu sais, reprit-il, s'il y avait une chose, une seule chose, n'importe laquelle, que je puisse faire, je...

— Chut... murmura-t-elle. Bien sûr que je le sais...

Il s'étendit sur le canapé le visage tourné vers ce petit plafond si sombre et si bas qui avait été le ciel de leur univers et dit d'une voix très douce :

— Si j'envoyais tout balader, si je renonçais, si je partais, tu... Tu viendrais avec moi, n'est-ce pas ?

— Oui.

— Mais tu sais que je ne ferais rien de tout cela, n'est-ce pas ?

— Oui.

— Parce que si j'agissais ainsi... ajouta-t-il mais en s'adressant à lui-même cette fois, plus rien n'aurait de sens. Plus rien de ce que nous faisons et de ce que nous avons été... Je ne serais probablement plus capable d'enseigner et toi, tu... tu deviendrais quelqu'un ou plutôt quelque chose d'autre. Tous les deux, nous deviendrions quelque chose d'autre. Quelque chose qui n'est pas nous et nous ne... nous ne serions plus rien alors...

— Plus rien, répéta-t-elle.

— La seule chose que nous puissions encore sauver de ce désastre, c'est nous-mêmes. Car nous savons que nous... enfin... ce que nous sommes et...

— Oui.

— Parce qu'en vérité, ce n'est pas Edith, ou même Grace, ou la certitude de perdre Grace qui me retient ici. Ce n'est pas le scandale ou le mal que cela pourrait nous faire à toi comme à moi. Ce ne sont pas les difficultés que nous aurions à traverser ni même l'éventualité de nous aimer moins un jour... C'est simplement la destruction de nous-mêmes. De ce que nous sommes. De ce que nous faisons ici-bas.

— Je sais.

— Parce que nous en faisons partie de ce monde après tout, et nous aurions dû le savoir... J'imagine que nous le savions, mais nous étions obligés de nous replier un petit peu... De faire un peu semblant de ne pas en être pour pouvoir...

— Je sais, répéta Katherine, et je l'ai toujours su, je suppose. Même quand nous faisions si bien semblant, je savais qu'un jour nous devrions... Je... Je le savais.

Elle s'interrompit et le regarda droit dans les yeux. Les siens débordèrent :

— Mais qu'ils aillent tous au diable, Will... Qu'ils aillent tous se faire foutre !

Il n'y avait rien à ajouter. Ils s'enlacèrent pour ne plus voir le visage de l'autre et se firent l'amour pour ne plus avoir à parler. Ils s'aimèrent, et, à cette sensualité si douce et si tendre des corps qui se connaissent par cœur, s'ajouta la passion incandescente d'une étreinte qui pouvait être la dernière.

Ensuite, ils restèrent étendus dans la nuit noire de leur petite chambre, silencieux et se touchant à peine. Au bout d'un long moment, la respiration de Katherine se fit plus régulière, comme si elle s'était endormie. Stoner se leva calmement, s'habilla dans l'obscurité et quitta les lieux en prenant soin de ne pas la réveiller.

Il marcha à travers les rues désertes de Columbia jusqu'aux premières lueurs grisâtres de l'aube puis retourna sur le campus de l'université. Il s'assit sur l'une des marches en pierre devant Jesse Hall et regarda vers l'est la lumière d'un nouveau matin ramper jusqu'au pied des grandes colonnes situées au centre de la cour d'honneur. Il songea à cet incendie qui, bien avant sa naissance, avait ravagé l'ancien bâtiment et la vue de ce qu'il en restait aujourd'hui lui causa une sorte de chagrin très lointain.

Quand le jour fut là, il se leva, se hissa jusque dans le grand vestibule et se rendit directement à son bureau où il attendit que sonne l'heure de son premier cours.

Il ne revit plus Katherine Driscoll. Après son départ, elle s'était levée au milieu de la nuit, avait empaqueté ce qu'elle possédait, mis ses livres dans des cartons et laissé un message à l'attention du gérant pour lui indiquer où il devait les expédier. Ensuite elle avait écrit au bureau du département d'anglais pour leur communiquer toutes les notes de ses élèves, ses instructions quant à la dissolution de ses cours pour la dernière semaine et demie qui restait avant la fin du semestre et sa démission. À deux heures de l'après-midi, elle était dans un train qui l'emportait loin de Columbia.

Stoner réalisa plus tard qu'elle avait dû prévoir son départ bien en amont de cette nuit-là. Il remercia le ciel de ne pas l'avoir deviné et la remercia, elle, de ne pas lui avoir laissé de petit mot pour lui écrire ce qui ne pouvait être dit.

XIV

Cet été-là, il n'enseigna pas et tomba malade pour la première fois de sa vie. Une forte fièvre dont on ne comprit pas l'origine, mais qui dura plus d'une semaine et le laissa exsangue. Il s'en trouva très amaigri et souffrit par la suite de problèmes d'audition. Pendant ces deux mois de vacances, il se sentit si faible et si abattu qu'il fut incapable de faire quelques pas sans être épuisé. Il passa le plus clair de son temps dans la petite véranda derrière la maison, allongé sur son lit d'appoint ou calé dans le vieux fauteuil qu'il avait remonté de la cave. Il regardait par la fenêtre ou fixait les lames de bois du plafond et se forçait à se lever de temps à autre pour aller manger un morceau dans la cuisine.

Il avait à peine l'énergie de bavarder, y compris avec Grace ; même si Edith venait parfois le voir quelques minutes dans son réduit pour assurer un semblant de conversation avant de le laisser en plan et de disparaître aussi abruptement qu'elle lui était tombée dessus.

Un jour, et ce devait être au beau milieu de l'été, elle évoqua Katherine :

— Je viens tout juste de l'apprendre... Alors comme ça ta petite collègue a plié bagage à ce qu'il paraît ?

Il fit l'effort de s'arracher de sa contemplation, quitta la fenêtre et se tourna vers elle :

— Oui, murmura-t-il.

— Comment s'appelait-elle déjà ? Je n'ai jamais été fichue de me rappeler son nom...

— Katherine. Katherine Driscoll.

— C'est ça ! Katherine Driscoll. Eh bien, tu vois ? Je te l'avais bien dit, tu te souviens ? Je te l'avais dit que ces choses-là ne comptaient pas...

Il hocha la tête distraitement. Dehors, dans le vieil orme qui s'adossait à la barrière du jardin, un gros oiseau noir et blanc, une pie, s'était mise à jacasser. Il écoutait ses appels et observait, avec une sorte de fascination distante, ce grand bec ouvert qui lançait son cri solitaire.

Il prit un tel coup de vieux que lorsqu'il retourna sur le campus en septembre, certains de ses collègues ou de ses anciens élèves ne purent réprimer un mouvement de surprise en le croisant dans les couloirs : ils ne l'avaient pas reconnu. Son visage émacié s'était beaucoup ridé, ses cheveux avaient blanchi et il se tenait encore plus voûté qu'autrefois. Comme s'il ployait sous un invisible fardeau. Sa voix s'était éraillée, était devenue un peu cassante et, comme il avait tendance à s'adresser à ses interlocuteurs en baissant la tête, ses yeux gris pâle semblaient à la fois perçants et bien maussades sous ses sourcils en broussaille. Hormis ses étudiants, il ne parlait quasiment à personne et répondait aux questions ou aux saluts qu'on lui adressait avec une sorte d'impatience toujours à la limite de l'impolitesse.

Il se mit à travailler comme une brute et avec un acharnement qui amusa ses collègues les plus âgés et fit enrager les plus jeunes, ceux qui, comme lui, n'enseignaient qu'aux première année. Il passait des heures et des heures à corriger et annoter les devoirs de ses étudiants, organisait des petits débats tous les jours et se rendait consciencieusement à toutes les réunions organisées par le département. Il prenait rarement la parole, mais quand c'était le cas, il s'exprimait sans ambages et sans le moindre tact si bien qu'il ne tarda pas à se faire une réputation de vieux grincheux mal luné. Avec ses jeunes étudiants, il faisait preuve, au contraire, d'une grande patience et d'une immense gentillesse. Même s'il exigeait d'eux une charge de travail qui les dépassait et qu'ils avaient, pour la plupart, du mal à comprendre sa rigueur et la manière toujours un peu distante avec laquelle il les traitait.

C'était devenu un lieu commun chez ses collègues – et surtout parmi les plus jeunes – de parler de lui comme d'une sorte de moine. Un professeur absolument « dévoué ». Mot qu'ils prononçaient un peu envieux, mais non sans une pointe de mépris dans la mesure où ce dévouement était tel qu'il l'empêchait de voir beaucoup plus loin que le fond de sa salle de classe ou, à la rigueur, du perron de Jesse Hall. Des petites boutades aigres-douces couraient à son sujet… À la suite d'une réunion du département de littérature où il s'était emporté à propos de nouvelles expérimentations quant à l'enseignement de la grammaire, un jeune prof avait fait remarquer que « pour le professeur Stoner le verbe copuler n'existait qu'en linguistique dans la mesure où l'auxiliaire être, quand il reliait un sujet à son prédicat était une copule ». Ce dernier s'était ensuite étonné d'entendre des petits ricanements monter du cercle de ses collègues les plus âgés qui se lançaient des regards entendus. Un autre avait dit une fois que « le vieux Stoner pensait que SOS voulait dire Shakespeare Ô Shakespeare » et fut bien aise d'apprendre que son trait d'esprit avait fait mouche.

Mais William Stoner connaissait la vie. Et d'une façon que bien peu de ces jeunes freluquets auraient été en peine de comprendre. Quelque chose de très profond demeurait tapi en lui, presque en deçà de sa mémoire : l'adversité, l'endurance, la douleur et la faim. Même s'il ne repensait pratiquement jamais à son enfance, la ferme de Booneville ne l'avait jamais quitté. Elle coulait dans son sang et la misère de ses ancêtres était son héritage. Ces vies obscures, dures, stoïques dont le seul credo avait été de présenter au monde qui les opprimait des visages également durs, inexpressifs et butés.

Et bien qu'il semblât observer l'époque dans laquelle il vivait avec une apparente impassibilité, il en eut toujours une conscience très aiguë. Pendant toute cette décennie – alors que tant de visages d'hommes allaient exprimer une sorte de défiance et de chagrin inconsolable, comme s'ils se tenaient sans cesse au bord d'un abîme –, lui, William Stoner, pour qui ces masques hébétés étaient aussi familiers que l'air qu'il respirait, détecta en eux les symptômes de cet insondable désespoir qu'il avait appris à reconnaître dès son plus jeune âge.

Il vit des hommes de grande qualité se laisser happer par un sentiment de désespérance puis déchoir lentement, brisés qu'ils étaient d'avoir dû renoncer à l'idée même d'une vie décente. Il les vit errer dans les rues. Le regard esquinté, pareil à des tessons de verre pilé. Il les vit se diriger vers des portes dérobées avec la même fierté amère de celui qui avance vers son billot, et supplier. Supplier pour obtenir ce morceau de pain qui leur permettrait de supplier encore. Il vit des hommes qui, autrefois, s'étaient tenus dignes et droits dans leurs bottes le regarder avec un sentiment d'envie et de haine terrible à cause de cette pauvre sécurité dont il jouissait en tant qu'employé fonctionnaire d'une institution qui, d'une certaine manière, *ne pouvait* faillir. Il ne parla jamais de tout cela, mais ce qu'il savait de la misère humaine l'avait marqué au fer. Où qu'il fût, quoiqu'il fît et aussi longtemps qu'il vécut, la détresse de l'humanité lui servit de marque-page.

Ainsi, les secousses qui agitaient l'Europe lui rappelèrent-elles un lointain cauchemar et quand, en juillet 36, Hitler profita de la rébellion de Franco contre le gouvernement espagnol pour mettre en branle le grand conflit dont il rêvait, il fut, comme beaucoup d'autres, physiquement bouleversé par ce désastre à venir qui réduisait à néant l'espoir du monde. En septembre de cette année-là, ses jeunes collègues furent incapables de parler d'autre chose. Plusieurs d'entre eux annoncèrent qu'ils avaient l'intention de rejoindre une unité de volontaires pour combattre aux côtés des loyalistes ou conduire des ambulances et, de fait, quelques-uns n'attendirent pas la fin du premier semestre pour franchir le cap et démissionner sur un coup de tête. Stoner songea à David Masters et la vieille douleur fut ravivée. Il pensa aussi à Archer Sloane. Il se rappela ce chagrin muet qui, presque vingt ans auparavant, avait fini par le défigurer. Il se souvint comme il n'était plus rien resté de sa superbe et de son ironie et comment le rabot du désespoir était venu à bout de son noyau dur. Aujourd'hui, il comprenait. Cette idée de gâchis qui faisait horreur à Sloane, il la comprenait. Il devinait ce qui les attendait et savait que le pire était encore à venir.

Comme à son collègue disparu, l'idée de s'engager à corps perdu aux côtés de ces forces obscures qui tiraient le monde vers une fin incertaine lui semblait un gâchis bien inutile, mais contrairement à lui, il se caparaçonna. Il tint l'amour et la compassion légèrement à distance. Il ne voulait plus se laisser prendre. Et, comme il avait déjà fait en de semblables moments de crise, il se raccrocha à l'idée même de l'université et à la foi précautionneuse qu'un tel lieu de savoir et de culture pouvait lui inspirer. Ce n'était pas grand-chose, il le savait, mais voilà… c'était là tout ce qu'il avait.

Pendant l'été 1937, il se sentit un regain d'intérêt pour sa vieille passion qu'était la soif d'apprendre. Ainsi, et avec cette indécrottable énergie de l'universitaire qui ne connaît ni loi, ni âge, ni aucune limite, il s'en retourna à la seule vie qui ne l'avait jamais trahi et, ce faisant, réalisa qu'il ne s'en était jamais tellement éloigné… Même dans les pires moments de découragement.

Cet automne-là, son emploi du temps était particulièrement ingrat. Ses quatre classes de composition en première année s'étalaient du lundi au samedi inclus et à des heures qui ne se suivaient quasiment jamais. (Il faut dire que pendant tout le temps que dura son mandat, le président Lomax veilla scrupuleusement à ce que le professeur Stoner écopât d'un planning que même le plus jeune de ses collègues aurait accepté de mauvaise grâce…)

Le jour de la rentrée, tôt le matin, il était assis à son bureau et regardait de nouveau son bel horaire dactylographié par la secrétaire de Lomax. Il avait veillé fort tard car il avait lu une nouvelle étude sur les influences de la tradition latine à l'époque de la Renaissance et l'enthousiasme qu'il avait alors ressenti ne s'était pas dissipé. Il finit par reposer ce papier ridicule et sentit une sourde colère monter en lui. Il contempla le mur d'en face pendant un long moment, avisa de nouveau le cadeau de Lomax puis secoua la tête. Il le chiffonna, le ficha à la corbeille avec le programme qui l'accompagnait, puis se dirigea vers son semainier à lui. Il tira le tiroir du haut, parcourut du regard les nombreux dossiers qui s'y trouvaient et en attrapa un. Il l'ouvrit et le feuilleta en sifflotant. Ensuite, il referma le tiroir, glissa ledit dossier sous son bras, sortit de son bureau et traversa le campus pour rejoindre la salle de classe.

Elle se trouvait dans l'un des très vieux bâtiments – ceux qui avaient encore des parquets en bois et dont on ne se servait que si l'on ne pouvait vraiment pas faire autrement... La salle qu'on lui avait attribuée était trop petite pour le nombre d'élèves inscrits et plusieurs garçons étaient obligés de s'asseoir sur les rebords des fenêtres ou de rester debout.

Quand Stoner arriva, ils le regardèrent tous avec une sorte de gêne un peu méfiante : cette silhouette pouvait être celle d'un ami ou d'un ennemi et, pour tout dire, ils ne savaient pas vraiment laquelle ils préféraient...

Il s'excusa de les recevoir dans de si mauvaises conditions, lança une petite pique à l'attention du responsable de la scolarité et promit à ceux qui étaient debout qu'il y aurait des chaises supplémentaires dès le prochain cours. Ensuite, il posa son dossier sur le vieux pupitre qui branlait devant lui et observa leurs visages.

Il hésita un instant puis finit par annoncer :

— Ceux d'entre vous qui ont déjà acheté les livres exigés pour ce cours peuvent les rapporter à leur librairie et demander un avoir. Nous n'allons pas nous servir des textes annoncés dans le programme. Je parle de celui que vous avez dû tous recevoir quand vous vous êtes inscrits... D'ailleurs nous n'allons pas suivre ce programme non plus... J'ai l'intention d'aborder ce cours selon une approche tout à fait différente et qui nécessite que vous achetiez deux autres livres...

Il tourna le dos à ses étudiants, prit un bâton de craie dans la rigole en zinc sous le vieux tableau, le tint en l'air un moment et entendit les soupirs étouffés de ses élèves pendant qu'ils sortaient leurs affaires. Cette petite routine bien fâcheuse qui leur semblait déjà tellement familière...

— Voici leurs titres... Et il prononça bien distinctement chaque mot tout en les notant : *Prose et poésie anglaises du Moyen Âge* aux éditions Loomis et Willard et *Critique de la littérature anglaise, la période médiévale* de J.W.H. Atkins.

Il se retourna :

— Votre libraire n'a pas encore reçu ces deux livres et il vous faudra patienter encore une quinzaine de jours avant de pouvoir vous les procurer. D'ici là, je vous présenterai les grandes lignes de ce nouveau cours en vous indiquant son propos, sa problématique et les pistes qui seront les nôtres pour cette année à venir. Et je veillerai, bien entendu, à vous faire travailler sur des textes disponibles à la bibliothèque en attendant...

Il fit une pause. Beaucoup étaient penchés au-dessus de leurs pupitres et recopiaient consciencieusement ce qu'il était en train d'énoncer. Quelques-uns l'observaient sans ciller en lui décochant des petits sourires qui se voulaient déjà plus malins que les autres. Quant aux autres justement, ils le dévisageaient l'air totalement ahuri.

— Nous trouverons les bases de ce cours dans l'anthologie de Loomis et Willard. En effet, nous allons étudier des exemples de versification et de prose médiévales pour les trois raisons suivantes : premièrement en tant qu'œuvres littéraires en soi, deuxièmement pour vous montrer les prémices du style et des procédés de versification dans la littérature anglaise et troisièmement comme des réponses rhétoriques et grammaticales à des situations de discours qui, aujourd'hui encore, restent tout à fait pertinents et pourront s'avérer d'une grande utilité...

Quand il en fut là de son laïus pratiquement toutes les têtes s'étaient redressées. Plus personne ne prenait de notes et mêmes les sourires les plus zélés commençaient à se crisper un peu. Des mains se levèrent ici et là et Stoner donna la parole à celle qui semblait la plus décidée. Elle appartenait à un grand jeune homme brun à lunettes.

— Sommes-nous bien, monsieur, au cours d'Introduction à la littérature anglaise de première année, section 4 ?

Stoner le regarda en souriant :

— Votre nom, je vous prie ?

L'autre déglutit.

— Jessup, monsieur. Frank Jessup.

— Oui, monsieur Jessup, acquiesça son professeur, tout à fait. Il s'agit bien du cours d'Introduction à la littérature anglaise de première année pour la section 4 et mon nom est Stoner – informations que j'ai, j'en suis tout à fait certain, pris bien soin de vous communiquer en arrivant dans cette classe... Aviez-vous une autre question ?

Le grand garçon ravala de nouveau sa salive.

— Non, monsieur.

Stoner lui adressa un petit signe de tête et s'adressa à l'ensemble de son auditoire :

— Une autre question ?

Tous l'observaient. Il n'y avait plus aucun sourire et quelques bouches étaient grandes ouvertes.

— Très bien. Je vais donc continuer... Comme je vous l'ai annoncé tout à l'heure, l'un des propos de ce cours sera d'étudier certaines œuvres littéraires sur une période qui s'étend, grosso modo, du XIIe au XVe siècle... Certains aléas de l'histoire vont se dresser sur notre chemin et nous rencontrerons des difficultés, tant linguistiques que philosophiques, tant sociales que religieuses et d'ordre pratique aussi bien que théorique. Il est évident que, durant ce travail, toute notre éducation passée va, dans une certaine mesure, nous mettre des bâtons dans les roues, car nos habitudes de pensée ainsi que l'idée même que nous avons de l'expérience comme facteur de connaissance, déterminent nos conceptions aussi radicalement que celles de l'homme du Moyen Âge arbitraient les siennes... Pour commencer, examinons justement certains des schémas de pensée sous l'influence desquels cet homme, né au XIIe siècle, vivait, théorisait et écrivait...

Lors de cette première séance, il libéra ses élèves un peu avant la fin du cours. Son introduction avait duré une vingtaine de minutes et il termina en leur donnant du travail pour le weekend.

— Je voudrais que chacun d'entre vous écrive un court essai, pas plus de trois pages, sur la conception aristotélicienne du *topos* – ou, pour le dire dans sa grossière traduction anglaise, du topique en tant que lieu commun. Vous trouverez une très bonne introduction à cette notion dans le deuxième tome de *La Rhétorique* d'Aristote publié chez Lane Cooper. Ne manquez pas de lire aussi la préface qui vous sera d'une aide fort précieuse. Ce devoir est à rendre pour... lundi. Voilà, ce sera tout pour aujourd'hui. Vous pouvez disposer.

Les étudiants ne bougèrent pas et tous le regardaient vaguement paniqués. Stoner les salua puis quitta la salle de classe avec son dossier marron sous le bras.

Le lundi suivant, ils ne furent même pas la moitié à lui rendre un travail écrit. Ceux-là, il les dispensa de cours et passa le reste de l'heure avec leurs condisciples. Il revint sur son sujet encore et encore, jusqu'à ce qu'il fût certain de les avoir suffisamment aidés à préparer leur dissertation – qu'il exigeait, cette fois, pour le mercredi suivant.

Le lendemain, il remarqua dans les couloirs de Jesse Hall un attroupement d'élèves devant le bureau de Lomax et reconnut certains visages de la section 4. Tous se retournèrent à son passage et se mirent à étudier le sol, le plafond ou encore les boiseries de la porte de leur président. Ravi, il se rendit à son bureau et attendit que son téléphone sonnât.

Événement qui se produisit à deux heures tapantes de l'après-midi. Il décrocha, se présenta et entendit la voix courtoise et glacée de la secrétaire de Lomax.

— Professeur Stoner ? Le professeur Lomax souhaite que vous vous entreteniez avec le professeur Ehrhardt cet après-midi... Et le plus tôt possible... D'ailleurs le professeur Ehrhardt vous att...

— Est-ce que Lomax sera là ? répondit-il à brûle-pourpoint.

Silence décontenancé. La voix reprit, mal assurée :

— Je... je ne crois pas. Il a... il avait déjà pris un autre rendez-vous. Mais le professeur Ehrhardt parlera en son...

— Dites à Lomax qu'il a intérêt à être là. Dites-lui que je serai dans le bureau d'Ehrhardt dans dix minutes.

Jo Ehrhardt était un jeune trentenaire dégarni. Lomax l'avait imposé au département trois ans plus tôt et quand il fut admis par tous que c'était un jeune homme bien agréable et fort sérieux, mais qui n'avait ni talent ni réelle aptitude pour l'enseignement, on le nomma responsable des études des étudiants de première année. Son bureau était une sorte d'alcôve située au fin fond de la salle des professeurs. Soit une grande pièce où une vingtaine de jeunes instructeurs bénéficiaient aussi d'une table de travail. Stoner dut donc traverser cette ruche de part en part. Et, tandis qu'il se frayait un chemin entre les chaises et les corbeilles à papier, certains de ses jeunes collègues levèrent la tête. Ils le gratifièrent d'un grand sourire et continuèrent de l'observer de dos. Il entra sans frapper et s'installa dans un fauteuil en face du bureau d'Ehrhardt. Lomax n'était pas là.

— Vous vouliez me voir ?

Le pâle Ehrhardt s'empourpra. Il sourit de toutes ses dents et lança sur un ton jovial : « Ah, Will ! C'est gentil d'être passé ! » tout en s'énervant sur une allumette pour essayer d'allumer sa pipe.

En vain.

— Cette fichue humidité, gémit-il, ça vous fiche en l'air le tabac et...

— J'imagine que Lomax ne va pas venir, le coupa Stoner.

— Non, dit l'autre en reposant sa pipe sur son bureau, mais comme c'est lui qui m'a demandé de vous parler, eh bien... – il eut un petit rire nerveux – je suis son... son messager en quelque sorte...

— Et quel message êtes-vous censé délivrer ? demanda-t-il sèchement.

— En fait, si j'ai bien compris, il y a eu quelques plaintes... De... d'étudiants bien sûr... Enfin, vous savez bien...

Il secoua la tête en soupirant.

— Certains d'entre eux ont l'impression de... enfin, ils sont un peu perdus et ne comprennent pas vraiment ce qui se passe pendant votre cours du matin et... et le professeur Lomax pense que... enfin, je suppose qu'il se pose lui aussi des questions quant à la pertinence de... d'aborder les problèmes de la composition écrite en première année via la... l'étude de...

— La langue et la littérature médiévales, l'aida Stoner.

— Voilà ! Et pour tout vous dire, je pense... enfin je crois... que je vois très bien où vous voulez en venir... Vous voulez les déstabiliser, les secouer un peu et essayer d'aborder avec eux la littérature sous un autre angle pour les obliger à réfléchir, n'est-ce pas ?

Stoner acquiesça gravement avant d'ajouter :

— Au cours de toutes nos petites réunions, il a été beaucoup question ces derniers temps de nouvelles pédagogies quant à la façon d'enseigner ma matière aux étudiants de première année et...

— Parfaitement ! s'égaya l'autre, et je suis le premier à me passionner pour toutes ces idées parce que...

Il se rembrunit et ajouta :

— Seulement, il peut arriver que, même animés des meilleures intentions, nous ayons parfois tendance à aller un peu trop loin et...

Il se mit à rire de bon cœur en secouant la tête.

— ... en tout cas en ce qui me concerne c'est très probable ! D'ailleurs je le reconnais bien volontiers... Mais je... Enfin, le professeur Lomax... Bref, peut-être qu'une sorte de compromis, de... retour, même partiel, au programme défini et aux textes imposés pourrait... Enfin, vous comprenez...

Stoner fit une petite moue et se mit à regarder le plafond. Les bras bien calés sur les accoudoirs du fauteuil, il joignit ses mains devant lui et posa son menton sur ses pouces. Cela dura un bon moment puis il finit par lâcher d'une voix tranquille :

— Non, je ne crois pas que cette... expérience ait encore eu sa chance... Dites à Lomax que j'ai l'intention de la poursuivre jusqu'à la fin du semestre... Vous feriez cela pour moi, n'est-ce pas ?

Ehrhardt était cramoisi.

— Assurément, répondit-il très contrarié, mais j'imagine, enfin... je suis sûr même que le professeur Lomax sera extrêmement déçu. Oui, vraiment très très déçu...

— Oh, c'est probable... Mais il s'en remettra... Vous savez, je suis convaincu que le professeur Lomax n'aurait pas l'intention de se mêler de la manière dont un professeur de mon âge et de mon expérience entend enseigner... Il peut ne pas être d'accord avec les idées d'un confrère, mais ce serait vraiment manquer de tact, et je dirais même d'éthique, de sa part que de vouloir imposer les siennes et... Et pour tout dire, ce serait même un peu risqué, vous ne croyez pas ?

Ehrhardt avait repris sa pipe. Il la serrait dans son poing et ne regardait qu'elle.

— Je... je vais informer le professeur Lomax de votre décision.

— Merci. Je vous en suis très reconnaissant.

William Stoner se leva, se dirigea jusqu'à la porte, s'immobilisa comme s'il venait à l'instant même de se souvenir de quelque chose et se retourna vers son jeune supérieur :

— Oh, ajouta-t-il négligemment, un dernier point... J'ai un peu réfléchi au semestre suivant et si mes petites innovations s'avèrent convaincantes, je pense que je vais tenter de me renouveler encore... Oui, j'ai beaucoup songé à la possibilité de nous atteler à ces problèmes de composition en étudiant les survivances de la tradition du latin classique et médiéval dans certaines pièces de Shakespeare... Évidemment, cela peut sembler un peu ardu, mais je me sens capable, je crois, de vulgariser ces notions et de les rendre tout à fait abordables... Ce serait bien que vous en touchiez deux mots à Lomax aussi. Qu'il puisse y réfléchir à son tour... Et peut-être que d'ici quelques semaines, vous et moi, nous pourrions...

Le responsable des études s'effondra dans son fauteuil. Il reposa sa pipe sur la table et dit d'un air très las :

— Très bien, Will, je lui dirai et je... je... Merci d'être passé.

Stoner acquiesça. Il se retourna, ouvrit la porte, sortit et la referma très consciencieusement après lui. Ensuite il leva la tête et retraversa cette pièce immense. Lorsque l'un de ses jeunes collègues lui lança un regard inquisiteur, il lui répondit par un clin d'œil, hocha la tête puis, n'y tenant plus, laissa un petit sourire venir lui caresser le visage.

Il retourna à son bureau, s'assit au milieu des livres et attendit. Les yeux rivés sur l'encadrement de sa porte restée entrouverte.

Au bout de quelques minutes, une autre claqua au bout du couloir. Il perçut un bruit de pas irréguliers et vit Lomax passer devant lui aussi prestement que sa jambe le lui permettait.

Lui ne bougea pas d'un millimètre. Une demi-heure plus tard, il entendit un chuintement laborieux dans les escaliers et la silhouette de Lomax se coula de nouveau devant le seuil de son bureau. Il attendit d'entendre un autre claquement de porte puis opina du bonnet, se leva et rentra chez lui.

C'est seulement quelques semaines plus tard qu'il apprit, de la bouche de Gordon Finch, ce qui s'était passé cet après-midi-là quand Lomax, hors de lui, avait fait irruption dans son bureau. Celui-ci avait commencé par se plaindre amèrement du comportement du professeur Stoner, avait raconté comment il traumatisait les jeunes recrues avec des cours d'ancien anglais réservés aux élèves de doctorat et demandé à son doyen de prendre les mesures disciplinaires qui s'imposaient. Il y eut un moment de silence, Gordon avait commencé à bredouiller un semblant de réponse avant d'éclater de rire – un fou rire terrible, lui précisa-t-il, car à chaque fois qu'il avait essayé de reprendre son sérieux et qu'il commençait à hum... ânonner quelque bribe de réponse, il était reparti de plus belle. Il avait fini par se calmer, prié Lomax de l'excuser et avait simplement dit :

— Il t'a eu, Holly... Tu ne vois pas qu'il te possède là ? Il n'est pas près de lâcher et à mon avis, tu es foutrement coincé... Tu me demandes *à moi* de faire le sale boulot à ta place ? ! Mais de quoi ça aurait l'air ? Franchement ? Un doyen qui se piquerait de juger la façon dont l'un des membres les plus anciens de son département prépare ses cours ? Et qui, en plus, le ferait à l'instigation de son président ? Non, monsieur, non. Impossible. Tu te débrouilles avec cette histoire tout seul et comme tu peux, mais... Mais je ne crois pas que tu aies tellement le choix, non ?

Une quinzaine de jours après cette conversation, Stoner reçut une note de service l'informant que son emploi du temps pour le semestre à venir avait été modifié et qu'il devait reprendre son séminaire sur la tradition latine et la littérature de la Renaissance, ses cours d'ancien anglais pour les classes supérieures, le cours que lui avait « légué » Archer Sloane autrefois, plus une classe de formation à la dissertation pour des étudiants de première année.

En un sens, c'était une victoire. Seulement, quand il lui arrivera d'y repenser après coup, elle ne lui inspirera rien d'autre qu'une sorte de dédain amusé. Oui, il avait gagné. Mais à quel prix ? Ses armes n'avaient été que lassitude et indifférence...

XV

Et ce fut là l'une des nombreuses légendes qui commencèrent à courir à son sujet. Légendes qui s'étoffèrent et devinrent plus détaillées au cours des ans, évoluant – et c'est le propre de tout mythe – de simples anecdotes à une sorte de vérité sacrée.

Il n'avait pas encore cinquante ans et paraissait beaucoup plus. Sa chevelure était aussi épaisse et indisciplinée que du temps de sa jeunesse seulement elle avait presque entièrement blanchi, son visage était marqué, ses yeux avaient sombré au fond de leurs orbites et ses problèmes d'audition qui avaient commencé à se manifester après sa séparation d'avec Katherine Driscoll, n'avaient cessé d'empirer. Lorsqu'il écoutait quelqu'un, sa tête inclinée et ses yeux extrêmement attentifs donnaient l'impression qu'il était en train de contempler une espèce de bête curieuse au loin sans parvenir à l'identifier clairement.

La nature de sa surdité était assez étrange. Bien qu'il eût parfois des difficultés à comprendre un interlocuteur qui s'adressait directement à lui, il était capable d'entendre à la virgule près une conversation murmurée au milieu d'une pièce bruyante. Et c'est justement grâce, ou à cause de ce curieux paradoxe, qu'il finit par apprendre,

messe basse après messe basse, qu'il était consi-
déré – et l'expression était déjà en usage de son
temps – comme l'une des « vedettes » du campus.

Ainsi il ne compta plus toutes les fois où il surprit untel racontant à tel autre l'histoire sans
cesse embellie de son cours d'anglais médiéval à
un groupe de première année suivi de la capitu-
lation d'Hollis Lomax... « Et quand la promo 37
a passé ses examens de fin d'année en anglais, tu
sais quelle classe a eu les meilleurs résultats ? »
demandait un jeune prof un peu écœuré « Bien
sûr ! Les moyenâgeux du vieux Stoner ! Et nous,
nous continuons d'utiliser nos manuels et nos
cahiers de TP ! »

Il finit donc par admettre qu'il était devenu aux
yeux de ses collègues les plus jeunes et des étudiants les plus diplômés (tous ces jeunes gens qui
semblaient arriver puis repartir avant même qu'il
n'ait eu le temps de mettre un nom sur leur
visage...) une figure presque mythique avec les
fluctuations et toutes les variantes possibles
qu'un tel statut ne manquait jamais de provo-
quer...

Quelquefois, il était le méchant. D'après l'une
des versions qui essayaient de débrouiller la longue querelle qui l'opposait à Lomax, il avait
séduit puis rejeté une jeune étudiante à laquelle
son président vouait une pure et chaste passion...
D'autres fois, il était l'idiot. Selon une autre thèse
de cette même brouille, il n'adressait plus la
parole à Lomax parce que celui-ci avait refusé
d'écrire une lettre de recommandation pour l'un
de ses élèves doctorants. Et d'autres fois encore,
il était le héros. Si l'on en croyait une ultime ver-
sion – laquelle était aussi la moins populaire –,
Lomax le haïssait et l'avait mis au rancart parce
que son collègue l'aurait pris en flagrant délit de

favoritisme auprès d'un étudiant lors d'un passage d'examen.

Mais, pour tout dire, ce qui établissait le plus sûrement sa propre légende, c'était encore la façon dont il se comportait dans une salle de classe. Avec les années, il était devenu à la fois plus absent et plus incandescent. Il n'était plus vraiment là, et pourtant il n'avait jamais été aussi intense. Il commençait ses cours et ses débats laborieusement, tout empêtré qu'il était dans ses notes et ses références et, au bout de quelques minutes, il était tellement pris par son sujet que plus rien ni personne ne semblait exister autour de lui. Un jour, plusieurs membres du conseil d'administration avaient décidé de se réunir avec le grand président de l'université dans la salle de conférences où il tenait son séminaire de tradition latine. On l'avait prévenu de ce changement d'organisation, mais il l'avait totalement oublié et avait accueilli ses étudiants en heure et place habituelles.

Le cours était déjà bien entamé lorsque quelqu'un frappa timidement à la porte. Stoner, absorbé dans une traduction improvisée d'un passage particulièrement éloquent, n'entendit rien. Finalement, elle s'ouvrit. Un petit monsieur grassouillet s'avança sur la pointe des pieds et vint lui tapoter l'épaule. Sans même relever la tête, l'autre le chassa d'un revers de la main. Le vieux monsieur à lunettes battit en retraite et l'on entendit maints chuchotis sur le seuil pendant qu'il continuait sa traduction. Puis quatre hommes menés par le président de l'université – un monsieur imposant, large d'épaules et au visage rubicond – firent irruption et se tinrent en escadron devant son bureau. Le président fronça les sourcils et se racla bruyamment la gorge. Sans s'interrompre ni marquer la moindre pause dans son travail de déchiffrage, Stoner leva les yeux vers cette escouade et leur déclama tranquillement la ligne suivante :

— *Arrière, arrière, bande d'abominables Gaulois sanguinaires !*[1]

Ensuite il s'était replongé dans son livre et avait continué comme si de rien n'était tandis que nos cinq compères abasourdis ravalaient leurs dentiers, se retournaient en se marchant sur les pieds et prenaient la poudre d'escampette.

Nourrie par des événements de ce genre, sa légende devint telle que le moindre de ses faits et gestes donnait à tout un chacun l'occasion d'en raconter une bien bonne. Elle s'étendit au-delà des murs de l'université et, fatalement, même Edith eut sa part de notoriété. On la voyait si rarement en sa compagnie qu'elle était devenue une sorte de personnage fantasmatique. Elle buvait en secret à cause d'un obscur chagrin... Elle se mourait lentement d'une maladie rare et incurable... C'était une artiste brillante qui avait renoncé à sa carrière pour se consacrer entièrement à son mari... Il faut dire qu'en société, son sourire était si crispé et si peu naturel, son regard brillait d'une façon si étrange, sa voix était si haut perchée et ce qu'elle disait paraissait tellement saugrenu qu'il était clair pour tout le monde qu'elle avait quelque chose à cacher. Que toutes ces mimiques dissimulaient un... une personnalité...

Après sa maladie et mû par une indifférence qui était devenue une manière de survivre,

---

1. *Begone, begone, you bloody whoreson Gauls !*

William Stoner commença à passer de plus en plus de temps dans la maison qu'Edith et lui avaient achetée bien des années auparavant. Au début, son épouse fut si déconcertée par sa présence qu'elle demeurait silencieuse. Comme si quelque chose la dépassait. Et quand – jour après jour, nuit après nuit, week-end après week-end – elle comprit qu'il était bel et bien là et le serait probablement toujours, elle reprit le combat avec un terrible regain d'énergie. La plus insignifiante des remarques lui donnait l'occasion de fondre en larmes avant de se mettre à errer misérablement à travers toute la maison pendant que son époux, impassible, la regardait sans la voir et lui murmurait quelques mots gentils. Ou alors elle s'enfermait dans sa chambre et restait cloîtrée pendant des heures. Il préparait les repas qu'elle avait prévus et semblait ne même pas avoir remarqué son absence quand elle finissait par réapparaître, blafarde, le visage défait et les yeux creusés.

Elle le raillait à la moindre occasion et il ne l'entendait pas. Elle lui criait des imprécations et il l'écoutait avec un intérêt poli. Quand il était plongé dans un livre, elle choisissait justement ce moment-là pour marteler frénétiquement le clavier du piano auquel elle ne jouait pratiquement jamais sinon, et quand il parlait tranquillement avec Grace, elle venait passer ses nerfs sur l'un ou l'autre.

Cette rage, ces chagrins, ces cris, ces silences haineux, Stoner décida un jour que toute cette misère concernait deux autres êtres humains. C'était là le quotidien d'un couple auquel il parvenait à peine à s'intéresser. Et encore, par pure courtoisie et au prix d'un grand effort de volonté.

Enfin, de guerre lasse, épuisée et presque reconnaissante, elle finit par accepter sa défaite. Les crises se firent plus rares et moins bruyantes jusqu'à devenir aussi convenues que l'intérêt qu'il leur portait et ses longs silences devinrent autant de replis dans une intimité dont il ne s'émouvait plus guère plutôt qu'une attitude de reproche à son égard.

À quarante ans, Edith Stoner était aussi mince qu'elle l'était jeune fille, mais avec une dureté et une friabilité que l'on pouvait imputer à une sorte d'extrême raideur. Comme un corset qui n'aurait pas été taillé à sa mesure et qui, à force d'entraver ses mouvements, avait fini par la blesser. La peau de son visage émacié semblait tendue sur ses pommettes comme une toile sur un châssis et tout en elle n'était qu'angles, arêtes et douleur.

Chaque matin, elle usait de tant de fards et de poudre qu'on avait l'impression qu'elle se composait un visage sur un masque blanc. Ses mains étaient extrêmement maigres, comme si un squelette avait enfilé des gants de peau sèche et puis elles remuaient sans cesse. Se tordant, s'ouvrant, se refermant et se crispant, même dans les moments les plus tranquilles.

Ainsi murée en elle-même, elle devint de plus en plus solitaire et absente. Après cette courte période qui l'avait vue mener son dernier assaut contre son mari et auquel elle avait sacrifié, dans un ultime effort désespéré, ses dernières forces vives, elle se perdit dans les méandres de son for intérieur – cet asile dont elle n'était jamais vraiment sortie. Elle commença à se parler à elle-même en prenant ce ton doux et pondéré que l'on emploie quand on s'adresse à un petit enfant et elle le faisait au vu de tous sans la moindre gêne comme si c'eût été la chose la plus naturelle du monde. Parmi les diverses occupations pseudo-artistiques qui l'avaient obsédée de temps à autre durant son mariage, elle avait finalement jeté son dévolu sur la sculpture car c'était la plus « gratifiante ». Bien qu'elle travaillât parfois d'autres matières comme la pierre ou le plâtre, c'est surtout l'argile qui l'occupa. Des bustes, des silhouettes et des compositions de toute sorte jonchaient leur maison. Elle était très moderne. Ses bustes étaient des sphères lardées de traits minimalistes, ses silhouettes de grosses gouttes de terre prolongées d'appendices et ses compositions des accumulations un peu hasardeuses de cubes, de sphères et de tiges. Quelquefois, en passant devant son atelier – cette pièce qui avait été son bureau autrefois –, Stoner s'immobilisait et tendait l'oreille. Elle se donnait des indications à elle-même comme à une petite fille maladroite : « Et maintenant, tu dois mettre ça ici... pas trop surtout... Oh, regarde, ça vient de tomber... Tu vois ce n'était pas assez humide, je te l'avais bien dit... Mais attends, on peut arranger ça. Il suffit d'un petit peu plus d'eau et voilà ! Tu vois ? »

Elle prit aussi l'habitude de s'adresser à sa fille et à lui à la troisième personne. Ainsi, elle disait : « Willy ferait mieux de finir son café. Il est presque neuf heures et il ne veut sûrement pas arriver en retard à son cours » ou « Grace ne travaille pas suffisamment son piano. Le minimum c'est une heure par jour et deux ne seraient pas de trop... Que va-t-il advenir de son talent ? Une honte, une honte... »

Ce que ces replis inspiraient à Grace, Stoner l'ignorait. D'autant plus qu'à sa manière, elle était devenue aussi solitaire et introvertie que sa mère. Elle avait pris l'habitude de se taire et, bien qu'elle le gratifiât parfois d'un doux sourire un peu timide, elle ne lui adressait presque jamais la parole. Pendant sa convalescence, elle s'était – quand elle avait pu le faire, en cachette de sa mère – coulée dans son petit bureau pour venir s'asseoir près de lui et regarder par la fenêtre en sa compagnie. Bien heureuse, semblait-il, d'être simplement là. Mais, même pendant ces moments suspendus, elle avait gardé le silence et montré des signes de nervosité les rares fois où il avait tenté de la faire parler un peu.

L'été de sa maladie, elle était âgée de douze ans et c'était une grande jeune fille mince au visage délicat et aux cheveux blond vénitien ; mais pendant l'automne qui suivit, et qui fut aussi le théâtre de la dernière offensive d'Edith contre son mari, son mariage et elle-même – ou du moins ce qu'elle avait l'impression d'être devenue –, Grace devint presque inerte, comme si le moindre de ses mouvements aurait pu la plonger dans un gouffre duquel elle aurait été incapable de remonter. Contrecoup de cette ultime manifestation de violence, Edith se mit en tête, avec cette espèce d'assurance bornée qui la caractérisait, que sa fille était ainsi parce qu'elle n'était pas heureuse et qu'elle n'était pas heureuse parce qu'elle n'était pas populaire auprès de ses camarades de classe. Elle reporta donc ce qui lui restait d'énergie et de fureur contrariée après l'échec de son dernier assaut contre William sur sa fille unique ou, plus précisément, au service de ce qu'elle appelait « la vie sociale de Grace ». Ainsi, une fois encore, elle « se donna » à la cause. Elle lui mit sur le dos des robes voyantes et à la mode dont les fronces et les frous-frous ne faisaient que souligner sa maigreur, elle organisa des petites fêtes pendant lesquelles elle jouait du piano en insistant lourdement pour que tout le monde trouvât un partenaire et persécutait sa fille qui devait sourire et sourire encore. Et parler. Et plaisanter. Et rire aussi.

Cette toquade dura moins d'un mois et puis Edith renonça. Elle rendit les armes et entreprit un long et très lent voyage vers cette obscure destination qui était la sienne. Hélas les conséquences de cet ultime acharnement furent inversement proportionnées à sa brièveté.

Rendue à elle-même, Grace passa quasiment tout son temps libre seule dans sa chambre à écouter la petite radio que son père lui avait offerte pour son douzième anniversaire. Elle restait étendue sur son lit défait ou se tenait immobile devant son bureau et absorbait les faibles sons qui s'échappaient du petit appareil hideux posé sur sa table de nuit. C'était comme si ces voix, cette musique, ces rires, étaient tout ce qui lui restait de vie et que même ce peu-là finissait toujours par s'évanouir et disparaître sans qu'elle n'en pût rien retenir.

Elle devint grosse. Entre cet hiver et ses treize ans, elle prit presque sept kilos. Son visage devint squameux et aussi boursouflé qu'une pâte en train de lever, ses bras et ses jambes s'alourdirent et s'épaissirent. Elle ne mangeait pas beaucoup plus, mais était devenue très friande de sucreries et gardait toujours une boîte de bonbons dans sa chambre. C'était comme si quelque chose en elle était devenu flasque, inconsistant et misérable. Comme si une espèce de débandade intime s'était attaquée à son corps et l'avait enfin soumis pour l'obliger à rappeler à tous son existence mystérieuse et tourmentée.

Stoner fut le témoin de cette transformation avec une tristesse que son armure d'indifférence ne pouvait laisser soupçonner. Mais il ne se permit pas le luxe de la culpabilité. Compte tenu de sa propre pudeur et du tour qu'avait pris sa vie auprès d'Edith, il ne pouvait rien faire pour l'aider, et cette impuissance le rendait plus malheureux encore que toute la culpabilité du monde. Son amour pour sa fille n'en fut que plus attentif et plus profond.

Elle faisait partie, il le savait – et pensait même l'avoir compris très tôt –, de ces rares êtres humains tellement précieux dont la nature est à ce point délicate qu'elle doit être sans cesse nourrie et protégée pour avoir la chance de s'épanouir. Étrangère partout, avide de tendresse et de paix, cette sensibilité était obligée de vivre dans un monde où elle ne se sentait jamais chez elle et de se nourrir d'indifférence, de fureur et de bruits. Et comme il lui manquait ici-bas, parmi nous, dans cet endroit le plus improbable et le plus hostile qui soit, la sauvagerie requise pour combattre les forces brutales qui la tourmentaient, elle n'avait d'autre choix que de se retirer dans une sorte de quiétude intérieure où elle demeurait chagrine, chétive, et terriblement sage.

Quand Grace eut dix-sept ans et qu'elle fut au lycée, une autre transformation engagea la partie. C'était comme si sa nature avait trouvé sa place secrète et qu'elle était enfin capable de présenter une apparence au monde. Elle perdit les kilos qu'elle avait pris durant les trois années précédentes aussi vite qu'ils étaient venus et, pour ceux qui l'avaient connue, ce changement tenait lieu de la pure magie. Elle avait quitté sa chrysalide et se déployait dans le grand ciel pour lequel elle avait été conçue. Elle était plus que jolie. Son corps, qui avait été très mince puis soudain très massif, devint gracieux et voluptueux. Elle rayonnait. Elle était d'une beauté tranquille, presque placide. Son visage n'était pas très expressif, pareil à celui d'une poupée de porcelaine. Ses yeux bleu clair soutenaient votre regard avec sérénité et sans laisser sourdre cette légère appréhension que l'on croyait deviner au fond de leurs pupilles. Sa voix était très douce, un peu éteinte et on ne l'entendait presque jamais.

Assez soudainement, elle devint – si l'on devait s'en référer aux critères d'Edith – une jeune fille « populaire ». Le téléphone sonnait souvent, elle s'asseyait dans le salon, hochait la tête, répondait doucement, brièvement à la voix dans le combiné puis des voitures venaient la prendre entre chien et loup et l'emportaient au loin dans un sillon de rires et de petits cris. Parfois Stoner se tenait devant la fenêtre et observait ces engins crisser dans un nuage de poussière. À son inquiétude de père se mêlait une sorte de déférence craintive : lui n'avait jamais appris à conduire et encore moins possédé de tels engins...

Et Edith fut aux anges.

— Tu vois ? disait-elle sur un ton vaguement triomphal comme si trois années ne s'étaient pas écoulées depuis sa réponse démente au problème de « popularité » de sa fille. Tu vois ? J'avais raison ! Tout ce dont elle avait besoin, c'était un petit coup de pouce et Willy n'est pas très content... Oh, mais j'aurais pu le deviner... Willy n'est jamais content de toute façon...

Depuis des années, il mettait quelques dollars de côté tous les mois pour que Grace, le temps venu, pût quitter Columbia, partir loin, sur la côte est peut-être, et poursuivre ses études. Edith était au courant de ces plans et elle avait semblé les approuver, seulement, le temps venu, elle ne voulut plus en entendre parler.

— Oh, non, gémit-elle, je ne pourrai pas le supporter ! Mon bébé ! Et puis ça se passe tellement
bien pour elle ici à présent... Si populaire... Si
heureuse... Il faudrait qu'elle s'adapte et puis...
ma chérie, ma Gracinounette, mon bébé à moi...

Elle s'était tournée vers elle :

— Ma petite Grace ne veut pas vraiment partir
loin de sa maman, n'est-ce pas ? Si ? Elle voudrait
la laisser toute seule... ?

Grace, toujours silencieuse, regarda sa mère un
moment puis elle lança un rapide coup d'œil à
son père, secoua la tête et finit par répondre :

— Si tu veux que je reste, je resterai bien sûr.

— Grace, s'interposa son père, écoute-moi
bien : si tu veux partir... S'il te plaît, si tu veux
vraiment y aller...

Elle ne put lever de nouveau les yeux vers lui :

— Ça n'a aucune importance.

Et avant même qu'il n'ait eu le temps de réagir,
Edith commença à jacasser, à imaginer la façon
dont elles pourraient dépenser l'argent qu'il avait
épargné. Une nouvelle garde-robe pourquoi pas ?
Mais une belle, cette fois ! Peut-être même une
petite auto pour qu'elle et ses amis puissent... Et
Grace lui souriait gentiment en acquiesçant de
temps à autre. Enfin, elle ajouta un petit mot
d'approbation comme si c'était ce qu'on attendait
d'elle.

L'affaire fut classée et Stoner ne sut jamais ce
qui avait motivé son choix. Si elle était restée
parce qu'elle le désirait, pour faire plaisir à sa
mère ou simplement parce que son propre destin
lui était totalement indifférente. Elle s'inscrirait à
l'université du Missouri à l'automne prochain, y
resterait au moins deux ans ensuite, et si elle le
souhaitait, elle pourrait partir ailleurs, loin, dans
un autre État, pour finir son cursus. Il se consola

en se disant que c'était peut-être mieux ainsi... Que Grace pouvait encore supporter cette prison dont elle semblait avoir à peine conscience pendant deux années supplémentaires plutôt que de se retrouver encore à la merci de la folie de sa mère...

Ainsi rien ne changea. Grace eut des robes neuves, refusa la voiture et s'inscrivit à l'université du Missouri en première année. Le téléphone continua de sonner, les mêmes visages (ou d'autres, mais qui leur ressemblaient) continuèrent de piailler et de rire devant la porte d'entrée et les mêmes automobiles vrombirent dans la même poussière. Grace fut de plus en plus absente et Edith se réjouissait de « sa popularité grandissante ».

— Elle est comme sa maman... Avant d'être mariée, sa maman était *très* populaire et tous les garçons se... Son papa devenait fou à cause d'eux. Mais en secret, il était très fier, ça elle en était sûre...

— Mais oui, Edith... répondait Stoner gentiment et il sentait son cœur se serrer.

Ce fut un semestre difficile. C'était son tour d'organiser les examens d'anglais pour tous les étudiants du campus et il était aussi chargé de diriger deux thèses particulièrement difficiles qui lui demandaient beaucoup de travail supplémentaire. Aussi fut-il bien plus souvent absent qu'il ne l'avait été ces dernières années.

Un soir, vers la fin du mois de novembre, alors qu'il rentrait chez lui encore plus tard que d'habitude, il trouva les lumières du salon éteintes et toute la maison bien silencieuse. Il supposa qu'Edith et Grace étaient déjà couchées et se dirigea vers sa chambre-véranda avec quelques notes qu'il avait rapportées de son bureau et qu'il avait l'intention de lire avant de se coucher. Il fit un détour par la cuisine pour se préparer un sandwich et boire un verre de lait. Il s'était déjà coupé une tranche de pain et était en train d'ouvrir la porte du réfrigérateur quand il entendit un cri déchirant, exactement comme si on était en train d'égorger quelqu'un à l'étage, suivi d'une série de hurlements. Il retraversa le salon au pas de course, entendit de nouveau un cri, mais moins long cette fois et qui semblait être plutôt une manifestation de colère. L'atelier d'Edith... Il cavala jusque-là et ouvrit la porte.

Celle-ci était à moitié effondrée sur le sol comme si elle venait de tomber, le regard fou et la bouche grande ouverte, prête à hululer de nouveau. Grace, les jambes croisées, était assise dans un fauteuil en cuir situé à l'autre bout. Elle observait calmement sa mère. Seule une petite lampe était allumée et à part ce halo de lumière dure, tout le reste de la pièce était plongé dans l'obscurité.

— Qu'est-ce qu'il y a ? demanda-t-il. Que se passe-t-il ?

La tête d'Edith, pareille à une marionnette désarticulée, se remit en place, mais son regard était toujours aussi effrayant. Elle murmura avec une sorte de fureur étrange :

— Ooh, Willy... Oooh, Willy...

Son visage tremblait.

Il se tourna alors vers sa fille toujours impassible. Elle lui annonça simplement :

— Je suis enceinte, père.

Et les cris d'orfraie reprirent de plus belle. Tous deux se tournèrent vers Edith qui les dévisagea l'un après l'autre, le regard absent, hostile et la bouche déformée par la rage. Stoner fit quelques pas et se pencha pour l'aider à se relever. Elle

n'était qu'une chiffe molle, il dut la porter à moitié.

— Edith ! dit-il sèchement, calme-toi.

Elle se raidit et s'écarta de lui. D'un pas mal
assuré, elle vint se poster devant sa fille qui
n'avait pas bougé d'un millimètre.

— Oh, toi ! cracha-t-elle. Oh, Gracie, comment
as-tu pu… Oh, mon Dieu… Comme ton père. Le
sang de ton père… Oh, que oui… Souillée…
Souillée…

— Edith ! redit-il plus durement encore en se
précipitant sur elle.

Il la saisit par les épaules et la détourna de leur
fille.

— Va dans la salle de bains te passer de l'eau
froide sur le visage et monte t'allonger dans ta
chambre…

— Oh, Willy… ajouta-t-elle d'un ton suppliant.
Mon petit bébé… Le mien à moi… Comment c'est
possible ? Comment a-t-elle pu… ?

— Va… Je t'appellerai tout à l'heure.

Elle s'éloigna en chancelant. Stoner la surveilla
sans bouger jusqu'à ce qu'il entendît le bruit d'un
filet d'eau dans la salle de bains. Il se tourna vers
Grace qui continuait de l'observer depuis son
gros fauteuil, esquissa un petit sourire, alla chercher une chaise devant l'établi d'Edith et la posa
devant elle de façon à pouvoir lui parler sans
avoir à la regarder de haut.

— Dis-moi, fit-il tout bas, pourquoi ne m'en as-
tu pas parlé ?

Elle lui adressa son sempiternel petit sourire
un peu triste avant de répéter :

— Il n'y a pas grand-chose à dire. Je suis
enceinte. Voilà.

— Tu en es sûre ?

Elle acquiesça.

— Je suis allée voir un médecin et j'ai eu les résultats cet après-midi...

— Bon... reprit-il en touchant maladroitement sa main, tu ne dois pas te faire de souci. Tout se passera bien.

— Oui.

Il lui demanda doucement :

— Tu veux me dire qui est le père ?

— Un étudiant... De l'université...

— Et tu préfères ne pas me dire son nom ?

— Oh, non, pas du tout, ça n'a aucune importance... Il s'appelle Frye, Ed Frye, il est en deuxième année. Je crois que tu l'as eu en compo l'année dernière...

— Je ne me rappelle pas de lui. Non... vraiment pas.

— Je suis désolée, père. Tout ça est si stupide. Il avait un peu bu et nous n'avons pas pris de... euh... précautions.

Stoner regardait ailleurs. Les lattes du plancher par exemple.

— Je suis désolée, père... Tu es choqué, n'est-ce pas ?

— Non, murmura-t-il, non... Surpris peut-être, mais pas choqué. Nous n'avons pas eu l'occasion de bien nous connaître ces dernières années, n'est-ce pas ?

Elle tourna légèrement la tête et bredouilla :

— Eh bien, je... je suppose que non, en effet...

— Mais tu... Tu aimes ce garçon, Grace ?

— Oh, non ! Je le connais à peine.

Il opina.

— Que veux-tu faire ?

— Je ne sais pas. Ça n'a pas vraiment d'importance. Je ne veux pas vous embêter.

Ils restèrent ainsi, silencieux, un long moment, puis Stoner finit par lui répéter :

— Bon. Tu ne dois pas t'inquiéter. Tout se passera bien. Quelle que soit ta décision, quoi que tu décides de faire, tout ira bien.

— Oui, répondit-elle avant de se lever de son fauteuil.

Une fois debout, elle regarda son père et ajouta :

— Toi et moi, on peut parler à présent...

— Oui... Nous pouvons nous parler.

Elle sortit de l'atelier et Stoner attendit d'entendre la porte de sa chambre se refermer. Ensuite, et avant de regagner son lit, il jeta un œil dans celle d'Edith. Encore habillée et étalée de tout son long en travers du lit, elle dormait à poings fermés. Son visage se trouvait près de sa table de nuit et la lumière de la lampe n'était pas très flatteuse. Il éteignit et redescendit.

Le lendemain matin, à l'heure du petit déjeuner, elle était presque guillerette et semblait avoir totalement oublié son hystérie de la veille. Elle babillait comme si l'avenir n'était qu'une simple question d'organisation. Après qu'elle eut appris le nom du jeune homme elle s'anima :

— Bon... Et maintenant ? Tu crois que nous devons entrer en contact avec ses parents d'abord ou le rencontrer, lui, en premier ? Voyons... Nous sommes dans la dernière semaine du mois de novembre. Disons deux semaines... Nous pouvons tout organiser d'ici là... peut-être même une cérémonie dans une petite église... Gracie qu'est-ce que ton ami... comment s'appelle-t-il déjà ?

— Edith, la coupa Stoner, attends. Tu vas trop vite. Peut-être que Grace et ce jeune homme ne tiennent pas à se marier... Nous devons en discuter avec elle.

— Discuter ? Mais de quoi ? Bien sûr qu'ils veulent se marier ! Après tout ils ont déjà... enfin, ils ont... Gracie ! Parle à ton père. Explique-lui, à la fin !

Alors elle lui parla :

— Ça n'a pas d'importance, papa. Tout cela n'a aucune importance.

Et il réalisa soudain que c'était la vérité. Que cela n'avait aucune importance. Sa fille le regardait sans le voir, elle fixait un point au-dessus de son épaule qui n'existait pas et qui ne l'intéressait pas. Il se tint silencieux et les laissa tirer leurs plans toutes les deux.

Il fut décidé que le « jeune homme » de Grace comme l'appelait Edith – et comme si son nom était tabou – serait convié chez eux et qu'ils auraient, elle et lui, une petite « conversation ». Elle organisa cette rencontre comme si c'eût été une scène de pièce de théâtre avec ses entrées, ses sorties, ses didascalies et même une ligne ou deux de dialogues. Stoner devait s'excuser de ne pouvoir rester plus longtemps car il était occupé et Grace devait s'attarder quelques instants de plus puis s'excuser à son tour afin de les laisser en tête à tête. Une demi-heure plus tard, le père devait réapparaître sur scène suivi de près par sa fille et, à ce moment-là du drame, tadada ! tout serait arrangé.

Et tout se déroula exactement comme elle l'avait prévu.

Plus tard, il songerait un peu amusé à ce que le jeune Edward avait bien pu penser quand il avait timidement frappé à la porte et qu'il fut prié d'entrer dans une pièce qui devait lui sembler remplie d'ennemis mortels... C'était un grand et gros gaillard aux traits indécis et à l'air maussade. Il avait l'air tétanisé et n'osait regarder personne en face. Lorsque Stoner quitta le salon, il était effondré dans un fauteuil, les coudes sur les genoux et le regard braqué sur le bout de ses chaussures, et quand il revint une demi-heure plus tard, il le trouva exactement dans la même position. Comme s'il avait tenu bon face à ce déluge qu'étaient les pépiements et la gaieté fofolle de sa femme.

Tout avait été réglé. D'une voix haut perchée, pas naturelle pour un sou, mais sincèrement joyeuse, Edith lui annonça que le « jeune homme » de Grace venait d'une très bonne famille de Saint-Louis, que son père était courtier, qu'il avait probablement fait des affaires avec le sien, ou du moins avec sa banque, que le « jeune couple » avait décidé de se marier « d'une façon tout à fait informelle et le plus tôt possible », qu'ils allaient mettre leurs études entre parenthèses, au moins une année ou deux, qu'ils allaient s'installer à Saint-Louis histoire de « changer d'air » et de prendre un « nouveau départ », qu'ils pensaient ne pas pouvoir aller au bout de ce semestre, qu'ils continueraient de se rendre à leurs cours jusqu'aux prochaines vacances scolaires et qu'ils se marieraient justement ce jour-là qui tombait un vendredi. Et est-ce que ce n'était pas charmant ? Vraiment ? Au bout du compte ?...

Le mariage eut lieu dans le bureau en pagaille d'un juge de paix. Seuls William et Edith y assistèrent et l'épouse du juge – une petite bonne femme terne et renfrognée – s'activa dans la cuisine attenante tout le temps que dura la cérémonie. Elle n'en sortit qu'à la dernière minute et en tant que témoin pour signer les papiers officiels. C'était un après-midi triste et froid. C'était le 12 décembre 1941.

Cinq jours plus tôt, les Japonais avaient bombardé Pearl Harbor et William Stoner suivit le mariage de sa fille dans un état de confusion mentale comme il n'en avait encore jamais éprouvé auparavant. Comme beaucoup d'autres qui avaient déjà vécu une époque similaire, il était... hébété. Ce malaise sans nom tentait de se faire passer pour une sorte de torpeur, seulement lui savait. Il savait que c'était un sentiment dû à des émotions tellement profondes et tellement terribles que l'on s'interdisait de les admettre pour la seule et bonne raison qu'il était impossible de vivre avec. C'était, pensait-il, la force des grandes tragédies. Elles jetaient sur l'humanité une telle chape de malheur qu'elles replaçaient aussitôt nos petites misères dans une tout autre perspective. Les petites histoires se fondaient dans la grande et le fait même qu'elles soient ainsi emportées dans une sorte de maelström qui les dépassait les rendait plus émouvantes encore. Comme une tombe paraît d'autant plus poignante qu'elle a été creusée au milieu de nulle part... Il assista au triste rituel de cette cérémonie avec une sorte de pitié lointaine et fut surtout troublé par la beauté passive, voire indifférente, du visage de sa fille et par le désespoir qui se lisait sur celui, plus renfrogné, du jeune garçon qui se tenait auprès d'elle.

Une fois rentrés à la maison, ils grimpèrent dans la petite voiture décapotable d'Edward et, sans se retourner, partirent pour Saint-Louis où ils devaient encore affronter une autre paire de parents avant de s'installer. Stoner les regarda s'éloigner. Il pensait à sa fille... À cette petite demoiselle qui venait autrefois s'asseoir auprès de lui dans une pièce qui n'existait plus et qui l'observait gravement dans un sourire radieux. Oui, il ne pouvait y penser autrement : une délicieuse enfant morte il y a bien longtemps.

Deux mois après leur mariage, Edward Frye s'engagea dans l'armée et ce fut le choix de Grace de demeurer à Saint-Louis jusqu'à la naissance du bébé. À peine six mois plus tard, il mourut sur une plage d'une petite île du Pacifique. C'était l'une de ces jeunes recrues tout juste engagées que l'on avait envoyées là-bas dans un ultime effort désespéré pour stopper la progression des Japonais. L'enfant de Grace naquit en juin 1942. C'était un garçon et elle lui donna le même prénom que ce père qu'il n'avait jamais vu ni n'aimerait jamais.

Quand elle vint à Saint-Louis ce mois de juin pour « aider un peu », Edith tenta de convaincre sa fille de repartir à Columbia avec elle, mais Grace refusa. Elle avait un petit appartement, un modeste revenu grâce à l'assurance de Frye et ses beaux-parents. Elle semblait heureuse.

— Elle a changé... dira sa mère en rentrant, l'air songeur, ce n'est plus du tout notre petite Gracie... Elle a vécu des moments difficiles et j'imagine qu'elle n'a plus envie d'en parler... Elle t'embrasse.

XVI

Les années de guerre se mélangèrent entre elles et Stoner les traversa comme il aurait traversé un orage terrible. Tête baissée, mâchoires contractées, l'esprit rivé sur le prochain pas, et le suivant, et le suivant encore. Mais, sous cette endurance stoïque et ce flegme apparent, se murait un homme profondément divisé. Une part de lui abhorrait ce gâchis et cette fureur meurtrière qui dévastait ce que l'être humain avait de plus précieux. Une fois encore, il vit la faculté se dépeupler, une fois encore, il vit des classes entières se vider de leurs jeunes gens et cette fois encore, il reconnut le regard tourmenté de ceux qui étaient restés : on y lisait la lente agonie du cœur, l'inexorable érosion de ses élans et de sa bienveillance.

Pourtant, l'idée de sacrifice qui sous-tendait toute cette folie n'en finissait pas de le troubler. Il se découvrit une capacité de violence qu'il ignorait couver. Il avait, dans la bouche, le goût du sang, la joie amère de la destruction et l'appétence de la mort. Il s'en trouva honteux et fier à la fois. Oui, honteux et fier, mais surtout amèrement déçu. Il se décevait lui-même comme le décevaient son monde et son époque ; il en était.

Semaine après semaine, mois après mois, des listes de noms de soldats morts défilaient sous ses yeux. Parfois c'était seulement un patronyme qui lui disait vaguement quelque chose, parfois il pouvait y associer un visage et d'autres fois, un mot, une voix résonnaient encore…

Il tint son sillon et traversa ces années de tourmente en continuant d'enseigner et d'étudier. Même s'il lui arrivait parfois de songer que, face à un tel déluge, c'était bien en vain qu'il remontait son col, courbait le dos et resserrait ses deux mains autour de la toute petite flamme de sa dernière allumette…

Grace revenait de temps en temps à Columbia pour rendre visite à ses parents. La première fois, elle vint avec son fils alors âgé d'à peine un an, mais comme sa présence mit Edith dans tous ses états, elle le laissa à Saint-Louis avec ses grands-parents les fois suivantes. Stoner aurait rêvé le voir plus souvent, il se tut. Il avait fini par comprendre que son départ – et peut-être, même, sa grossesse – avait été en réalité un moyen de fuir la prison dans laquelle elle s'en retournait à présent uniquement parce qu'elle était gentille et bien trop généreuse.

Bien que sa mère ne le soupçonnât point ou ne voulût jamais l'admettre, Grace – et son père, lui, le savait – s'était mise à boire. Il s'en rendit compte pour la première fois pendant l'été qui avait suivi la fin de la guerre. Leur fille était venue passer quelques jours avec eux. Elle semblait particulièrement épuisée. Les yeux cernés, le visage tendu, très pâle… Un soir, après le dîner, Edith alla se coucher tôt et ils demeurèrent tous deux, assis dans la cuisine, à siroter leurs cafés. Stoner essayait de lui faire la conversation, mais elle était extrêmement crispée. Ils restèrent silencieux pendant quelques minutes et puis elle finit par le regarder dans les yeux, leva les épaules et poussa un profond soupir :

— Écoute, dit-elle, est-ce qu'il y a de l'alcool dans cette maison ?

— Non. J'ai bien peur que non. Il y a peut-être une bouteille de sherry dans le placard, mais...

— J'ai vraiment absolument besoin de boire quelque chose... Est-ce que ça t'ennuie si j'appelle le drugstore pour qu'ils me livrent une bouteille ?

— Bien sûr que non, lui répondit-il, c'est juste que ta mère et moi, nous n'avons pas l'habitude de...

Mais elle était déjà dans le salon. Elle tournait les pages de l'annuaire à toute vitesse et composait fébrilement un numéro. Quand elle revint dans la cuisine, elle passa devant lui, ouvrit le placard et attrapa la bouteille de sherry qui était à moitié pleine. Elle prit un verre près de l'évier et le remplit pratiquement jusqu'au bord. Toujours debout, elle le vida cul sec, passa sa langue sur ses lèvres et frissonna un peu.

— Il a passé. Il est devenu aigre. Et puis je déteste le sherry...

Elle revint s'asseoir, posa la bouteille bien en face d'elle, remplit de nouveau son verre et regarda son père avec un curieux petit sourire.

— Je bois un peu plus que je ne devrais, avoua-t-elle. Pauvre papa... Tu ne le savais pas, n'est-ce pas ?

— Non.

— Toutes les semaines je me dis : « Allez, la semaine prochaine, tu diminues les doses. » Mais c'est le contraire qui se passe... Je bois toujours un peu plus... Je ne sais pas pourquoi...

— Tu es malheureuse ?

— Non... Je crois que je suis heureuse... Ou à peu près heureuse en tout cas. Ce n'est pas ça, c'est que...

Elle laissa sa phrase en suspens.

Le temps qu'elle finisse toute la liqueur de ses parents, le coursier du drugstore sonnait à la porte et lui tendait son paquet. Elle rapporta la bouteille de whisky dans la cuisine, la déboucha d'un geste expert et en versa une bonne rasade dans son verre de sherry.

Ils restèrent ensemble pratiquement toute la nuit. Jusqu'à ce que les premières lueurs de l'aube vinssent s'étirer au fond du jardin. Grace buvait calmement, consciencieusement, par petites gorgées et plus la lune diminuait, plus son visage se détendait. Elle était plus calme, semblait plus jeune. Ils discutèrent comme ils n'avaient pas pu le faire depuis des années et des années.

— Je suppose... dit-elle, je suppose que j'ai fait exprès de tomber enceinte. Même si je n'en étais pas consciente à l'époque... Je suppose que je ne me rendais même pas compte à quel point je crevais d'envie de partir... À quel point je *devais* partir d'ici... Dieu sait que j'étais au courant de ce qu'il fallait faire pour ne pas avoir d'enfant à moins de le vouloir vraiment. Avec tous ces types au lycée et ce que...

Elle lui fit un petit sourire affreux qui ressemblait à une grimace.

— Maman et toi vous ne vous doutiez de rien, n'est-ce pas ?

— Non. Enfin, je suppose que non...

— Maman voulait que je sois populaire ? Eh bien, j'ai été à la hauteur, crois-moi. Populaire, ça oui, je l'ai été. Mais tout ça, c'était rien. Rien du tout...

— Je savais que tu... que tu n'étais pas heureuse, articula Stoner avec difficulté, mais je... je n'ai jamais réalisé...

— Moi non plus, je crois. Je ne pouvais pas... Pauvre Ed. C'est lui qui a eu le plus mauvais rôle... Je l'ai utilisé, tu sais... Bon, OK, c'était lui le père, mais je... je me suis servie de lui. C'était un type bien et il a tellement mal vécu tout ça... Il avait tellement honte... Il ne pouvait pas le supporter. Il s'est engagé six mois plus tôt qu'il n'aurait dû uniquement pour partir loin de... de ce que je représentais... Je l'ai tué d'une certaine manière... Il était tellement gentil... Et nous n'étions même pas capables d'essayer de nous aimer un peu...

Ils bavardèrent ainsi jusqu'au bout de la nuit comme s'ils étaient deux vieux amis et Stoner en vint à la conclusion qu'elle était, comme elle l'avait dit elle-même, presque heureuse. Du moins tranquille dans son malheur. Elle continuerait de survivre comme ça, paisiblement, en buvant un peu plus chaque année. En s'assommant toute seule pour oublier ce que sa vie était devenue. Et, en un sens, il était content pour elle qu'elle ait au moins cela : qu'elle puisse boire. Oui, en un sens il bénissait les vertus balsamiques de l'alcool.

*
* *

Les premières années qui suivirent la fin de la Seconde Guerre mondiale furent les plus excitantes sur le plan professionnel et furent aussi, d'une certaine façon, les plus heureuses de sa vie.

Ceux qui en réchappèrent fondirent sur le campus et bousculèrent tout sur leur passage. Ils y apportèrent une intensité, une effervescence, une qualité de vie enfin, qui finirent par le métamorphoser. Jamais il ne travailla autant. Ces étudiants, si singuliers de par leur maturité, étaient extrêmement sérieux et méprisaient tout ce qui ne les élevait pas intellectuellement. Ils se fichaient des modes, des ragots et des codes. Ils venaient étudier comme Stoner avait rêvé toute sa vie qu'un étudiant le fît. Ils se fichaient des notes, des cursus et des examens. Ils venaient en cours comme si le seul fait d'apprendre était la vie en soi et non pas un moyen de parvenir à des fins plus triviales. Il savait que plus jamais son rôle de passeur n'aurait la même valeur et s'y consacra absolument. Jusqu'à un point d'épuisement béat qui, espérait-il, durerait toujours. Il songeait rarement au passé ou au futur. Il ne pensait guère aux déceptions et aux joies qu'il avait connues ou qu'il pouvait encore espérer, seul l'instant présent comptait. Il sacrifia à son métier toute l'énergie dont il fut encore capable et espérait que, ce faisant, sa présence ici-bas lui semblerait enfin un peu légitime…

Ce fut une période pendant laquelle il se laissa rarement distraire.

Quand sa fille revenait à Columbia pour les voir et qu'il la surprenait à errer tristement d'une chambre à une autre, il ressentait une douleur intolérable. À vingt-cinq ans, elle en paraissait dix de plus. Elle buvait avec l'aplomb et la friabilité de celle qui n'avait plus le moindre espoir et il devenait clair qu'elle avait peu à peu renoncé à l'éducation de son fils et que c'était ses beaux-parents qui avaient pris le relais.

Une fois, une fois seulement, il eut des nouvelles de Katherine Driscoll. Il reçut, au début du printemps 49, un prospectus publicitaire d'une grande université de l'est qui annonçait son programme de publications. On y annonçait un essai de Katherine Driscoll suivi de quelques précisions biographiques : elle enseignait dans un collège universitaire prestigieux du Massachusetts et n'était pas mariée. Il se procura un exemplaire le plus vite possible et quand il le tint enfin, ses mains semblèrent revenir à la vie. Elles tremblaient tellement qu'il eut le plus grand mal à l'ouvrir.

Il tourna délicatement les premières pages et lut :

« à W. S. »

Ses yeux se brouillèrent. Il resta sans bouger pendant un très long moment puis secoua la tête, retourna au livre et ne le reposa plus.

C'était aussi brillant qu'il l'avait imaginé. L'écriture était élégante et l'érudition passionnée qui avait rendu tout ce travail possible était tempérée par le calme et la clarté d'une grande intelligence. C'était elle qu'il voyait en la lisant et il était émerveillé que cela fût possible. Et avec tant de netteté... Après toutes ces années...

Soudain elle était là, dans la pièce d'à côté, et c'était comme s'il avait eu droit à un sursis de quelques minutes avant de devoir la quitter encore. Ses mains frissonnaient comme si elles venaient à l'instant de la toucher et cette béance, ce chagrin qu'il avait enfoui au plus profond de lui-même le submergea, l'emporta. Il se laissa ainsi traîner, charrier sans rien pouvoir ni vouloir contrôler ; il ne désirait pas être sauvé, encore moins se sauver lui-même. Puis il se mit à sourire tendrement. Il venait de se souvenir qu'il avait presque soixante ans et que, quand même, il devait être capable de tenir tête à présent à tant de passion et à tant d'amour...

Mais non. Il n'en était pas capable, il le savait, et ne le serait jamais.

Derrière l'indifférence, le flegme et le repli, c'était là. Intense. Inébranlable. Et cela avait toujours été là.

Dans sa jeunesse, il l'avait dilapidé sans compter, sans y penser. Il l'avait donné à la vie de l'esprit qui lui avait été révélée – il y avait combien d'années déjà ? – par Archer Sloane, il l'avait confié à Edith dans ces premiers temps aveugles et insensés de sa cour et de leur mariage, et il l'avait offert à Katherine comme s'il n'avait jamais eu l'occasion de l'offrir à quiconque avant elle. D'une façon détournée, curieuse, il en avait fait don à chaque instant de sa vie et c'est probablement dans les moments où il en fut le moins conscient qu'il avait été le plus prodigue. Cette flamme, cette passion, n'était ni charnelle ni intellectuelle, mais plutôt une force qui les embrassait toutes deux comme si, en plus d'être les corollaires de l'amour, elles étaient son essence même. À une femme ou à un poème, il avait simplement dit : Regarde ! Je suis vivant.

Il n'arrivait pas à se résoudre à se savoir vieux. Parfois le matin, lorsqu'il se rasait, il ne se trouvait rien en commun avec ce visage qui le regardait étonné. Mais à qui donc appartenaient ces yeux clairs au milieu de cette figure grotesque ? Comme s'il était obligé – et qu'on ne vienne pas lui demander pourquoi – de porter un masque ridicule, comme s'il n'avait tenu qu'à lui de décoller ces gros sourcils, cette touffe de cheveux gris, ces plis de peau qui pendaient devant ses pommettes ou sous ses mâchoires et ce faisceau de rides si profondes qui auraient indiqué son soi-disant âge...

Pourtant, son âge, il ne le connaissait que trop bien. Il avait vu la folie du monde et des siens dans les années qui avaient suivi la Grande Guerre. Il avait vu la haine et la méfiance devenir une sorte d'aliénation qui avait gangrené tout le pays aussi sûrement qu'une peste noire. Il avait vu des jeunes gens, des garçons, repartir faire la guerre, piaffer d'impatience et marcher gaiement vers un destin qui n'avait aucun sens. Le chagrin et la pitié qu'il en concevait étaient si absolus et si profondément ancrés en lui que rien ne semblait plus pouvoir l'atteindre... Les années filèrent sans qu'il les vît vraiment passer. Au printemps 1954, il avait soixante-trois ans et réalisa tout à coup qu'il ne lui restait, au mieux, que quatre années d'enseignement. Il essaya de plisser les yeux pour voir au-delà de cette ligne d'horizon, seulement il ne voyait rien et n'avait aucun désir d'apercevoir quoi que ce fût.

L'automne suivant il reçut un message de la secrétaire de Gordon Finch le priant de passer voir monsieur le doyen à sa convenance. Il était occupé et plusieurs jours s'écoulèrent avant qu'il ne se libérât, un après-midi.

À chaque fois qu'il le voyait, Stoner était surpris de trouver Gordon Finch si peu changé. Ce dernier avait un an de moins que lui, mais paraissait n'avoir qu'une cinquantaine d'années. Il n'avait plus du tout de cheveux et, bien qu'empâté, son visage était lisse et avait conservé toute l'onctuosité d'un chérubin. Il était souple encore, d'allure juvénile et s'était mis, ces dernières années, à s'habiller avec plus de nonchalance. Il portait des chemises de couleurs vives et des vestons fantaisie.

Cependant, il sembla bien embarrassé ce jour-là quand son vieil ami vint le voir. Ils bavardèrent de tout et de rien pendant quelques minutes. Finch demanda des nouvelles de la santé d'Edith et ajouta que Caroline, son épouse, venait justement de lui rappeler que ce serait une bonne idée de se retrouver un soir et de passer un moment tous ensemble, avant de conclure : « Mon Dieu, c'est fou comme le temps passe... »

Stoner acquiesça.

Finch poussa un profond soupir.

— Bon... J'imagine qu'il faut aborder le sujet qui nous occupe à présent... Tu vas avoir soixante-cinq ans l'année prochaine et il faut probablement penser à... euh... l'avenir...

Stoner secoua la tête.

— Pas maintenant. J'ai, bien entendu, l'intention de profiter du sursis de deux ans auquel j'ai droit.

— Je me doutais de cette réponse... répondit Finch en tombant en arrière contre le dossier de son grand fauteuil. Moi pas. J'ai encore trois ans à tirer et puis au revoir la compagnie. Je pense souvent à tout ce que j'ai manqué, aux endroits où je ne suis pas allé et... Bon sang, Willy, la vie est trop courte. Pourquoi est-ce que tu n'en profiterais pas, toi aussi ? Pense à tout ce temps que...

— Je ne saurais pas quoi en faire, le coupa Stoner. Je n'ai jamais appris.

— Et alors ? ! Soixante-cinq ans, de nos jours, c'est la fleur de l'âge ! Il te reste un paquet de temps pour apprendre tout ce...

— C'est Lomax, c'est ça ? Il te met la pression ?

Finch lui sourit.

— Bien sûr. Qu'est-ce que tu croyais ?

Stoner resta un moment silencieux puis riposta :

— Dis-lui que j'ai refusé d'en discuter avec toi. Dis-lui que suis devenu un vieux croûton si mal embouché et tellement teigneux que, en ce qui te concerne, tu ne peux plus rien faire et qu'il doit s'y coller lui-même...

Finch se mit à rire en secouant la tête :

— Holà, oui ! Compte sur moi ! Après toutes ces années, vous allez pouvoir vous défouler un peu mes cochons !

Mais la confrontation ne vint pas immédiatement et quand elle eut lieu – en mars, soit à la moitié du second semestre – elle ne ressembla en rien à ce que Stoner avait imaginé. De nouveau, on le pria de se rendre chez le doyen, seulement cette fois l'horaire était imposé et il semblait que ce fût « urgent ».

Stoner arriva donc avec quelques minutes de retard... Lomax était déjà là. Il se tenait assis, raide comme la justice, devant le bureau de Finch et il y avait un siège de libre à côté de lui. Stoner traversa lentement la pièce, y prit place puis tourna la tête pour observer son voisin. Celui-ci, imperturbable, regardait droit devant lui, le sourcil droit rebiquant à peine en signe d'immense dédain.

Finch, goguenard, les dévisagea tous deux pendant quelques instants.

— Bon, finit-il par dire, nous connaissons tous le problème qui nous occupe aujourd'hui... Il s'agit du départ en retraite du professeur Stoner.

Il rappela brièvement le règlement en vigueur : chacun pouvait partir de son plein gré à l'âge de soixante-cinq ans et, si tel était le cas, l'enseignant, en l'occurrence M. Stoner, pouvait, s'il le désirait, quitter l'université à la fin de l'année universitaire en cours ou à la fin de l'un des deux semestres de l'année suivante. Ou alors il pouvait, si c'était sa volonté et avec l'accord du président de son département et du doyen du collège, repousser son départ en retraite à soixante-sept ans, âge auquel ce départ devenait obligatoire. À moins, bien sûr, que l'enseignant concerné fût nommé professeur émérite et devînt titulaire d'une chaire, auquel cas...

— Probabilité des plus hypothétiques, l'interrompit Lomax d'un ton sec, je crois que nous pouvons d'ores et déjà en convenir.

Stoner opina du bonnet en direction de Finch :

— Des plus hypothétiques...

— Je crois vraiment, reprit Lomax, que ce serait une chance pour notre département et le collège tout entier si le professeur Stoner profitait de l'occasion qui lui est offerte de pouvoir s'adonner à d'autres projets. Cette retraite, et j'y ai beaucoup songé, lui offrirait bien des opportunités, tant sur le plan personnel qu'intellectuel et...

Stoner s'adressa de nouveau à Finch :

— Je n'ai pas l'intention de partir avant d'y être contraint et encore moins pour satisfaire un caprice du professeur Lomax.

Finch se tourna vers ce dernier – qui ajouta comme s'il n'avait rien entendu :

— Je suis sûr qu'il y a de nombreux aspects que le professeur Stoner n'a pas encore considérés... Il aurait, par exemple, tout le loisir de poursuivre ses travaux d'écriture que son...

Il tourna délicatement sa langue dans sa bouche :

— ... que son grand dévouement l'a jusqu'ici empêché de mener à bien... La communauté universitaire serait très certainement édifiée si le fruit de sa longue expérience était...

Stoner le coupa :

— Je n'ai aucune envie de commencer une carrière littéraire à ce stade de ma vie.

Lomax, sans bouger de sa chaise, sembla s'incliner devant Finch.

— Notre collègue est bien trop modeste... D'ici deux ans je serai, moi aussi, contraint par le règlement d'abandonner la présidence du département et j'ai bien l'intention de faire bon usage des années qui me restent. Certes oui, j'attends avec impatience de pouvoir profiter de cette retraite !

— J'espère pour ma part, s'égaya son collègue, demeurer un membre de ce département jusqu'à ce grand jour au moins...

Lomax resta un moment silencieux puis dit à Finch, l'air bien songeur :

— Ces dernières années, j'ai souvent pensé que les efforts du professeur Stoner n'avaient peut-être pas été appréciés à leur juste valeur... Et il m'est souvent arrivé de penser qu'une promotion au rang de professeur des universités pouvait représenter – au cours de ses derniers mois parmi nous – le couronnement mérité d'une telle carrière... Un grand dîner serait donné à cette occasion... Une cérémonie tout ce qu'il y a de plus solennelle... Et, bien que le dernier semestre touche à sa fin et que tous les avancements aient déjà été annoncés, je suis sûr que... en insistant un peu, une telle promotion pourrait être envisageable l'année prochaine pour fêter du même coup une retraite ô combien prometteuse...

Et soudain, ce petit jeu qu'il jouait avec Lomax – et qui, d'une certaine façon, l'amusait – lui parut mesquin, vulgaire. Il était fatigué. Il le regarda droit dans les yeux et dit, d'un ton très las :

— Holly... Après toutes ces années, j'aurais pensé que tu me connaissais un peu mieux que ça... Je n'en ai jamais rien eu à foutre de ce que tu pensais pouvoir me « donner » ou de ce que tu pensais pouvoir « faire » ou « ne pas faire » pour moi. Ou de n'importe quoi d'autre venant de toi d'ailleurs...

Il fit une pause. Il était plus fatigué qu'il ne le croyait et la suite lui coûta.

— Ce n'est pas le propos et ça ne l'a jamais été... J'imagine que tu es un type bien et je sais que tu es un bon professeur, mais pour certaines choses tu n'es qu'un pauvre connard obtus...

Il s'interrompit de nouveau puis ajouta plus bas :

— Je ne sais pas ce que tu espérais, mais je ne partirai pas... Ni à la fin de cette année ni à la fin de la suivante.

Il se redressa lentement et resta un moment immobile, le temps de rassembler ses forces.

— Messieurs, si vous voulez bien m'excuser... Je suis un peu fatigué... Je vous laisse discuter du reste entre vous...

Il savait que l'affaire n'en resterait pas là et cela n'avait aucune importance, mais quand Lomax, lors de la dernière grande messe de la faculté, annonça, au cours du bilan de son département, que le professeur Stoner prendrait sa retraite à la fin de l'année suivante, celui-ci sauta sur ses pieds : non ! précisa-t-il, non, le professeur Lomax se trompait. Certes il partirait, mais seulement deux ans après la date qu'il venait d'indiquer.

À la rentrée, le nouveau président de l'université l'invita à prendre le thé chez lui. Il lui parla avec effusion de ses années de service, de son repos bien mérité et de l'immense gratitude qu'il leur inspirait à tous. Stoner avait endossé son déguisement de vieux chnoque : il s'adressait à lui en disant « jeune homme » et feignait de ne rien entendre. Si bien qu'à la fin l'autre fut pratiquement obligé de lui gueuler dessus tout en essayant de rester le plus digne et le moins offensant possible.

Mais tous ces efforts, si dérisoires fussent-ils, le fatiguèrent bien plus qu'il ne s'y attendait et quand les vacances de Noël arrivèrent, il était au bord de l'épuisement. Il se dit qu'il vieillissait en effet, et qu'il ferait mieux de se calmer s'il voulait être en forme au second semestre. Il se reposa pendant ces dix jours comme s'il cherchait à emmagasiner une provision de forces et quand il retourna travailler, il fit preuve d'une vigueur et d'un allant dont il fut le premier surpris. La date de son départ en retraite semblait fixée et il refusa de se laisser encore atteindre par tout cela. Il n'y pensa plus.

Fin février, une immense fatigue s'abattit de nouveau sur lui. Et cette fois il ne parvenait pas à s'ébrouer pour s'en défaire. Il passa presque tout son temps chez lui, à travailler sur le petit lit d'appoint de son bureau-véranda. En mars, il ressentit une douleur lancinante dans les jambes et les bras. Il se répéta qu'il était fatigué, qu'il avait besoin de repos et qu'il se sentirait mieux aux beaux jours. En avril, la douleur se localisa au niveau du bas-ventre et il lui arriva même de manquer quelques cours. Le seul fait de marcher d'une classe à l'autre le laissait exsangue. Début mai, elle devint si violente qu'il lui fut impossible de continuer à la tenir à distance comme si ça n'avait été qu'un simple désagrément. Il prit donc rendez-vous avec le médecin du campus.

On lui imposa toute une batterie d'examens, de tests et de questionnaires dont il ne comprit pas vraiment la pertinence. On lui prescrivit un régime et des médicaments contre la douleur et on le pria de revenir en consultation au début de la semaine suivante quand tous les examens auxquels il venait de se soumettre auraient rendu leurs verdicts. Il se sentit mieux même si la fatigue, elle, persistait.

Son médecin était un jeune type nommé Jamison. Il lui avait raconté qu'il avait l'intention de rester à l'université encore quelques années avant de s'installer dans le privé. Il avait un visage tout rond et tout rose, portait de petites lunettes et faisait preuve d'une espèce de fébrilité gauche qui lui inspirait confiance.

William Stoner était un peu en avance quand il revint le voir la semaine suivante, mais le réceptionniste le pria d'entrer sans attendre. Il longea le couloir étroit de l'infirmerie jusqu'à la petite pièce où Jamison officiait.

Ce dernier l'attendait et Stoner ne mit pas longtemps à comprendre qu'il l'attendait depuis un moment déjà. Dossiers, radios et notes étaient soigneusement disposés sur son bureau. Il se leva, lui décocha un petit sourire crispé et, d'un geste de la main, lui indiqua un siège devant son bureau.

— Professeur Stoner... Asseyez-vous, je vous prie, asseyez-vous.

Et le professeur Stoner s'assit.

Jamison fronça les sourcils en avisant tous ces documents étalés devant lui. Il lissa une feuille de papier et se laissa tomber dans son fauteuil à son tour.

— Bon... dit-il, il y a une sorte d'obstruction au niveau des intestins, aucun doute là-dessus.

On ne voit pas grand-chose sur les radios... ça arrive souvent... Oh, bien sûr, on aperçoit une sorte de tache, mais ça ne veut pas forcément dire quelque chose...

Il déplaça son fauteuil, posa la radio sur un cadre, alluma une lumière et pointa son index dans le vague. Stoner le suivit. Il ne voyait rien. Jamison éteignit et revint à son bureau. Tout à coup, il devint très professionnel :

— Votre numération globulaire est assez basse, mais il ne semble pas y avoir de foyer d'infection, votre sédimentation est inférieure à la normale et votre tension n'est pas bonne. Il y a une sorte de grosseur interne qui ne me plaît pas beaucoup... Vous avez perdu pas mal de poids et... eh bien... vu vos symptômes et ce que je peux en conclure...

De la main, il indiqua les dossiers posés sur son bureau.

— Je dirais qu'il n'y a qu'une seule chose à faire...

Il lui sourit droit dans les yeux et dit avec une espèce de gaieté forcée :

— C'est de vous ouvrir et d'aller voir ce qui se passe là-dedans !

Stoner hocha la tête.

— C'est un cancer alors...

— Oh, répliqua Jamison, voilà un bien grand mot ! Pour le moment, nous ne savons rien. Je suis presque sûr qu'il y a là une tumeur, mais... Eh bien, on ne peut vraiment rien dire avant d'être allé voir tout ça de plus près...

— Et c'est là depuis combien de temps ?

— Impossible de le savoir, mais il semblerait que... Eh bien, c'est assez conséquent... Depuis probablement un petit bout de temps déjà...

Stoner resta un moment silencieux puis il demanda :

— Et moi ? Pour combien de temps en ai-je encore d'après vous ?

Jamison répondit distraitement.

— Écoutez, monsieur Stoner, nous – il s'essaya à rire – ah, ah, nous ne devons pas nous lancer dans des conclusions trop hâtives ! Parce qu'il y a toujours une chance. Une chance que ce ne soit qu'une tumeur... euh... enfin bénigne, vous voyez... Ou bien ce peut être euh... bien des choses en somme et nous ne pouvons rien affirmer tant que nous...

— Certes, le coupa Stoner, et quand voulez-vous m'opérer ?

— Le plus tôt possible, répondit l'autre manifestement soulagé. Dans les deux ou trois prochains jours.

— Si tôt que ça... murmura-t-il songeur.

Puis il le regarda droit dans les yeux.

— Laissez-moi vous poser quelques questions, docteur... Et je vous demande, je vous *le* demande, répondez-moi très franchement.

Jamison acquiesça.

— Si c'est simplement une tumeur... bénigne, comme vous dites, est-ce qu'un délai de quelques semaines ferait une grande différence ?

— Eh bien... grimaça Jamison, il y a la douleur et... euh... mais non, pas une grande différence, je suppose...

— Bien. Et si c'est aussi grave que vous le pensez, est-ce que quelques semaines vont ou du moins *feraient* une grande différence ?

Jamison mit un certain temps à répondre puis il lâcha, presque à contrecœur :

— Non. Je pense que non.

— Alors, reprit Stoner sur un ton calme, alors je vais attendre encore un peu. Il y a deux ou trois choses que je tiens à régler et je... j'ai du travail qui m'attend.

— C'est une option que je ne vous conseille pas, vous comprenez... ? Que je ne vous conseille vraiment pas.

— Évidemment. Et... et dites-moi, docteur, une dernière chose, tout cela reste entre nous, n'est-ce pas ?

— Bien sûr, répliqua Jamison avant d'ajouter sur un ton plus chaleureux : Bien sûr que oui...

Il suggéra quelques ajustements dans le régime qu'il lui avait imposé la semaine précédente, lui prescrivit d'autres médicaments et fixa le jour de son admission à l'hôpital.

Stoner ne ressentit rien. Rien du tout. C'était comme si ce que lui avait annoncé ce médecin n'était qu'une petite contrariété, un obstacle qu'il lui faudrait franchir d'une façon ou d'une autre pour pouvoir mener à bien tout ce qu'il avait encore prévu de faire. Il pensa simplement que cette histoire arrivait bien tard dans l'année et que Lomax pourrait avoir du mal à lui trouver un remplaçant.

Le comprimé qu'il avait avalé dans le bureau de Jamison lui tourna la tête. C'était une sensation étrange, agréable. Il n'avait plus vraiment la notion du temps et se retrouva dans le grand couloir parqueté du rez-de-chaussée de Jesse Hall sans bien savoir comment il était arrivé là. Quelque chose lui bourdonnait dans l'oreille. On aurait dit un battement d'ailes au loin... Comme si des oiseaux étaient sur le point de partir mais ne s'envolaient jamais... Et puis il entrapercevait, dans ce couloir sombre, une lumière diffuse dont la faible lueur semblait vaciller au même rythme que les battements de son cœur... Le moindre de ses mouvements se répercutait dans tout son corps et sa chair même frissonnait et le picotait tandis qu'il avançait, à pas comptés, à pas retenus, vers ce point devant lui où l'ombre et la lumière se confondaient.

Il se tint devant les escaliers qui menaient au premier étage.

Les marches étaient en marbre. Des décennies de pas, allant, venant, montant et descendant, les avaient légèrement érodées en leur milieu. Elles étaient presque neuves lorsque – il y avait combien d'années ? – il s'était tenu là pour la première fois et avait levé les yeux comme il le faisait à présent en se demandant bien où elles allaient le mener... Il pensa au temps, à son cours tranquille, posa délicatement un pied sur l'émouvante ravine de la première marche et s'y hissa en s'interdisant de grimacer.

Il se retrouva devant le seuil du bureau de Gordon.

— Monsieur le doyen allait justement partir... le prévint sa secrétaire.

Il hocha la tête comme si, cette fois encore, il n'avait rien entendu, lui sourit et entra.

— Gordon ! le salua-t-il avec entrain et toujours souriant, je ne vais pas te retenir longtemps...

Finch lui rendit son sourire ou plutôt contracta ses zygomatiques. Il avait l'air épuisé.

— Bien sûr, Will, assieds-toi.

— Je ne vais pas te retenir longtemps, répéta-t-il et, disant cela, il sentit sa voix qui s'affermissait. Il se trouve que j'ai changé d'avis à propos de mon départ... Je sais que c'est maladroit et je te demande pardon de venir te prévenir seulement maintenant, mais... Eh bien je pense que ce serait mieux pour tout le monde... Je tirerai ma révérence à la fin de l'année.

La stupéfaction arrondit encore le visage de son ami.

— Qu'est-ce que c'est encore que cette histoire ? Est-ce que quelqu'un t'a forcé la main ?

— Non, non... Rien de ce genre, je te rassure... C'est ma décision. C'est juste que je... J'ai réalisé que c'était vrai, qu'il y avait des choses que j'avais encore envie de faire et...

Il ajouta en baissant la voix :

— Et puis j'ai besoin de me reposer un peu...

Finch était contrarié et Stoner savait qu'il avait de bonnes raisons de l'être. Tout cela lui compliquait bien la vie... Il crut s'entendre murmurer d'autres pardons et sentit que son sourire bêta était toujours bien accroché dans le bas de son visage.

— Eh bien, soupira Finch, j'imagine qu'il n'est pas trop tard... J'attaquerai la paperasserie dès demain. Je suppose que tu sais tout ce que tu dois savoir à propos de ta pension de retraite, de ton assurance et de tout ce qui s'ensuit ?

— Oh, oui... répondit Stoner. J'y ai déjà pensé. C'est réglé.

Finch consulta sa montre.

— En fait, je suis en retard là, Will... Passe me voir d'ici un jour ou deux et nous réglerons les derniers détails. D'ici là, je suppose qu'il faut prévenir Lomax... Je l'appellerai ce soir.

Il lui décocha un beau sourire navré :

— Je crains fort que tu ne lui fasses très plaisir...

— Oui, j'en ai bien peur...

Il y avait mille choses à faire pendant les deux semaines qui lui restaient avant d'entrer à l'hôpital et il décida qu'il aurait la force de tout mener à bien. Il annula les cours qu'il devait donner dans les deux prochains jours et convoqua tous les étudiants vis-à-vis desquels il avait une responsabilité. Ceux qu'il guidait dans leurs recherches ou dont il dirigeait les mémoires et les thèses. Il rédigea de longues instructions détaillées pour les aider à terminer le travail qu'ils avaient commencé ensemble et laissa des copies au carbone de toutes ces notes dans la boîte aux lettres de Lomax. Il apaisa ceux qui commencèrent à paniquer en lui reprochant de les laisser tomber et rassura ceux qui rechignaient à confier leur travail à un autre que lui. Comme il avait l'impression que les antalgiques dont il se bourrait le diminuaient intellectuellement autant qu'ils le soulageaient, il s'en privait dans la journée quand il voyait ses étudiants et le soir quand il lisait leurs monceaux de devoirs, de thèses et de mémoires à moitié terminés. Il ne les prenait que lorsque la douleur devenait si intense qu'elle aurait fini par le déconcentrer.

Deux jours après l'annonce de son départ, il reçut – alors qu'il était très occupé – un coup de téléphone de Finch.

— Will ? Gordon à l'appareil. Écoute... euh... il y a un petit souci dont je dois te parler...

— Oui, fit Stoner, impatient.

— C'est Lomax. Impossible de lui faire sortir du crâne que ta décision n'a rien à voir avec lui...

— Ça n'a aucune importance. Laisse-lui croire ce qu'il veut...

— Oui, mais ce n'est pas tout. Il est en train de mettre en branle toute cette histoire de dîner de gala, de petits-fours et tout ça... Il dit qu'il a donné sa parole.

— Écoute, Gordon... Je suis vraiment débordé. Est-ce que tu ne peux pas te débrouiller pour empêcher cette mascarade ?

— J'ai essayé, mais il bat le rappel dans tout le département. Si tu veux que je le convoque, je vais le faire. Seulement il faudra que tu sois là aussi. Quand il est comme ça, je ne peux rien en tirer...

— Bon. Très bien. Et quand la farce est-elle supposée être donnée ?

Silence.

— Vendredi de la semaine prochaine. Le dernier jour de cours avant les examens...

— Parfait, répondit Stoner très las. Je pense que j'aurai fini d'ici là et puis c'est tellement plus simple d'accepter... Laisse courir, l'ami...

— Attends, encore une chose : il veut annoncer ton départ en retraite en tant que professeur émérite, même si cela ne pourra pas être officialisé avant l'année prochaine...

Un fou rire menaçait, Stoner secoua la tête :

— N'importe quoi ! Mais bon, puisqu'on a dit qu'on laissait courir...

Cette semaine-là, il vécut sans voir le jour et travailla d'arrache-pied de huit heures du matin jusque tard dans la nuit. Le jeudi soir, il lut un dernier feuillet, rédigea une ultime note et s'adossa à son fauteuil. La lumière de sa lampe l'éblouit et, l'espace d'un instant, il ne sut plus où il se trouvait. Il regarda autour de lui et comprit que cet endroit était son bureau. Les étagères étaient encombrées de livres posés au hasard, il y avait des piles de papiers dans tous les coins et le meuble où il classait ses dossiers ne ressemblait plus à rien. Je devrais ranger tout ça, songea-t-il. Oui, je devrais mettre un peu d'ordre dans mes affaires, moi...

— La semaine prochaine, se promit-il à voix haute, la semaine prochaine !

Il se demanda s'il arriverait à rentrer chez lui. Respirer lui coûtait. Il se concentra, obligea son corps, força ses bras et ses jambes à lui obéir, se leva et s'interdit de flancher. Il éteignit sa lampe et demeura immobile, jusqu'à ce que la lune, à sa fenêtre, guidât ses pas. Il mit un pied devant l'autre, longea les couloirs sombres et les rues endormies jusqu'à la porte de sa maison.

Les fenêtres étaient éclairées. Edith devait être encore debout. Il rassembla ses dernières forces, gravit les marches du perron, se dirigea vers le salon et comprit qu'il ne pourrait pas aller plus loin. Il fut seulement capable d'atteindre le canapé et de s'y laisser tomber. Au bout d'un moment, il eut la force d'atteindre la poche de sa veste et de saisir son tube de comprimés. Il en mit un dans sa bouche, déglutit pour l'avaler et en prit un deuxième. Bien qu'amer, leur goût lui sembla presque agréable.

Tout à coup il réalisa qu'Edith était là et qu'elle s'agitait autour de lui. Il espérait qu'elle ne lui avait pas adressé la parole. Tandis que la douleur se repliait et qu'il put recouvrer un peu de forces, il comprit que non. Son visage était figé, sa bouche et ses narines pincées et elle se déplaçait avec des gestes brusques comme si elle était excédée. Il commença à lui parler puis renonça. Sa voix l'aurait trahi... Mais il se demandait ce qui pouvait bien la mettre dans cet état... Il y avait longtemps qu'elle n'avait pas été en colère.

Enfin, elle cessa de gesticuler et se tint face à lui les bras le long du corps et les poings serrés.

— Eh bien ? Est-ce que tu vas finir par dire quelque chose ?

Il se racla la gorge et s'obligea à la regarder.

— Excuse-moi, Edith. Je crois que je suis un peu fatigué...

— Tu n'avais pas l'intention de dire quoi que ce soit, n'est-ce pas ? Qu'est-ce que tu pensais, ingrat ? Que je n'avais pas le droit de savoir ?

Il fut d'abord déconcerté puis finit par hocher la tête. S'il en avait eu la force, il aurait été contrarié.

— Comment l'as-tu su ?

— Peu importe. J'imagine que tout le monde était au courant sauf moi... Oh, Willy, franchement...

— Je suis désolé, Edith, je suis désolé... Je ne voulais pas t'inquiéter. J'allais te le dire la semaine prochaine avant d'y aller... Ce n'est rien. Tu ne dois pas te mettre dans cet état...

— Rien ? ! grinça-t-elle, mais il paraît que c'est peut-être un cancer ! Tu sais ce que ça veut dire ?

Il sentit soudain qu'il ne pesait plus rien et dut se faire violence pour s'empêcher de se retenir à quelque chose.

— Edith, murmura-t-il d'assez loin déjà, nous en reparlerons demain. S'il te plaît... Là, je suis fatigué...

Elle l'observa un moment.

— Tu veux que je t'aide à aller jusqu'à ta chambre ? soupira-t-elle, tu ne donnes pas l'impression d'en être capable tout seul...

— Je te remercie. Ça ira.

Mais, au moment de se relever, il regretta sa réponse. Et pas seulement parce qu'il était encore plus faible qu'il ne l'avait pensé...

Il se reposa pendant le week-end et, le lundi suivant, il put faire cours. Il rentra tôt et était étendu sur le canapé du salon à observer intensément les moulures du plafond quand la sonnette retentit. Il se redressa et commençait à se lever quand la porte s'ouvrit. C'était Gordon Finch.

Il était blanc comme un linge et ses mains ne tenaient pas en place.

— Entre, Gordon...

— Mon Dieu, Will, mais pourquoi ne m'as-tu rien dit ?

Stoner eut un rire bref.

— Ah ! C'eût été comme de l'annoncer à la presse ! J'ai pensé que je pouvais traverser tout ça dans mon coin sans embêter personne.

— Je sais, mais... Seigneur, si j'avais su...

— Allons, il n'y a aucune raison de se tracasser. Rien n'est encore sûr. C'est... c'est juste une opération. Une... « exploration » comme ils disent... Mais comment l'as-tu appris ?

— Jamison. C'est mon médecin aussi... Il m'a prévenu que c'était contraire à son éthique, mais il pensait que je devais être au courant. Et il avait raison, Will...

— Je sais. Ce n'est pas grave. Est-ce que tout le monde est au courant ?

Finch secoua la tête.

— Pas encore.

— Alors sois discret. S'il te plaît...

— Bien sûr. Et cette histoire de dîner demain soir ? Tu n'es pas obligé de te farcir tout ça, tu sais...

— Mais je le ferai ! rétorqua-t-il en souriant. Il me semble que je dois bien ça à mon cher Lomax !

L'ombre d'un sourire éclaira le visage de son doyen :

— T'es vraiment devenu un vieux con, toi, hein ?

— Oui, ça m'en a tout l'air...

Le dîner eut lieu dans la petite salle des fêtes de l'association des étudiants. À la dernière minute, Edith déclara qu'elle ne se sentait pas capable d'en être et il s'y rendit seul. Il partit en avance et traversa lentement le campus comme s'il profitait d'un après-midi ensoleillé pour faire une petite promenade. Comme il s'y attendait, l'endroit était vide. Il demanda à un serveur d'ôter la carte où figurait le nom de son épouse et de réaménager le plan de la table « d'honneur ». Ensuite il s'assit et attendit que les invités arrivassent.

Il était placé entre Gordon Finch et le président de l'université. Lomax, qui était censé être le maître de cérémonie, était assis trois chaises plus loin. Ce dernier souriait, bavardait avec ses voisins, et pas une fois il ne regarda dans sa direction.

La pièce se remplit rapidement. Des membres du département qui ne lui avaient pas adressé la parole depuis des années lui lancèrent, de loin, de grands signes de la main. Il y répondait en inclinant la tête. Finch n'était pas bavard, mais Stoner sentait qu'il le couvait du regard, et ce jeunot de président dont il était infichu de se rappeler le nom s'adressait à lui avec un respect des plus décontractés.

Le service était assuré par des étudiants en veste blanche. Leur vieux professeur en reconnut certains. Il les salua et bavarda avec eux. Les invités regardèrent tristement leurs assiettes puis commencèrent à manger. Un joyeux cliquetis de porcelaine et d'argenterie noyé dans un brouhaha bon enfant s'éleva jusqu'au plafond. Stoner savait que tout le monde avait déjà plus ou moins oublié sa présence et put donc chipoter dans son assiette, n'avaler que deux-trois bouchées pour la forme, et observer paisiblement la scène. En

plissant les yeux, il pouvait oublier les visages...
Il ne voyait que des couleurs et de vagues silhouettes onduler devant lui comme dans un
tableau. Le cadre était posé, mais le motif se
renouvelait sans cesse. Toujours le même et toujours différent... C'était un spectacle assez plaisant et, en se concentrant bien, il en arrivait
presque à oublier la douleur.

Soudain, le silence se fit. Il secoua la tête
comme au sortir d'un rêve. Lomax était debout à
l'extrémité de la table et tapotait un verre avec la
lame de son couteau. Une belle gueule, songea-t-
il. Oui... Encore belle... Les années avaient
accentué la finesse de son visage et les rides, plutôt que de dénoncer le passage du temps, semblaient être la marque d'une sensibilité plus
profonde. Et puis c'était le même sourire de chat
et la même voix, ferme, chaude et cuivrée d'autrefois...

Il parlait. Les mots arrivaient à Stoner par
bribes. Comme s'ils sortaient d'un poste de radio
et que quelqu'un s'amusait à monter puis baisser
le son : « ... Les longues années de dévouement...
un repos... un repos richement mérité loin des
pressions... Estimé de ses collègues... » Cependant il en percevait toute l'ironie et savait que, à
sa façon et après toutes ces années, Lomax
s'adressait directement à lui.

Une salve d'applaudissements le tira de sa rêve-
rie. Gordon Finch s'était levé et avait pris la
parole. Bien qu'il le regardât et tendît l'oreille, il
ne comprit rien. Gordon fixait un point droit
devant lui, ses lèvres bougèrent, des mains cla-
quèrent de nouveau et il se rassit. Puis ce fut le
tour du président. Lui aussi s'était redressé et se
fendit d'un petit laïus. Tout y passa : de la flatte-
rie aux menaces, de l'humour à la tristesse et des

regrets à la joie. Il espérait que ce départ en retraite serait un commencement et non une fin, assura que c'était une perte pour l'université, rappela l'importance de la tradition avant de souligner la nécessité du renouveau et conclut en spéculant sur ce beau sentiment de gratitude qu'il laisserait dans le cœur des étudiants pour les années à venir. Stoner avait décroché, mais lorsque celui-ci se tut, un tonnerre d'applaudissements éclata dans la salle. Tous ces visages lui souriaient gentiment... Enfin quelqu'un lança d'une voix fluette : « Un discours ! » Une autre reprit la balle au bond puis d'autres s'en emparèrent. Un discours, un discours, un discours... Finch lui murmura à l'oreille :

— Tu veux que je te sorte de ce pétrin ?

— Non, répondit Stoner, je te remercie, ça va...

Il se leva et réalisa qu'il n'avait rien à dire.

Il resta silencieux pendant un long moment comme s'il les dévisageait tous les uns après les autres.

Puis il entendit un morne débit. Apparemment c'était le son de sa voix :

— J'ai enseigné...

Il recommença :

— J'ai enseigné ici, dans cette université, pendant presque quarante ans... Je ne sais pas ce que j'aurais fait si je n'étais pas devenu professeur... Si je n'avais pas enseigné, il se peut que je...

Il s'interrompit comme s'il avait été distrait par quelque chose puis ajouta, sur un ton définitif :

— Je tenais à vous remercier, tous, de m'avoir permis d'enseigner.

Il se rassit. D'autres applaudissements, d'autres rires fusèrent puis l'assemblée se disloqua et des gens se mirent à grouiller de toutes parts. On lui prit la main, on la secoua. Il était conscient de sourire et d'acquiescer gentiment à tout ce qu'on lui racontait. Le président lui serra les doigts dans un grand sourire en lui disant qu'il devait passer les voir, surtout, quand il voudrait, avant de regarder sa montre et de filer au pas de course. La salle commençait à se vider. Stoner se tenait debout, seul, là où il s'était hissé. Il rassemblait ses forces pour le trajet inverse. Il attendit jusqu'à ce qu'il sentît quelque chose s'affermir en lui puis contourna les tables et quitta les lieux en passant devant des essaims de gens qui le regardaient avec curiosité comme s'il était déjà un étranger. Lomax se trouvait parmi eux. Il ne se retourna pas à son passage et Stoner lui en fut reconnaissant. Après toutes ces années, ils n'avaient pas eu à se parler. C'était heureux.

*
* *

Le lendemain il entra à l'hôpital.

Il se reposa tout le week-end, dormit beaucoup et ne manifesta aucun intérêt particulier pour ce qui lui arrivait. Le lundi matin, quelqu'un enfonça une aiguille dans son bras et on le poussa, à demi conscient, le long de grands couloirs jusqu'à une pièce étrange qui semblait n'être que plafonds et pans de lumière. Il sentit quelque chose descendre vers son visage et ferma les yeux.

Il se réveilla nauséeux. Il avait mal au crâne. C'était dans le bas-ventre… Une autre douleur, plus ciblée, pas déplaisante… Il eut un haut-le-cœur puis se sentit mieux. Il caressa les épais bandages qui lui couvraient l'abdomen, s'assoupit, se réveilla pendant la nuit, but un verre d'eau et se rendormit jusqu'au matin.

Quand il se réveilla Jamison était là qui lui prenait le pouls.

— Alors ? Comment vous sentez-vous ce matin ?

— Bien, je crois...

Sa gorge était sèche. Il étendit le bras et son médecin lui tendit un verre. Il le but et regarda, patiemment.

— Bon, finit-il par dire, nous avons eu la tumeur... Un sacré morceau... D'ici un jour ou deux vous vous sentirez beaucoup mieux.

— Et je pourrai sortir d'ici ?

— Vous pourrez vous lever... La seule chose, c'est que... ce serait plus commode si vous restiez parmi nous encore un moment. Nous n'avons pas pu tout retirer... Nous allons procéder à des rayons... Enfin des choses comme ça... Bien sûr, vous pouvez partir et revenir, mais...

— Non, le coupa Stoner.

Sa tête retomba sur l'oreiller. Il était de nouveau épuisé.

— Le plus tôt possible. Je pense que je veux rentrer chez moi...

XVII

— Oh, Willy ! Tu es tout rongé de l'intérieur…

Il était étendu sur son lit d'appoint dans la petite pièce du fond et regardait fixement par la fenêtre. C'était la fin de la journée. Le soleil, en disparaissant derrière l'horizon, gansait de rouge un long serpentin de nuages accroché à la cime des arbres et sur les toits des maisons. Une mouche s'acharnait contre la moustiquaire et il flottait dans l'air l'odeur âcre des déchets des voisins en train de brûler dans le fond de leurs jardins.

— Pardon ? demanda-t-il rêveur en se tournant vers sa femme.

— À l'intérieur… Le médecin a dit que ça s'était étendu partout. Oh, Willy… Pauvre Willy…

— Oui.

Il n'arrivait pas à se forcer à s'y intéresser.

— Écoute… Ne t'inquiète pas… Il vaut mieux ne pas y penser.

Elle ne répondit rien et il se tourna de nouveau vers la fenêtre grande ouverte pour regarder le ciel s'assombrir jusqu'à ce qu'il n'y eût plus qu'une vague lueur pourpre au loin.

Voilà un peu plus d'une semaine qu'il se reposait chez lui et il rentrait tout juste de l'hôpital où il venait de subir ce que Jamison appelait, dans un sourire un peu crispé, son « traitement ». Ce dernier avait admiré la rapidité avec laquelle il avait cicatrisé et avait ajouté quelque chose à propos de sa constitution qui aurait été celle d'un homme de quarante ans avant de se taire. Stoner s'était laissé palper, examiner, toucher. Il les avait laissés l'attacher à une table et était resté immobile pendant qu'une énorme machine avait plané en silence au-dessus de son corps. Tout cela n'avait aucun sens, il le savait bien, mais il ne protesta pas. C'eût été ingrat de sa part. Ce n'était pas grand-chose à endurer et si cela pouvait tous les distraire de cette certitude qui les laissait tellement démunis...

Heure après heure, il en était conscient, cette pièce minuscule où il était étendu à présent à regarder par la fenêtre deviendrait son unique horizon et déjà, sa vieille compagne la douleur se rappelait à son bon souvenir... Il doutait qu'on le convoquât de nouveau à l'hôpital. Cet après-midi-là, il avait perçu dans la voix de Jamison une sorte de... d'irrévocabilité. Ce dernier lui avait prescrit de nouveaux médicaments à prendre si les élancements devenaient trop « pénibles ».

— Tu devrais peut-être écrire à Grace, s'entendit-il murmurer, voilà bien longtemps qu'elle n'est pas venue nous voir...

Il se tourna et vit Edith acquiescer d'un air songeur. Elle regardait par la fenêtre et son regard, à elle aussi, s'était perdu dans la contemplation de cette nuit tombante qui les prenait d'assaut.

Pendant les deux semaines qui suivirent il se sentit faiblir. D'abord lentement puis de plus en plus vite. La douleur était revenue avec une violence à laquelle il ne s'était pas préparé. Il avalait des comprimés et la sentait qui se terrait de nouveau au fond de ses entrailles comme une bête prudente.

Grace vint et il réalisa qu'il n'avait pas grand-chose à lui dire au bout du compte. Elle s'était absentée de Saint-Louis et avait trouvé la lettre de sa mère seulement la veille. Elle était fatiguée, tendue. Ses yeux étaient cernés. Il aurait voulu être en mesure de faire quelque chose pour elle, pour apaiser son chagrin, seulement il était impuissant.

— Tu as l'air bien, papa, lui dit-elle. Oui, vraiment... Tu vas te remettre vite...

— Bien sûr, répondit-il en lui souriant. Quel âge a le petit Eddy à présent ? Et toi ? Comment tu vas ?

Elle assura qu'elle allait bien, que le petit se portait bien aussi et qu'il allait entrer au collège en septembre. Il la regarda stupéfait : « Au collège ? » puis réalisa que ce devait être vrai.

— Bien sûr... J'ai oublié comme il devait être grand aujourd'hui...

— Il est souvent chez son... avec monsieur et madame Frye. Je crois que c'est mieux pour lui...

Elle ajouta autre chose, mais il n'y était plus. Il avait de plus en plus de mal à tenir ses pensées sur rênes courtes, elles vagabondaient dans des contrées imprévisibles et il lui arrivait parfois de prononcer tout haut des mots dont il ne comprenait pas l'origine.

Il entendit « Pauvre papa » et revint au sujet qui les préoccupait.

— Pauvre papa... Les choses n'ont pas été faciles pour toi, n'est-ce pas ?

Il réfléchit un moment.

— Non... mais j'imagine que je ne voulais pas qu'elles le soient...

— Maman et moi, nous... nous t'avons causé beaucoup de déceptions toutes les deux, n'est-ce pas ?

Il tendit sa main comme pour la toucher.

— Oh, non ! rétorqua-t-il, avec le peu de flamme qui lui restait encore. Non... Tu ne dois pas...

Il voulait lui en dire plus, expliquer, s'expliquer, la contredire. Mais il n'en était plus capable. Il ferma les yeux et sentit son esprit se dissiper. Des images se bousculaient, se chevauchaient. Il voyait Edith telle qu'elle était ce premier soir quand ils s'étaient rencontrés chez le vieux Claremont... Cette robe bleue, ces mains fines et ce visage pâle et délicat qui souriait gentiment... Ces yeux si clairs qui s'écarquillaient sans cesse... Comme si chaque minute apportait son lot de surprises agréables...

— Ta mère, murmura-t-il, elle n'a pas toujours été...

Elle n'avait pas toujours été ce qu'elle était devenue. Il songea qu'il pouvait, à présent, apercevoir derrière la femme qu'elle était la petite fille qu'elle avait été autrefois et que cela avait toujours été le cas.

— Tu étais une enfant magnifique... s'entendit-il ajouter et, l'espace d'une seconde, il ne sut plus à qui il s'adressait.

La lumière dansait devant ses yeux. Elle se figea et prit les traits de sa fille. Un visage défait, triste, laminé par la vie... Il ferma de nouveau les paupières.

— Dans le bureau... Tu te souviens... ? Tu avais l'habitude de venir t'asseoir près de moi quand je travaillais... Tu étais si sage et la lumière... la lumière...

La lumière d'une lampe (il pouvait la voir à présent) était tout entière absorbée par ce petit visage studieux, incliné – penché comme se penchent les enfants lorsqu'ils sont concentrés – sur les pages d'un livre ou d'un album de coloriage... Tant et si bien que ce front, ces joues, ce menton si mignons semblaient rayonner de l'intérieur... Puis il perçut l'écho d'un rire cristallin dans le lointain.

— Bien sûr, sourit-il en observant ce qu'était devenu le visage de cette enfant, bien sûr... Tu étais toujours avec moi...

— Chut... lui répondit-elle. Tu dois te reposer maintenant...

Et ce furent là leurs adieux. Elle revint le voir le lendemain matin, lui annonça qu'elle devait partir à Saint-Louis pour quelques jours et ajouta, d'une voix éteinte, retenue, quelque chose qu'il ne comprit pas. Ses traits étaient tirés et ses yeux rouges. Leurs deux regards se scellèrent. Elle le dévisagea un long moment, presque incrédule, puis se retourna. Il sut alors qu'il ne la reverrait jamais.

Il n'avait aucune envie de mourir, mais il y eut des moments après le départ de Grace où il attendit cette échéance avec impatience. Comme on attend le jour du départ d'un voyage que l'on n'a pas vraiment envie d'entreprendre... Et comme tous les voyageurs, il avait l'impression qu'il avait encore beaucoup de choses à faire avant de partir, seulement il ne voyait plus vraiment quoi...

Il était devenu si faible qu'il ne pouvait plus marcher. Il demeurait jour et nuit dans son cagibi. Edith lui apportait les livres qu'il réclamait et les disposait sur la table de nuit près de son petit lit pour qu'il puisse les attraper sans se fatiguer.

Il lisait peu, mais leur présence le rassurait. Il avait demandé à son épouse d'ouvrir grand les rideaux de toutes les fenêtres et lui interdisait de les fermer, même quand le soleil brûlant de l'après-midi tambourinait au carreau.

Quelquefois elle venait s'asseoir près de lui et ils bavardaient tranquillement. Ils parlaient de choses tout à fait banales – des gens qu'ils connaissaient vaguement, d'un nouveau bâtiment en construction sur le campus ou bien de tel autre qui venait d'être démoli – et ce qu'ils se racontaient ne semblait pas avoir une grande importance. Une sorte d'apaisement s'était instauré entre eux deux. Une quiétude qui était comme la promesse d'un amour possible et, de façon presque instinctive, Stoner comprit comment une chose si étrange fut possible : ils s'étaient mutuellement pardonné le mal qu'ils s'étaient fait et étaient émerveillés par ce qu'aurait pu être, peut-être, leur vie ensemble.

À présent il pouvait presque la regarder sans éprouver de regrets. Dans cette douce lumière de fin de journée, son visage semblait si jeune encore... Si j'avais été plus fort, songeait-il, si j'en avais su davantage, si j'avais pu comprendre... Enfin et sans s'accorder la moindre grâce, il ajoutait : Si je l'avais plus aimée... Comme si elle avait eu une très longue distance à parcourir, sa main chemina le long des plis du drap et vint toucher celle d'Edith. Elle ne réagit pas. Au bout d'un moment il dériva dans une sorte de demi-sommeil.

Malgré tous les sédatifs qu'il prenait, ses facultés mentales, du moins lui semblait-il, demeuraient intactes et il en était très reconnaissant. Néanmoins, il avait parfois l'impression qu'une autre volonté que la sienne prenait possession de son esprit et se plaisait à l'égarer. Les heures passaient sans qu'il en eût conscience.

Gordon Finch venait le voir presque tous les jours, mais il avait du mal à se rappeler à quel moment il arrivait et combien de temps il restait. Quelquefois, il s'adressait à lui alors qu'il n'était plus là et se trouvait bien étonné d'entendre sa voix résonner dans le vide, d'autres fois, il s'interrompait au milieu d'une conversation en clignant des yeux comme s'il venait juste de réaliser que son visiteur était encore à ses côtés. Un jour, alors que Gordon venait d'arriver sur la pointe des pieds, il s'était retourné l'air surpris et avait demandé : « Où est Dave ? » puis, apercevant le visage épouvanté de son ami, il avait secoué faiblement la tête et ajouté :

— Pardonne-moi, Gordon... J'étais presque endormi... Je pensais à David Masters et... et il m'arrive parfois de parler tout haut sans m'en rendre compte... C'est à cause de tous ces médicaments...

L'autre avait hoché la tête, souri et plaisanté, mais Stoner sut à cet instant précis qu'il venait de le perdre, lui aussi. Il regretta vivement avoir prononcé ces paroles et dit tout haut le nom de ce jeune homme insoumis, de ce fantôme qui les avait tous deux tenus, et pendant plus de quarante ans, dans les plis d'une amitié dont ni l'un ni l'autre n'avait jamais vraiment mesuré à quel point elle leur avait été précieuse.

Son ancien doyen lui transmit ensuite les témoignages d'amitié de ses anciens collègues et lui donna, de façon assez décousue, toutes les nouvelles du campus susceptibles de l'intéresser. Mais Stoner était agité. Il ne l'écoutait pas et souriait nerveusement.

Il était encore à son chevet quand Edith entra dans la chambre. Gordon se redressa péniblement et lui adressa un grand sourire, soulagé qu'il était d'être ainsi dérangé et distrait.

— Edith ! Assieds-toi donc !

Elle secoua la tête et regarda son mari en plissant les yeux.

— Ce bon vieux Willy a meilleure mine, assura Finch. Ma foi, oui ! Je trouve qu'il est beaucoup mieux que la semaine dernière !

Edith se retourna et le regarda comme si elle venait tout juste de remarquer sa présence.

— Oh, Gordon, non... Il a une mine épouvantable... Pauvre Willy, il n'en a plus pour très longtemps...

Finch blêmit et chancela en arrière.

— Mon Dieu, Edith !

— Non... plus pour très longtemps... répéta-t-elle en jetant un regard lugubre dans la direction de son mari qui souriait encore. Que vais-je devenir, Gordon ? Comment vais-je faire sans lui ?

William ferma les yeux et ils disparurent tous les deux. Il comprit que Gordon murmurait quelque chose puis entendit le bruit de leurs pas tandis qu'ils s'éloignaient.

Ce qui était incroyable c'était combien tout cela était facile... Il avait voulu le lui dire d'ailleurs... Il avait voulu lui dire à son ami Gordon que ça ne l'ennuyait pas le moins du monde d'en parler ni même d'y penser. Mais il en avait été incapable. Et puis maintenant... Maintenant, ce n'était plus si important... Il entendit leurs voix dans la cuisine. Celle de Gordon, grave, pressante et celle d'Edith, saccadée et réticente. Mais de quoi parlaient-ils donc ?

...La douleur revint le prendre au dépourvu et avec une telle violence qu'il en cria presque. Il se concentra, força ses mains à s'ouvrir, à se dénouer sur les couvertures et à se diriger sans faillir vers la table de nuit. Il prit plusieurs comprimés, les ficha dans sa bouche et avala une gorgée d'eau. Une suée glacée perla à son front et il resta sans bouger jusqu'à ce que la bête se retirât.

De nouveau des voix. Il n'ouvrit pas les yeux. Était-ce Gordon ? Il avait l'impression d'être sorti de son corps. Son double planait au-dessus de son lit tel un cerf-volant et lui transmettait la moindre nuance du moindre son. Hélas son esprit ne parvenait pas à tout bien démêler...

Cette voix – était-ce celle de Gordon ? – était en train de parler de lui, de sa vie. Et, bien qu'il fût incapable de discerner ses mots, voire d'assurer qu'ils étaient effectivement prononcés, son esprit – avec toute la férocité d'un animal blessé – fondit sur ce sujet. Implacablement, il disséqua sa vie et la regarda en simple biographe.

Calmement, posément, sans se laisser encore importuner par la moindre émotion, il contempla ce fiasco, ou du moins ce sentiment de fiasco qu'elle devait leur inspirer à coup sûr. Il avait rêvé d'amitié. À cette infaillible complicité qui aurait pu le rassurer quant à son appartenance à la race des humains et il n'avait eu, en tout et pour tout, que deux amis dont l'un était mort stupidement avant même de commencer à exister et l'autre s'était, à présent, replié tellement loin dans le monde des vivants que...

Il avait rêvé à l'intégrité, à la force, à la solidité du mariage et il l'avait eu aussi, mais il n'avait su qu'en faire et l'avait laissé mourir. Il avait rêvé d'amour et quand il l'eut enfin trouvé, il y renonça pour le laisser se déliter dans le terrible

chaos des questions à jamais posées et du bonheur à jamais perdu. Katherine, songea-t-il.

— Katherine...

Et il avait voulu devenir professeur. Et il en
était devenu un. Cependant il savait, il l'avait toujours su, que durant la plus grande partie de sa
carrière il avait été un piètre passeur. Il avait rêvé
d'une sorte de probité, de pureté que rien n'aurait
pu corrompre et n'avait trouvé que compromis-
sions, mesquineries et vulgarité. Il avait cru à la
sagesse et que trouvait-il après toutes ces années ?
L'ignorance. Et quoi d'autre ? songea-t-il encore,
quoi d'autre ?

Mais qu'espérais-tu ? se demanda-t-il à lui-
même.

Il ouvrit les yeux. Il était plongé dans l'obscurité. Au bout d'un moment, il aperçut le ciel au
loin, ce bleu d'encre si profond délayé seulement
par un faible rayon de lune qui crevait un nuage.
Il devait être tard... Pourtant il avait l'impression
que Gordon et Edith étaient encore près de lui il
y avait quelques minutes à peine dans une pièce
inondée de soleil... Ou peut-être était-ce il y a
longtemps ?

Il le savait, que son esprit allait suivre de près
la débâcle de son corps, mais il était étonné. Il
était loin d'imaginer que ce serait si rapide. La
bête est solide, pensa-t-il, plus solide qu'on ne
l'imagine... Elle veut tenir et tenir encore.

Il entendait des voix, percevait des lumières,
guettait les allées et venues de la douleur. Le
visage d'Edith était au-dessus de lui. Il était
presque sûr que le sien lui souriait. Parfois il
reconnaissait le son de sa propre voix et avait
l'impression que ce qu'il disait avait un sens,
même s'il ne pouvait en être tout à fait certain...
Il sentit les mains d'Edith se poser sur son corps.

Le déplacer, le soulever, le laver. Elle avait de nouveau son bébé, se dit-il. Enfin un enfant bien à elle dont elle pouvait s'occuper... Il aurait voulu lui parler. Il sentait qu'il avait quelque chose à lui dire encore.

Qu'espérais-tu ?

Ses paupières... Pourquoi étaient-elles si lourdes ? Il les sentit qui vacillaient puis parvint à les rouvrir. C'était la lumière. Un beau soleil d'après-midi... Il cligna les yeux et observa, impassible, le bleu du ciel et ce morceau de feu dans un coin de fenêtre qu'il pouvait encore apercevoir de son lit. Il décida que tout cela était réel, bougea la main et sentit une force étrange l'irriguer de nouveau. Il respira profondément ; il n'avait plus mal.

À chaque goulée d'air qu'il prenait, il lui semblait que ses forces étaient ravivées. Tout son corps frissonnait et il pouvait sentir le poids si ténu, le quadrille des ombres et de la lumière sur son visage. Il se redressa et s'adossa à moitié contre le mur qui lui servait de tête de lit. Maintenant il pouvait voir le monde...

Il eut l'impression de sortir d'un long sommeil et s'en trouva tout ragaillardi. C'était la fin du printemps... ou le début de l'été... Plus probablement le début de l'été à en croire la nature... Le grand orme au fond du jardin était une splendeur et il se souvint alors de la fraîcheur tellement apaisante de sa frondaison... Il y avait une épaisseur dans l'air, une lourdeur qui retenait ce délicieux parfum d'herbe, des feuilles et des fleurs. Qui les mélangeait et les infusait. Il respira de nouveau en fermant les yeux. Il entendit le bruit rauque de son souffle et sentit toute la douceur de l'été qui venait se lover dans ses poumons.

Mais il sentit aussi, en prenant cette grande goulée de vie, quelque chose se disloquer. Comme un mouvement d'horlogerie. Comme un pignon qui se serait enrayé. Ensuite cela passa et il songea : voilà. C'est ça. Nous y sommes.

Il se dit aussi qu'il devait peut-être appeler Edith... Et puis non. Les mourants sont égoïstes, songea-t-il. Ils sont comme les enfants, ils n'aiment pas partager.

Il se remit à respirer normalement, mais quelque chose en lui, d'indicible, avait changé. Il attendait. Il attendait une révélation et eut l'impression qu'il avait, cette fois, toute la vie devant lui...

Il entendit des rires au loin. Il tourna la tête. Un groupe d'étudiants étaient en train de couper court par son jardin pour gagner du temps. Ils marchaient à grands pas. Il les vit très distinctement. Il y avait trois couples. Les jeunes filles étaient fines et gracieuses dans leurs robes légères et les garçons les regardaient avec une sorte d'émerveillement ravi et perplexe. Ils foulaient l'herbe, la touchaient à peine, n'y imprimaient aucune trace. Il les observa tandis qu'ils sortaient du cadre et l'écho de leurs rires insouciants continua de résonner longtemps après qu'ils se furent envolés.

Qu'espérais-tu ?

Portée par la brise, une sorte de plénitude descendit sur lui. Il se rappela vaguement s'être heurté à un sentiment d'échec. Comme si cela avait eu la moindre importance... Il lui semblait à présent que de telles pensées étaient indignes et qu'elles faisaient offense à ce qu'avait été sa vie... De vagues silhouettes s'étaient rassemblées à la lisière de sa conscience. De là où il se trouvait, il ne pouvait ni les distinguer ni les entendre encore, mais il savait qu'elles étaient là. Et qu'elles étaient en train de rassembler leurs forces pour l'assurer de leur présence. Il allait à leur rencontre. Il le savait. Seulement il n'avait pas besoin de se dépêcher. Il pouvait même les ignorer si le cœur lui chantait. Il avait le temps. Il avait tout le temps du monde.

Il y avait une douceur dans l'air et une sorte de langueur l'emmaillota. Il eut soudain, et ce fut saisissant, conscience de sa quiddité. Plus qu'une sensation, ce fut une évidence : il était lui, William Stoner, et il *sut* qui il avait été.

Il tourna la tête. Sa table de nuit était encombrée de livres auxquels il n'avait pas touché depuis longtemps. Il les caressa, observa sa main, ses doigts, s'émerveilla de leur finesse et admira la complexité de leurs articulations. Puisqu'elles en étaient capables à présent, il les laissa extirper un ouvrage de tout ce fatras. C'était son livre à lui qu'il cherchait et quand elles le trouvèrent, il se mit à sourire. Cette couverture rouge tellement familière... Comme elle s'était fanée... Comme elle avait vécu...

Que cet ouvrage fût ignoré et oublié lui importait peu et l'idée même de sa légitimité semblait presque triviale. Il n'avait jamais eu l'illusion de croire qu'il pouvait se trouver quelque part au milieu de ces caractères pâlots et pourtant il savait qu'un peu de lui – qu'il ne pouvait nier – était dans ces pages et y serait toujours.

À peine l'eut-il ouvert que ce ne fut plus le sien. Il laissa ses doigts courir sur le grain du papier et ressentit un léger picotement : ces mots... ils étaient vivants... Ce fourmillement remonta le long de ses poignets et vint se répercuter dans tout son corps. Il y fut très attentif, guetta leur cheminement et attendit d'en être tout entier embrasé. Que cette passion de toujours, cette ardeur, qui avait été comme un affolement, l'épinglât là où il se trouvait étendu. Pourtant il ne pouvait pas lire ce qu'il avait écrit un jour : un rayon de soleil dansait dessus.

Un bruit sourd vint troubler le silence.

Il avait lâché prise et son livre en tombant s'en trouva refermé.

Je dédie ce livre à mes amis et anciens collègues de l'université du Missouri. Ils verront immédiatement qu'il s'agit là d'une œuvre de fiction et qu'aucun des personnages ou des événements dépeints ici ne m'a été inspiré par la réalité que nous avons connue à l'université. Ils remarqueront aussi que j'ai pris certaines libertés, à la fois architecturales et historiques, avec cette même université du Missouri qui, de ce fait, est devenue, elle aussi, un lieu imaginaire.

10183

Composition
NORD COMPO

Achevé d'imprimer en Espagne
par BLACKPRINT CPI IBERICA
le 2 juillet 2013.

1er dépôt légal dans la collection : décembre 2012
EAN 9782290041116
OTP L21EPLN001186B003

ÉDITIONS J'AI LU
87, quai Panhard-et-Levassor, 75013 Paris

Diffusion France et étranger : Flammarion